PLUS QUE PARFAIT

ŒUVRES DE DANIELLE STEEL
AUX PRESSES DE LA CITÉ

(Suite en fin d'ouvrage)

Danielle Steel

PLUS QUE PARFAIT

Roman

Traduit de l'anglais (États-Unis)
par Francine Deroyan

PRESSES
DE LA CITÉ

Titre original : *Past Perfect*
L'édition originale de cet ouvrage a paru en 2017 chez
Delacorte Press, Random House, Penguin Random House
LLC, New York.

© 2017 by Danielle Steel
© Presses de la Cité, 2019 pour la traduction française
ISBN 978-2-258-19168-6
Dépôt légal : novembre 2019

Presses
de la Cité   un département **place des éditeurs**

place
des
éditeurs

À mes enfants tant aimés,
Beatie, Trevor, Todd, Nick, Samantha,
Victoria, Vanessa, Maxx et Zara.

Que votre passé, votre présent et votre avenir
soient une bénédiction et un cadeau
pour chacun d'entre vous.
Que l'histoire que vous partagez soit un lien d'amour,
de force et de tendresse, maintenant et à jamais.
Avec tout mon amour, maintenant et pour toujours.

Maman/D. S.

Si vous connaissiez l'avenir et le passé,
changeriez-vous de chemin,
ou accepteriez-vous l'idée
que votre destin est immuable, inévitable ?
Pouvons-nous modifier l'avenir ou le passé,
ou seulement nous y adapter ?
Ou bien les deux doivent-ils être respectés
et laissés tels quels ?

D. S.

Chères lectrices, chers lecteurs,

Je n'ai jamais apprécié les histoires de fantômes ni les livres sur les voyages dans le temps. Ils sont à mes yeux trop extravagants et pas très intéressants. Un personnage bloqué dans le temps, qui tombe amoureux d'un autre personnage ayant vécu cent ans plus tôt, et qui se retrouve à devoir choisir entre rester vivre dans ce siècle-là (et abandonner tous ceux qu'il connaît dans sa « vraie » vie) ou quitter son grand amour pour revenir dans le présent, cela ne me plaît pas, et je dirais même que je trouve cela très frustrant. Voici donc un livre inhabituel pour moi, qui reste aux confins de ce qui semble raisonnable.

J'éprouve une tendresse particulière pour les maisons des siècles passés. J'ai d'ailleurs vécu dans plusieurs demeures anciennes. L'une d'entre elles, une très belle maison victorienne, était réputée abriter des fantômes, ce que je refusais d'admettre. Mais on y entendait indéniablement d'étranges bruits et il s'y produisait des faits que personne ne pouvait expliquer. Certains ressentaient des ondes et étaient persuadés que la maison était hantée, ce que je continuai bravement de nier le temps que j'y vécus. Les vieilles maisons ont leur propre histoire, celle des gens qui y ont habité, qu'ils aient connu des jours heureux ou malheureux. Elles portent l'empreinte des événements qui s'y sont déroulés. Je me suis souvent interrogée sur la véritable histoire des précédents occupants de mes différentes résidences. J'ai restauré deux maisons, et j'ai senti qu'elles avaient une âme. Je dis toujours que les habitations d'un autre temps nous entraînent en quelque sorte dans une histoire d'amour. Vous les aimez ou pas.

Dans *Plus que parfait*, une famille dynamique – un jeune couple et ses trois enfants – quitte New York pour s'installer à San Francisco dans un très beau manoir construit un siècle plus tôt. Bien sûr, ils y apportent leur style de vie moderne, leurs ordinateurs, leurs jeux électroniques, tous les éléments de notre époque. La nuit de leur emménagement, un tremblement de terre les secoue quelque peu. Soudain, en un instant, un groupe d'élégantes et de sympathiques personnes du siècle précédent surgit d'on ne sait où, avant de disparaître aussi vite. Leurs portraits et leurs meubles de famille se trouvent encore dans la maison. Il y a des phénomènes psychiques que je ne comprends pas, mais certains jurent que cela existe. Rien de tout cela n'est facile à expliquer, ni à réfuter.

Dans cette histoire, quelques jours après cette première apparition, les nouveaux propriétaires, en jean, T-shirt et baskets, ou carrément pieds nus, pénètrent dans la salle à manger, et se retrouvent tout à coup en compagnie des premiers occupants du manoir. Élégamment vêtus, en robes du soir et queues-de-pie, ces gens sont en train de dîner. Les deux groupes sont les seuls capables de se voir mutuellement. Ce qui naît cette nuit-là, c'est une profonde amitié mêlée de respect entre deux familles qui vivent à un siècle d'écart, mais partagent néanmoins leur quotidien sous le même toit. Le XXᵉ siècle a été une époque palpitante, avec deux guerres mondiales, le krach de 1929, de grands bouleversements sociaux et industriels, le premier pas d'un homme sur la Lune, et tous les incroyables changements qui se sont produits au cours de cette période.

La famille d'aujourd'hui vit cette période fascinante de l'Histoire avec ses nouveaux amis, tout en continuant à mener son existence moderne. Tous ces personnages se soutiennent, s'aident, partagent leurs expériences, leur vécu. Ils se consolent, ils s'aiment, ils évoluent au contact les uns des autres grâce à une amitié qui défie le temps. C'est l'histoire poignante et touchante de deux familles qui se retrouvent par hasard à habiter la même demeure par la grâce d'une rencontre à laquelle personne ne s'attendait, et qui enrichit considérablement leurs vies.

Je vous souhaite d'aimer mes personnages autant que je les ai aimés en écrivant ce roman.

J'espère sincèrement qu'il vous plaira.

Avec mon affection,

Danielle

1

Blake Gregory laissait vagabonder son regard par-delà la fenêtre de son bureau à New York, tandis qu'il réfléchissait à la proposition que venait de lui faire le P-DG d'une nouvelle start-up spécialisée dans les réseaux sociaux de haute technologie. Il avait reçu d'autres offres auparavant, émanant de sociétés installées à Boston ou ailleurs – mais aucune de vraiment attrayante –, et il les avait refusées sans hésitation. Celle-ci présentait d'indéniables avantages : les fondateurs étaient deux jeunes hommes au palmarès prestigieux, qui avaient engrangé des fortunes avec leurs précédents projets. De ce fait, ils avaient beaucoup d'argent à investir dans leur nouvelle entreprise, qui reposait, comme les précédentes, sur des concepts simples. Il s'agissait d'appliquer les principes d'un moteur de recherche à l'univers des réseaux sociaux. Le taux de croissance potentielle était astronomique.

Blake travaillait dans le domaine des hautes technologies pour une société de capital-risque solide et très respectée dans la profession. Il avait bien réussi à son poste, mais la brillante idée exposée par ces deux créateurs lui donnait envie de rejoindre leur équipe. Certes, on n'était jamais certain du résultat d'une nouvelle entreprise, mais en cas de succès on pouvait s'attendre à des profits faramineux. Et, même si on n'était pas à l'abri des écueils, il serait facile de les surmonter pendant la phase de développement du projet. Cette offre avait surgi de nulle part, grâce à certains de ses contacts professionnels et à sa réputation d'analyste visionnaire, particulièrement doué dans l'évaluation des risques et doté des compétences requises pour transformer de nouvelles idées en entreprises prospères. Quant à la rémunération, on lui proposait le double de son salaire actuel. Toutefois, son avenir était assuré dans la société où il exerçait depuis dix ans, et il s'entendait bien avec ses collègues, tandis qu'il ne savait quasiment rien de cette start-up de San Francisco, ni de ceux avec qui il serait amené à travailler. Il savait juste qu'ils étaient brillants, qu'ils ne manquaient pas de cran et qu'ils se montraient impitoyables en affaires. Blake n'était pas du genre à prendre des risques, mais l'offre était très tentante ! En plus du salaire attractif, la rémunération comprenait également des actions dans le capital de la société lorsqu'elle serait cotée en Bourse, ce qui était l'objectif affiché des investisseurs.

Il se sentait rajeunir à l'idée de se lancer dans quelque chose de nouveau, dans un lieu différent. À quarante-six ans, il devait bien reconnaître que la routine s'était installée dans sa vie. Marié et père de trois enfants, il redoutait généralement de lâcher la proie pour l'ombre. En outre, il préférait ne pas imaginer la réaction de sa femme, Sybil, s'il lui faisait part de cette proposition. Ils étaient tous deux d'impénitents New-Yorkais, et ils adoraient la ville où eux-mêmes et leurs enfants avaient grandi. Blake n'avait jamais envisagé de la quitter, pourtant, si cette start-up connaissait le succès, il pourrait gagner une fortune. C'était une offre difficile à refuser.

À trente-neuf ans, Sybil avait occupé toute une palette de postes. Elle avait d'abord étudié l'architecture à Columbia, où elle avait rencontré Blake, alors sur le point d'obtenir son MBA à l'école de commerce. Elle se passionnait à l'époque pour Frank Lloyd Wright, I. M. Pei, Frank Gehry et tous les architectes avant-gardistes de l'époque moderne. Après leur mariage et la naissance des enfants, elle s'était spécialisée dans l'architecture d'intérieur, exerçant comme consultante auprès d'entreprises de design de meubles haut de gamme. D'ailleurs, elle avait elle-même créé plusieurs pièces qui étaient devenues des modèles iconiques. Elle appréciait particulièrement les lignes épurées. Aujourd'hui elle travaillait régulièrement pour le MOMA et le Brooklyn Museum, qu'elle conseillait dans leur choix d'acquisitions pour leurs collections permanentes et où elle organisait des expositions. Enfin, dans le peu de temps libre qu'il lui restait, elle préparait un livre, que son éditeur lui réclamait à cor et à cri, sur les plus beaux éléments de décoration intérieure du XXe siècle.

Blake était certain que l'ouvrage de sa femme serait un succès. Sybil rédigeait fréquemment des articles sur le sujet dans des magazines cotés et pour la rubrique décoration du *New York Times*. On la considérait comme une experte dans son domaine. Même si elle préférait certains styles, cela ne l'empêchait pas d'apprécier toutes les époques, et d'écrire sur l'ensemble du design. Elle emmenait Blake voir les expositions du Metropolitan Museum et lui faisait découvrir l'élégance fin de siècle du Frick Museum. Mais la période préférée de Sybil était le Mid-Century Modern postérieur à 1950 et, surtout, le design contemporain de pointe. Leur loft de deux étages à Tribeca sur North Moore, construit dans un ancien entrepôt textile, était aménagé avec une sobre élégance et le souci de laisser l'espace flotter dans les pièces. Elle avait conçu elle-même certains meubles. L'endroit ressemblait à l'aile moderne d'un grand musée. Les designers importants étaient représentés par des pièces facilement identifiables pour un expert. Sybil était douée pour choisir d'instinct tout ce qui était nouveau et chic. Blake ne comprenait pas toujours ses acquisitions, mais force lui était d'admettre que le résultat était bluffant.

Très talentueuse, Sybil était sollicitée par des musées aux quatre coins du pays comme commissaire d'exposition et ne travaillait quasiment plus pour des clients privés, car elle refusait d'être limitée par les idées et les goûts des autres. New York constituait l'épicentre de toutes ses activités créatives, et Blake trouvait injuste de lui demander de déménager à San Francisco. En temps normal, il ne l'aurait pas envisagé, mais cette proposition était pour lui une occasion unique dans sa carrière ! Peut-être pourrait-il s'engager dans cette start-up pour un an ou deux dans un premier temps. Néanmoins, il savait déjà que, si l'entreprise était un succès, il aurait envie d'y rester plus longtemps.

Pas plus que son épouse ses enfants n'apprécieraient de déménager. Andrew venait tout juste d'entamer sa dernière année de lycée et, cet automne, il ferait sa demande d'admission à l'université. Caroline était en première, et fermement ancrée dans sa vie new-yorkaise. À seize et dix-sept ans, ils seraient tous deux horrifiés par la perspective de changer de ville. Seul Charlie, leur fils de six ans, scolarisé au CP, se moquait de l'endroit où ils vivaient, tant qu'il était avec eux. Bien entendu, cette proposition était arrivée pendant la semaine de reprise des cours !

Sybil était partie pour la journée à Philadelphie. Elle devait y rencontrer les dirigeants d'un musée désireux d'avoir recours à ses services pour préparer une exposition qui aurait lieu dans deux ans. Lui parlerait-il de l'offre ? Y était-il obligé ? Pourquoi prendre le risque de la bouleverser à propos d'un poste qu'il n'était pas sûr d'accepter ? Mais les deux entrepreneurs avaient beaucoup insisté pour le rencontrer dans la semaine à San Francisco afin de discuter plus avant de leur projet, et il était très tenté d'accéder à leur demande. On était lundi, et il avait déjà déplacé certaines réunions pour pouvoir s'absenter le mercredi après-midi.

Il pesait encore le pour et le contre quand Sybil revint à la maison. Avec ses longs cheveux blonds noués en chignon, son tailleur noir, d'une coupe stricte mais chic, son épouse était la quintessence de la New-Yorkaise, comme elle l'avait toujours été. Elle était très belle, et leur fille avait la même allure qu'elle, grande et mince, les traits réguliers. Leurs deux fils, aux cheveux de jais et aux yeux noirs, lui ressemblaient davantage. Ils adoraient le sport et se débrouillaient bien dans plusieurs disciplines.

— Comment ça s'est passé ? lui demanda-t-il, tandis que Sybil, le sourire aux lèvres, posait son sac et retirait ses escarpins.

C'était une chaude soirée de l'été indien. Sybil ayant quitté la maison à six heures du matin pour être à Philadelphie à temps pour sa réunion, leur gouvernante était allée chercher Charlie à l'école, et Caroline et Andy avaient pris le métro à des heures différentes. Un aspect que Sybil appréciait dans la diversité de sa vie professionnelle était la flexibilité de ses horaires, de sorte qu'elle pouvait habituellement récupérer Charlie à la fin des cours. L'arrivée de leur benjamin les avait surpris tous les deux, mais après le choc initial ils étaient convenus que sa naissance était l'une des meilleures choses qui se soit jamais produite dans leur existence. C'était un petit garçon adorable, joyeux et facile à vivre. Quant à son frère et à sa sœur aînés, ils adoraient s'occuper de lui.

Andy et Caroline faisaient leurs devoirs dans leurs chambres, Charlie regardait un film sur l'écran plat dans celle de ses parents. Tous trois avaient déjà dîné, mais Blake avait attendu le retour de Sybil. Il la suivit dans la cuisine et la regarda sortir du réfrigérateur une salade et une assiette de poulet préparées à leur intention par la gouvernante.

— Je n'envisage pas de m'occuper de leur exposition, dit-elle quelques instants plus tard, alors qu'il lui servait un verre de vin. C'est un prestigieux musée danois qui l'a mise sur pied, et ils tiennent à la garder intacte. Or, à mes yeux, elle est incomplète, mais ils refusent que j'y ajoute quoi que ce soit. Ce n'est pas pour moi. » Exigeante dans son travail quant aux époques et aux artistes qui l'intéressaient, Sybil avait déjà repoussé bon nombre d'offres au cours des années. « En plus, j'ai besoin de temps pour avancer dans l'écriture de mon livre. Je veux le terminer avant la fin de l'année prochaine. » Elle y travaillait depuis deux ans. Ce serait un ouvrage de référence sur le meilleur du design moderne. « Comment s'est passée ta journée ? s'enquit-elle en souriant.

Ils aimaient se retrouver chaque soir et partager le récit de leur quotidien professionnel.

— Très bien. Je pars pour San Francisco mercredi, annonça-t-il à son propre étonnement.

Il avait eu l'intention d'aborder le sujet avec plus de précaution, mais sa nervosité avait pris le dessus.

— Un nouveau contrat ? demanda Sybil, sirotant son vin.

Blake hésita un long moment, ne sachant pas quoi dire. Puis il poussa un profond soupir et se cala sur sa chaise. Il ne lui avait jamais rien caché. Au bout de dix-huit ans de mariage, leur duo fonctionnait encore très bien. Leur vie ne comportait guère de surprises, mais cela leur convenait parfaitement. Et ils étaient toujours amoureux.

— J'ai reçu une offre d'une start-up de folie à San Francisco aujourd'hui, dit-il à voix basse.

— Tu vas la refuser ?

Elle pensait connaître la réponse à la question, mais elle la posa quand même. Blake déclinait toujours les offres qu'il recevait. Il était heureux à son poste, ou du moins le pensait-elle.

— Cette start-up est différente. Les deux entrepreneurs qui la lancent ont une réputation irréprochable, ils y ont déjà investi beaucoup d'argent et c'est une idée du tonnerre qui va rapporter une fortune à tout le monde.

Il semblait très sûr de lui. Sybil le regarda droit dans les yeux et posa sa fourchette sur l'assiette.

— Mais c'est à San Francisco.

Elle aurait aussi bien pu dire Mars ou Pluton. La Californie ne faisait pas partie de leur univers.

— Je sais bien, mais ils m'offrent le double de ce que je touche actuellement, d'excellentes stock-options et, si cette idée leur rapporte gros, nous serons tranquilles jusqu'à la fin de nos jours.

Ils gagnaient déjà très bien leur vie et ne manquaient de rien. Leurs enfants étudiaient dans de bonnes écoles. Et aucun d'eux n'avait jamais aspiré à un train de vie supérieur.

» Je ne dis pas que je deviendrai milliardaire, mais il y a beaucoup d'argent en jeu dans cette affaire, Syb. Ce n'est pas facile de refuser.

— Nous ne pouvons pas déménager à San Francisco, affirma-t-elle d'un ton tranquille. C'est impossible pour moi comme pour toi et nous ne pouvons pas faire ça aux enfants. Andrew va passer son diplôme cette année.

Blake ne le savait que trop bien, et il y avait songé tout l'après-midi, bourrelé de remords d'avoir seulement pesé le pour de cette offre sans en envisager le contre ni la rejeter sur-le-champ. Il avait l'impression de trahir sa famille.

— J'aimerais me rendre compte par moi-même de ce que je m'apprête à refuser, répliqua-t-il, sachant pertinemment que c'était une mauvaise excuse.

Ce dont s'aperçut Sybil.

— Que se passera-t-il si tu n'arrives pas à leur dire non ? demanda-t-elle, soudain inquiète.

— Il le faudra bien, mais je voudrais au moins écouter ce qu'ils ont à me dire.

Il savait qu'à quarante-six ans c'était sans doute la dernière proposition de cette envergure qu'il recevrait dans sa vie. La repousser signifiait qu'il resterait probablement dans son entreprise actuelle jusqu'à la fin de sa carrière. Il n'y avait rien de mal à cela, son poste était tout à fait honorable, mais il tenait à être absolument sûr de lui avant de décliner l'offre une fois pour toutes.

— Ça ne présage rien de bon, répliqua Sybil alors qu'elle déposait la vaisselle dans l'évier.

— Je ne dis pas que je vais accepter le poste, Syb. Je veux juste y réfléchir encore un peu. Peut-être que je pourrais travailler là-bas un an ou deux, suggéra-t-il, essayant de trouver une solution à un problème qu'elle refusait de prendre en compte.

— Ça m'étonnerait qu'ils acceptent ! De plus, Caro et Andy doivent terminer leur scolarité ici, et ils en ont encore pour deux ans.

— Rassure-toi, je pars mercredi après-midi et serai de retour pour le week-end.

Malgré son ton neutre, il avait une lueur dans le regard qu'elle ne lui avait jamais vue auparavant et qui ne lui disait rien qui vaille. Blake pensait à lui seul, et non à eux.

— Pourquoi ne suis-je pas rassurée ? Tu n'es pas sérieux, Blake, rétorqua-t-elle les lèvres cris-pées.

— Cela me permettrait de nous mettre à l'abri pour toujours. Jamais je ne pourrai gagner autant en restant ici.

— Nous n'avons pas besoin de plus ! Nous avons un bel appartement et une vie agréable.

Elle n'avait jamais été exigeante, et leurs situa-tions lui convenaient tout à fait.

— Il ne s'agit pas seulement d'argent. C'est excitant de faire partie d'un nouveau projet. Ce qu'ils veulent mettre en place pourrait être révo-lutionnaire. Je suis désolé, Syb. Je veux juste me faire mon idée. Tu me détesterais pour ça ?

Il l'aimait et ne voulait pas compromettre leur couple mais, s'il fermait la porte avant même de discuter avec ces investisseurs, il le regretterait toute sa vie. Et puis, il s'était déjà engagé à faire le voyage avant d'en débattre avec sa femme.

Sybil n'était pas en colère, mais inquiète.

— Je serais bien incapable de te détester... sauf si tu nous obliges à quitter New York ! répondit-elle en riant. Promets-moi de ne pas t'emballer et de ne rien accepter avant de m'en parler !

— Promis !

Il lui passa un bras autour des épaules et, quand ils regagnèrent leur chambre, Charlie s'était endormi sur leur lit devant la télé allumée. Blake porta leur fils dans sa chambre, et Sybil lui enfila son pyjama sans le réveiller.

Ils souhaitèrent bonne nuit à Caroline et Andy, puis, après avoir éteint les lumières de leur propre chambre, Sybil resta allongée dans l'obscurité. Elle se remémora leur discussion, formant le vœu que ce soit l'un de ces moments fugaces où une idée nous séduit avant que la réalité reprenne le dessus ; on sait alors que ce n'est pas pour nous. Elle n'avait aucune intention d'aller vivre à San Francisco. Si ce poste semblait présenter de mul-tiples attraits pour Blake à l'heure actuelle, elle était certaine qu'ils seraient tous malheureux de devoir quitter New York à cause de lui. Ça lui était impossible, même pour l'homme qu'elle aimait. De toute façon, il était inenvisageable d'infliger cela à leurs enfants, et hors de question pour elle de vivre son couple entre côte est et côte ouest, avec la contrainte de devoir prendre l'avion tous les week-ends pour se voir. Non, il n'y avait aucune chance pour que ce travail à San Francisco convienne à leur famille.

Blake était déjà parti au bureau lorsque Sybil emmena Charlie à l'école. De retour à la maison, elle s'installa à sa table de travail, bien décidée à ne pas se mettre martel en tête. Blake n'avait jamais agi avec impulsivité, c'était un homme sensé. New-Yorkais dans l'âme tout autant qu'elle, il aurait à cœur de ne pas perturber sa famille. Finalement, mieux valait le laisser partir pour la Californie et arriver tout seul à la même conclusion qu'elle, plutôt que de lui faire une scène. Il saurait prendre la bonne décision.

Ce jour-là, ils passèrent une soirée paisible, sans plus aborder le sujet.

Le mercredi, il se rendit directement du bureau à l'aéroport. Avant d'embarquer, il téléphona à Sybil pour lui dire qu'il l'aimait et la remercia d'être belle joueuse en lui permettant de se faire une idée.

— Autant que tu aies toutes les données avant de refuser ce poste, dit-elle d'un ton serein.

Blake semblait soulagé. Sybil en était persuadée : si séduisante soit leur offre, ces deux entrepreneurs ne parviendraient pas à lui faire quitter New York. Son mari était un homme d'habitudes et il aimait son travail.

— C'est ce que je pense aussi. Dis aux enfants que je les embrasse. Je rentrerai tard vendredi soir.

Il prendrait le dernier vol au départ de San Francisco et, du fait du décalage horaire, elle serait sûrement endormie quand il arriverait à la maison. Son avion devait atterrir à JFK à deux heures du matin. Il préférait rentrer à cette heure tardive plutôt que de passer une autre nuit loin d'elle. Ce week-end-là, ils avaient projeté de partir dans les Hamptons, où ils louaient une maison pour un mois l'été, et occasionnellement les week-ends. Le temps était si clément qu'ils voulaient en profiter une dernière fois avant l'automne ; les enfants étaient impatients d'y aller pour s'y retrouver en famille, et Blake n'était pas en reste !

Le décalage horaire jouant en sa faveur, Blake rencontra les deux créateurs de la start-up pour un dîner tardif à son hôtel le mercredi soir. Ils étaient tout feu tout flammes. Geeks devenus de brillants hommes d'affaires, ils avaient une dizaine d'années de moins que lui, et un palmarès impressionnant. Ils étaient titulaires d'un MBA de Harvard, mais étaient avant tout des hommes d'idées, qui créaient des entreprises en vue de les revendre avant de passer au projet suivant. Ils lui proposaient de diriger la société pendant la phase de développement du concept, jusqu'à la vente ou à l'entrée en Bourse, selon l'option la plus lucrative. Ils disposaient de tout l'argent nécessaire pour transformer leur idée en succès. Les écouter parler de leur projet était aussi excitant que Blake l'avait craint, d'autant plus qu'il connaissait à présent les intéressés.

Cette nuit-là, il ne parvint pas à dormir. Le lendemain matin, il partagea un petit déjeuner de travail avec la demi-douzaine de responsables des différents départements. Hommes et femmes, tous étaient innovateurs dans leur domaine et avaient occupé avec succès des postes similaires dans d'autres entreprises. Les fondateurs ne recrutaient que les meilleurs. À leurs yeux, l'objectivité de Blake et son sens des réalités feraient de lui le P-DG idéal. Leur plan de développement comportait peu de failles, et l'occasion de gagner beaucoup d'argent était à portée de main, y compris pour Blake, dont le poste était assorti de diverses stock-options et d'une participation aux résultats.

Toute la journée, il assista à des réunions et, avant le dîner, rencontra de nouveau les deux fondateurs pour leur faire part de ses impressions. Ils furent satisfaits de ses remarques et conquis par son expertise financière. Blake n'aurait pas de mal à trouver sa place au sein de l'équipe. Les réunions du vendredi furent encore plus fructueuses. Blake appréciait également l'environnement de travail, un entrepôt rénové au sud de Market Street transformé en immeuble de bureaux, et occupé par un bataillon de jeunes employés dynamiques regorgeant d'idées novatrices, fraîchement recrutés. C'était revigorant et excitant de se trouver là. Certes, l'affaire comportait indéniablement des risques, mais toutes les personnes impliquées semblaient sensées et expérimentées. La cohésion du groupe était remarquable, et Blake s'y intégrait parfaitement. Avant son départ, les deux jeunes entrepreneurs lui renouvelèrent leur offre, plus convaincus que jamais qu'il était l'homme de la situation. Tout comme lui ; en deux jours, ils avaient réussi à dissiper ses hésitations. Durant la plus grande partie du vol de retour vers New York, il resta assis les yeux dans le vague, perdu dans ses pensées. Ces dernières quarante-huit heures au sein de la start-up avaient été exceptionnelles. Sur le plan professionnel, cela faisait des années qu'il n'avait pas ressenti un tel enthousiasme. Il se sentait un autre homme.

À trois heures du matin, lorsque Blake pénétra dans leur chambre, Sybil dormait profondément. Il déposa un léger baiser sur sa tête sans la réveiller. Au petit déjeuner, c'est l'air fatigué et préoccupé qu'il entra dans la cuisine. Sybil et les enfants étaient prêts à partir pour le week-end. À dessein, Sybil ne lui posa aucune question sur sa visite à San Francisco. Elle avait décidé d'attendre qu'ils soient installés dans la maison des Hamptons.

De la terrasse en bois, ils regardaient leurs enfants s'amuser sur la plage quand Sybil se tourna soudain vers lui et l'observa attentivement. Déjà, il cherchait ses mots, conscient qu'elle n'aimerait pas entendre ce qu'il avait à lui dire.

— Ça s'est passé comment ? lui demanda-t-elle, l'air tendu.

— Je serais fou de refuser. On ne m'a jamais offert une chance pareille. Et ce sera vraisemblablement la dernière fois.

Il évoqua ce qu'il pourrait gagner s'il s'engageait avec eux dès le début, avant que la société soit cotée en Bourse, ou rachetée à terme par un géant comme Google.

— La vie n'est pas qu'une question d'argent, rétorqua-t-elle. Depuis quand est-ce devenu ta motivation principale ? Tu ne peux pas sacrifier notre vie actuelle à cause de ça !

Hélas, elle lisait l'envie dans ses yeux ; jamais Blake n'avait été attiré à ce point par un poste. Elle avait bien conscience qu'il ne s'agissait pas d'une affaire d'argent, mais plutôt de la perspective pour lui de s'engager dans un nouveau projet, terriblement excitant. Oui, cette offre était un enjeu majeur à ses yeux mais, en y réfléchissant bien, si l'entreprise remportait le succès qu'il lui prédisait, toute la famille en bénéficierait. Cet aspect n'était pas négligeable. Et, pour la première fois dans la carrière de Blake, la situation géographique lui importait peu.

— C'est différent quand il est question de telles sommes, Syb, dit-il avec douceur. N'envisagerais-tu pas de t'installer à San Francisco pendant quelques années ? Tu pourrais y écrire, travailler sur ton livre et envoyer tes articles. Rien ne t'empêcherait de te rendre à New York pour continuer à collaborer avec les musées en tant que commissaire d'exposition.

À coups de suggestions, il tentait de l'amener à voir les choses sous un autre angle, mais en vain.

— Et passer ma vie dans les avions, avec trois enfants à la maison, merci bien ! s'exclama-t-elle, choquée qu'il puisse envisager cette éventualité.

Son époux prenait visiblement cette offre au sérieux. Bien sûr, elle pouvait en comprendre les raisons, mais leur existence en serait bouleversée à un point inimaginable. Non, il n'était pas question d'infliger cela aux enfants, ni à elle-même. Ce ne serait pas juste.

Quelques instants plus tard, Charlie, Caro et Andy regagnèrent la maison pour prendre une collation, et leurs parents ajournèrent cette discussion, pour la reprendre quand les aînés furent sortis voir leurs amis et que Charlie se fut endormi dans la chambre voisine de la leur.

— Je sais que c'est beaucoup te demander, mais les enfants s'adapteront très bien, insista Blake. Ils se feront de nouveaux amis, et de toute façon Andy part à la fin de cette année. Je dois me décider rapidement. Si je refuse, ils chercheront quelqu'un d'autre. C'est maintenant qu'ils ont besoin d'un dirigeant comme moi !

Blake avait l'air désespéré, et elle était désolée pour lui, mais plus encore pour elle et les enfants à la pensée des implications de ce déménagement.

— En plus il y a des tremblements de terre là-bas ! lui rappela-t-elle, se sentant à la fois égoïste et ridicule d'avoir recours à ce genre d'argument pour le décourager.

— Cela fait cent ans qu'ils n'en ont pas enregistré d'important, se moqua-t-il.

Mais elle était aussi têtue que lui.

— Donc, ça ne tardera plus !

— Chérie, aucun tremblement de terre ne va se déclencher juste parce que nous emménageons là-bas !

Il l'attira contre lui, la prit dans ses bras, et ils oublièrent cette histoire de San Francisco pour le reste de la nuit.

Le lendemain, ils regagnèrent New York sans avoir trouvé de solution. Ils n'étaient pas fâchés, mais la tension entre eux était palpable.

Les jours suivants, ils eurent plusieurs échanges sur le sujet. Aucun ne parvenait à convaincre l'autre du bien-fondé de ses arguments. Finalement, Sybil comprit que si Blake était obligé de refuser l'offre il ne le lui pardonnerait jamais, et ce regret amer resterait coincé en travers de sa gorge toute sa vie. Elle n'était pas enchantée de devoir le suivre là-bas, mais elle savait aussi qu'à son âge – il avait raison sur ce point – une telle chance ne se représenterait pas. Tout ce qu'il lui demandait, c'était qu'elle lui accorde deux ans. Si, à la fin de cette période, leur famille était trop affectée par ce changement, il démissionnerait et retournerait à New York. Sybil l'aimait et ne voulait pas nuire à sa carrière, ni porter tort à leur mariage. Après deux semaines de discussions, elle le regarda, épuisée, et noua les bras autour de son cou :

— Je cède. Je t'aime trop pour que tu tournes le dos à cette offre à cause de nous. Nous allons faire en sorte que ça marche d'une manière ou d'une autre.

La reconnaissance qu'elle lut sur le visage de Blake lui fit comprendre qu'elle avait pris la bonne décision.

Le lendemain matin, Blake téléphona aux deux entrepreneurs de San Francisco et leur annonça la bonne nouvelle. Dans la foulée, il démissionna de son poste new-yorkais et, le soir même, après le dîner, ils mirent les enfants au courant de la situation.

Ceux-ci furent horrifiés, mais leur mère se montra ferme envers eux et ne leur laissa pas le choix : c'était un sacrifice pour le bien de la famille ; une transition importante pour la carrière de leur père et pour leur sécurité financière à long terme. Caroline et Andrew étaient tous les deux assez grands pour le comprendre, et Sybil leur fit remarquer que, pour elle aussi, l'ajustement serait de taille. Elle avait déjà contacté le lycée d'Andy durant l'après-midi. Le directeur avait accepté qu'il revienne passer son diplôme avec ses camarades de classe, s'il le désirait, à condition qu'il achève avec succès sa dernière année dans son nouvel établissement de San Francisco.

Il fut convenu que les enfants finiraient le semestre à New York. Avec leur mère, ils déménageraient à San Francisco en janvier. Blake partirait dans une quinzaine de jours et aurait ainsi le temps de leur trouver un logement. Ignorant si cette installation serait de longue durée, ils préféraient louer plutôt qu'acheter. Sybil avait clairement indiqué qu'elle souhaitait un appartement lumineux et moderne, et non une maison. Elle avait déjà fait des recherches sur les établissements scolaires de San Francisco. Quant à l'appartement de Tribeca, ils le garderaient inoccupé, dans l'hypothèse de leur retour à New York au bout de deux ans. De plus, Sybil aurait ainsi un endroit où séjourner quand elle reviendrait travailler dans sa ville préférée. Elle avait deux mois et demi pour organiser leur départ. De son côté, Blake aurait le temps de leur dégoter un nouveau nid et de prendre ses marques au travail. Sybil prévoyait de décorer l'appartement de San Francisco avec des meubles de location[1], quitte à acquérir ce dont ils auraient besoin par la suite, le cas échéant. L'éventualité du retour à New York rendait l'exil moins douloureux pour Sybil et les enfants, et elle espérait que San Francisco n'était rien de plus qu'un projet à court terme. Néanmoins, pour le bien de Blake, elle se lança avec ardeur dans les préparatifs du déménagement et tenta de convaincre les enfants et de se convaincre elle-même que ce changement n'était pas la fin du monde.

Andy était contrarié mais, une fois qu'il eut compris le potentiel financier du projet, il se montra raisonnable. Il était fier de son père, et soulagé de pouvoir passer son diplôme avec ses camarades en juin. Caroline, elle, fit des scènes mémorables et menaça de ne pas suivre ses parents sur la côte ouest. Cependant, elle n'avait aucun endroit où séjourner à New York, car aucun membre de leur famille n'y habitait, et elle refusait le pensionnat, que ses parents lui proposèrent face à son refus catégorique de déménager. Elle n'avait donc pas d'autre choix

---

1. Il est très fréquent de louer ses meubles aux États-Unis, notamment pour des déménagements de courte durée (changement d'emploi, départ pour l'université, déplacement militaire…).

que de les accompagner à San Francisco. Comme on pouvait s'y attendre, Charlie fut le plus facile de tous. Ce changement de vie l'amusait, et il voulait déjà tout savoir sur sa nouvelle école.

Deux semaines après le départ de Blake, grâce à leurs excellents bulletins de notes, Sybil put inscrire les enfants dans de très bonnes écoles de San Francisco, que Blake avait visitées et dont il était satisfait. Il avait aussi commencé à chercher un appartement, mais quand il rentra à New York pour Thanksgiving il n'en avait toujours pas trouvé. Entre les exigences de Sybil qui souhaitait un appartement inondé de lumière, doté de hauts plafonds et d'une belle vue, et la nécessité d'habiter à une distance raisonnable des établissements scolaires, il avait été plus difficile qu'il ne le pensait de dénicher une location qui leur convienne. Blake adorait son nouveau travail et semblait rajeuni de dix ans. Sybil fut confortée dans sa décision, mais elle avait hâte qu'il trouve un logement. Il lui promit de reprendre activement ses recherches après Thanksgiving.

— Est-ce que l'on va vivre à l'hôtel ? demanda Charlie à Sybil après que son père eut regagné la côte ouest.

— J'espère que non ! Papa va trouver avant qu'on arrive, assura-t-elle, peu désireuse d'habiter à l'hôtel avec trois enfants, même si l'idée séduisait son petit garçon.

La semaine qui suivit le retour de Blake à San Francisco, l'agente immobilière lui proposa un appartement doté d'une vue fabuleuse au cinquante-huitième étage de la Millennium Tower, un gratte-ciel très chic récemment érigé sur Mission Street, en plein centre du quartier financier depuis peu embourgeoisé. Le point négatif était l'absence de parcs et de terrains de jeux pour Charlie. Le propriétaire de l'appartement avait déménagé à Hong Kong et le logement était en vente depuis un an déjà ; l'agente pensait toutefois qu'il pourrait être ouvert à la location pour un an ou deux. Blake attendait de le visiter avec plusieurs autres candidats, et Sybil le pressait quotidiennement à ce sujet.

Pendant ce temps, les enfants tiraient le meilleur parti de leur dernier mois à New York avant les vacances. Andy en profitait pour voir tous ses amis et assister à des matchs de basket et de hockey. Caroline pensait toujours que ses parents étaient cruels de les déraciner, mais s'arrangeait malgré tout pour se divertir avec ses amis. La famille avait prévu de passer Noël à New York, avant de s'envoler pour San Francisco le premier de l'An. Ils commençaient à s'inquiéter de n'avoir encore trouvé aucun pied-à-terre. Blake avait réservé sa journée du 1er décembre pour des visites avec l'agente immobilière, et il espérait avoir plus de chance qu'en novembre. Cela ne devait tout de même pas être si difficile de trouver un appartement de quatre chambres qui soit du goût de Sybil. Ce jour-là, cinq visites étaient prévues. L'appartement de la Millennium Tower n'était pas encore ouvert à la location, mais Blake et Sybil gardaient bon espoir. En attendant, Blake vivait au Regency depuis son arrivée, un ensemble de locations de courte durée et de suites hôtelières.

Quand l'agente immobilière passa le chercher le matin convenu, la brume recouvrait San Francisco. Elle déclara être certaine qu'ils trouveraient leur bonheur ce jour-là et Blake croisa les doigts pour qu'elle ait raison. Le premier appartement était situé dans un immeuble des années 1930 à Pacific Heights, le principal quartier résidentiel de la ville. La vue spectaculaire ne compensait pas le caractère sombre et déprimant des pièces, à la décoration désuète et exposées plein nord.

En route vers une nouvelle adresse, Blake commença à douter de parvenir un jour à dénicher le logement idéal. Il n'eut pas le cœur d'envoyer un texto à Sybil pour lui annoncer que la première visite de la matinée n'avait rien donné. Il finirait bien par trouver.

Sybil lui avait permis de réaliser son rêve. Maintenant, c'était à lui d'assurer. Sa femme lui manquait. Il ferma les paupières quelques instants, se laissant bercer par le trafic. Quand l'agente s'arrêta à un stop, il ouvrit les yeux et se retrouva face à un bouquet d'arbres d'où émergeait le toit d'un somptueux bâtiment qui lui rappela le Frick Museum de New York. Il n'avait jamais remarqué cette bâtisse auparavant, bien qu'ayant traversé plusieurs fois Pacific Heights en voiture.

— Qu'est-ce que c'est ? demanda-t-il, intrigué.

Entouré d'une enceinte formée de grands arbres, le bâtiment ressemblait plus à un musée qu'à une résidence familiale. Une magnifique grille en fer forgé gardait la cour intérieure, et le jardin semblait envahi par la végétation.

— C'est le manoir Butterfield, répondit l'agente en redémarrant.

Blake se retourna pour l'admirer. La bâtisse, de style européen, semblait abandonnée malgré sa splendeur.

— Qui habite là ? demanda-t-il, étonné.

— Plus personne depuis longtemps. La maison date d'une centaine d'années, avant le tremblement de terre de 1906. Une famille influente de banquiers y vivait à l'époque. Malheureusement, ils ont perdu leur fortune pendant la Grande Dépression et ont dû la mettre en vente. Par la suite, la propriété a changé de mains à plusieurs reprises, jusqu'à ce qu'une banque ordonne sa saisie il y a cinq ou six ans. Depuis, elle est inhabitée. De nos jours, les gens ne recherchent plus de maisons de cette taille à cause des coûts d'entretien et de personnel. Un promoteur finira par l'acheter et la fera démolir. Je pense que la banque redoute la mauvaise publicité qui en découlera forcément lorsque cela se produira. Un investisseur aurait facilement pu en faire un excellent hôtel, car le terrain est assez vaste, mais au niveau de l'aménagement foncier il est difficile de recevoir les autorisations nécessaires. Comme je vous le disais, elle est donc vide pour l'instant. Elle compte une vingtaine de chambres, un nombre infini de chambres de bonne et une salle de bal. Nous avons la fiche descriptive du bien à l'agence, mais personnellement je ne l'ai jamais visité. Cette demeure fait partie de l'histoire de San Francisco. Malgré tous les génies fortunés de la haute technologie qui vivent ici, personne n'en a fait l'acquisition et c'est dommage. La banque l'a mise en vente à un prix ridiculement bas, juste pour s'en débarrasser, mais je reconnais que s'attaquer à une rénovation de cette taille est un coup à vous donner des migraines !

Blake opina du chef. L'agente avait sûrement raison. La bâtisse était clairement à l'abandon et il en émanait une mélancolie empreinte de dignité. Quelle pitié que personne n'en ait pris soin depuis tant d'années !

— Qu'est-il arrivé à la famille qui vivait là ? Les Butterworth ?

— Butterfield, corrigea-t-elle. Je pense qu'ils ont quitté la ville après la vente. Ou leur lignée s'est éteinte. Je crois me souvenir qu'ils ont déménagé en Europe, quelque chose dans ce goût-là... En tout cas, une chose est sûre, ils ne font plus partie des nantis de San Francisco.

Quelle tristesse de penser qu'une famille qui avait vécu dans tant d'élégance et de splendeur avait disparu.

La demeure fascinait Blake, captivé par le récit de l'agente. Ils visitèrent ensuite quatre autres appartements dont il savait dès le départ qu'ils ne conviendraient pas à Sybil. Il regagna son bureau puis, dans la soirée, son hôtel. Quand il téléphona à Sybil ce soir-là, il lui annonça qu'il avait de nouveau fait chou blanc.

— Tu vas bien finir par nous trouver quelque chose, dit-elle en essayant de prendre un ton optimiste. Et l'appartement de la Millennium Tower ?

En réalité, elle n'avait aucune envie d'habiter au cinquante-huitième étage, dans une région réputée pour ses tremblements de terre. Sans parler de la difficulté de descendre tous ces étages à pied avec trois enfants en cas d'incendie...

— Le propriétaire est à Hong Kong et il ne leur a pas encore répondu. Peut-être qu'il ne veut pas louer.

— C'est tout aussi bien, dit-elle, faisant référence à l'étage élevé.

Il faillit lui parler de l'immense manoir vide qu'il avait aperçu ce matin-là, mais ils passèrent à d'autres sujets, et il oublia de le mentionner. Une fois couché, il repensa à l'antique bâtisse. À quoi pouvait bien ressembler l'intérieur ?

Le lendemain matin, il ne put s'empêcher d'appeler l'agente pour lui demander le prix de la propriété. D'un côté il se sentait ridicule de poser la question, de l'autre il se sentait irrésistiblement attiré par le charme inhabituel de la demeure. Quand l'agente lui communiqua l'information, il en eut le souffle coupé.

Elle avait mentionné un prix inférieur à celui de tous les appartements en vente qu'ils avaient visités et qui ne lui plaisaient pas. Le coût de l'immobilier était beaucoup moins élevé qu'à New York. Leur loft à Tribeca valait dix fois la somme demandée pour le manoir Butterfield.

— Cette maison vous coûterait probablement une fortune en entretien, mais je pense que la banque serait tout à fait disposée à baisser le prix. Ils ont évoqué une vente aux enchères, mais ils craignent qu'un promoteur n'en fasse l'acquisition dans le seul but de la démolir. Le terrain à lui seul vaut plus que ça.

— Dans quel état est l'intérieur ?

— Aucune idée, mais je peux poser la question. Vous voulez la visiter ?

Elle avait l'air surprise. Le manoir était tout le contraire de ce qu'il avait souhaité jusque-là. C'était vrai, mais pour autant la vieille maison abandonnée ne quittait pas l'esprit de Blake.

— Je suppose qu'il n'y a aucun intérêt à la visiter, si ce n'est par pure curiosité. Ma femme me tuerait si je décidais de l'acheter.

— Vous pouvez faire une offre inférieure si la maison vous plaît, dit l'agente en baissant la voix et en ignorant son commentaire au sujet de Sybil.

Le prix était déjà si bas que toute négociation semblait superflue. Ils pourraient rénover le manoir et le revendre avec une belle plus-value à leur départ de San Francisco. En envisageant les choses de cette façon, il avait presque l'impression d'être raisonnable.

— Peut-être que je vais quand même y jeter un coup d'œil, juste pour le plaisir.

— Très bien. Je vous rappelle.

Elle raccrocha, le rappela cinq minutes plus tard – après avoir obtenu les clés auprès de son directeur – et confirma que la propriété était toujours sur le marché. La banque était impatiente de s'en débarrasser, et, ce, depuis un certain temps déjà.

— Je peux vous la faire visiter à midi, si cela vous convient.

Blake eut une seconde d'hésitation puis accepta et, à l'heure dite, rejoignit l'agente devant la grille d'entrée du manoir.

Se promener dans cette demeure lui donnait l'impression de remonter le temps jusqu'au début du XXe siècle. L'intérieur était désuet, mais d'une beauté et d'une élégance spectaculaires, avec des moulures sculptées, une bibliothèque lambrissée, de magnifiques parquets et une salle de bal qui évoquait Versailles. On se serait cru dans un musée ou un petit château. Et, chose surprenante, le bâtiment semblait en bon état. Il ne vit aucune trace de fuite ou de dégâts. Dans la cuisine trônait une longue rangée de clochettes auxquelles de nombreux domestiques avaient répondu durant les jours de grandeur du manoir, un siècle plus tôt. Le rez-de-chaussée abritait de vastes salles de réception. Toutes les chambres familiales étaient regroupées au premier étage, chacune dotée de son propre petit salon, d'un dressing et d'une salle de bains spacieuse. Les chambres d'invités et plusieurs salons – tous bénéficiant de vues spectaculaires sur le parc et de cheminées en marbre, à l'image des chambres principales – se trouvaient au deuxième étage. Enfin, le dernier niveau de la demeure était réservé à une multitude de chambres de bonne. Une très nombreuse famille aurait pu y vivre à l'aise, avec une armée d'employés de maison à son service. Empruntant l'escalier principal, Blake déambula d'étage en étage. Il fut heureux de constater que la cuisine avait été modernisée à un moment donné au cours des années, même si elle nécessitait encore quelques travaux.

— Quelle maison étonnante, dit-il, émerveillé, après l'avoir parcourue de long en large.

— Voulez-vous faire une offre ? demanda brusquement l'agente.

Il observa en silence les plafonds majestueux, remarqua que les lustres avaient disparu et qu'il faudrait tous les remplacer. Simplement en raison de sa taille, la maison présenterait un véritable défi en matière de décoration et d'ameublement.

— Je pense que oui, dit-il d'une voix basse qu'il ne reconnut pas. Il suffit de repeindre tout l'intérieur et de retirer les planches des fenêtres, pour la mettre en valeur. Et si nous ne l'habitons jamais, cela resterait un excellent investissement.

Essayait-il de convaincre l'agente ou de se persuader lui-même ? Il décida de ne pas en parler à Sybil pour le moment. Impossible de justifier aux yeux de sa femme son désir de posséder cette maison, qui représentait tout ce dont elle ne voulait pas. D'humeur audacieuse, comme l'on parie sur la roulette à Las Vegas, il décida de proposer une somme correspondant à la moitié du prix de vente, juste pour voir. Il était certain que son offre serait refusée, mais c'était amusant d'essayer. Et, qui sait, si l'on considérait uniquement la superficie et l'emplacement de la propriété, il aurait conclu une affaire incroyable, en cas d'acceptation.

L'agente disposait des formulaires nécessaires dans son bureau, et une heure plus tard il les signait. Cela ressemblait presque à un jeu, une véritable farce. Une fois parti de l'agence, il oublia ce contrat et passa le reste de la journée en réunions. Il regagna son bureau à dix-huit heures et y trouva un message de l'agente lui demandant de bien vouloir la rappeler. Il résolut de le faire avant de retourner à son hôtel, certain que la banque avait décliné sa proposition.

— Le manoir Butterfield est à vous, monsieur Gregory, annonça l'agente d'un ton solennel.

Stupéfait, Blake mit un moment à comprendre l'énormité de la situation.

» La maison est à vous, répéta la femme. La banque a accepté votre offre. Ils sont prêts à signer dans deux semaines, quand vous aurez reçu les conclusions des contrôles techniques.

C'était sa seule condition suspensive dans le contrat.

— Oh mon Dieu !

Interloqué, il se laissa tomber dans son fauteuil. Que diable allait-il raconter à Sybil ? Il venait d'acquérir un manoir construit en 1902, d'une surface au sol de deux mille mètres carrés, comportant carrément une salle de bal, et implanté sur un terrain de quarante hectares.

Pour combattre la vague de panique qui menaçait de le submerger, il éclata soudain de rire en songeant à la tête de Sybil au moment où il lui annoncerait la nouvelle. Il avait encore la possibilité de renoncer à l'acquisition après analyse des rapports techniques. Mais il n'en avait aucune envie. Il ignorait pourquoi, et cela n'avait absolument aucun sens, mais il était tombé amoureux de cette bâtisse. S'agissait-il d'une crise de la quarantaine. D'abord ce poste à San Francisco. Et maintenant un manoir vieux de cent quinze ans. Strictement rien à voir avec la location d'un appartement moderne que Sybil imaginait.

Il rentra à pied à son hôtel, se demandant de quel sortilège il était victime. Bah ! Quelle qu'en soit la raison, ou la folie, ils possédaient désormais une maison à un prix si ridiculement bas que cela avait à peine entamé leurs économies. Au moins, Sybil ne pourrait pas lui en vouloir pour la dépense ! Et, une fois les peintures intérieures refaites, le manoir Butterfield serait une splendide demeure, du moins pour la durée de leur séjour à San Francisco. Tout ce qu'il lui restait à faire, c'était d'en convaincre Sybil.

— Le manoir Gregory ! lança-t-il à voix haute avant d'éclater de rire comme un gamin.

2

Toute la semaine, Blake songea à l'acquisition du manoir avec une certaine appréhension. Il était hors de question qu'il annonce cette nouvelle à Sybil au téléphone. Non, c'était impossible. À distance, même avec des photos, il ne parviendrait pas à lui faire saisir la beauté de la demeure, pas plus qu'il ne réussirait à la convaincre que, sur le long terme, cet achat était un excellent investissement financier. C'était de vive voix qu'il tenait à lui expliquer à quel point le manoir était spectaculaire, ou l'avait été dans le passé. D'ailleurs, il lui devait bien ça. Il avait conscience d'avoir mis leur mariage à rude épreuve en acceptant ce poste à San Francisco. Maintenant, il allait lui demander d'emménager avec leurs enfants dans une maison qui représentait tout ce qu'elle ne voulait pas – même s'il espérait que, tout comme lui, elle tomberait amoureuse du manoir dès qu'elle le verrait. Cette demeure avait une âme. Il en était convaincu.

Il était retourné à la propriété avec l'agente et avait pris des centaines de photos sur son téléphone, de chaque pièce et de chaque détail. Mais les clichés ne rendaient pas justice à la splendeur des lieux. Le manoir paraissait plus sombre que dans la réalité, et surtout, il paraissait gigantesque. L'évidence s'imposait : Blake devait en parler à Sybil en personne. Le vendredi soir, sans prévenir son épouse de sa venue, il embarqua sur le dernier vol. Il voulait la surprendre. Lorsqu'il s'allongea à côté d'elle dans leur lit, le samedi matin à six heures, elle se tourna vers lui d'un air étonné, sourire aux lèvres. À demi endormi, il l'enlaça.

— Qu'est-ce que tu fais ici ? demanda-t-elle, stupéfaite.

— Tu me manquais trop.

Son sourire s'élargit. Ils allaient passer le week-end ensemble ! Quelle belle surprise ! Même si elle devait remettre dès lundi matin au *New York Times* un article sur une exposition de design au Metropolitan Museum, elle ne s'inquiétait pas trop. Elle savait bien qu'en grappillant une heure ou deux par-ci par-là, elle réussirait à rendre son travail à temps. En plus, les trois enfants avaient des projets ; Blake et elle seraient donc seuls pendant la majeure partie du week-end. Elle se blottit contre son époux et ils s'assoupirent ainsi enlacés. Le vol de San Francisco avait été court, et Blake n'avait dormi qu'une heure ou deux dans l'avion. Mais tandis qu'il s'étirait paresseusement à côté d'elle, Sybil remarqua qu'il avait l'air reposé.

— C'est une belle surprise que tu m'as faite là, dit-elle joyeusement tout en se levant.

Elle se rendit à la cuisine pour préparer le petit déjeuner. Andy et Caroline avaient déjà pris le leur et, en grande sœur attentionnée, Caro avait versé des corn-flakes dans un bol pour Charlie et lui avait réchauffé un muffin aux myrtilles. Leur benjamin était assis devant la télévision et regardait des dessins animés. Il avait aussi un iPad – sur lequel Sybil téléchargeait des films pour lui –, et il n'était donc pas en manque de divertissements. Quand il vit son père, le garçonnet poussa un cri de joie. Puis Sybil et Blake s'installèrent pour prendre leur petit déjeuner pendant que Charlie retournait à ses dessins animés.

— J'ai un article à écrire pour le *New York Times*, mais je le ferai dimanche soir après ton départ. Je croyais que tu avais du travail ce week-end, dit Sybil en déposant des œufs brouillés et du bacon devant lui, accompagnés du toast au levain qu'il aimait tant.

Blake poussa un petit soupir de contentement. C'était bon d'être à la maison, même s'il redoutait de devoir confesser à Sybil qu'il avait acheté une bâtisse du siècle dernier.

— J'avais du travail, lui répondit-il, mais je voulais te voir.

À ces seuls mots, Sybil comprit que sa visite avait une tout autre raison. Elle le connaissait trop bien pour ne pas s'en rendre compte, et soudain, un léger frisson la parcourut. Quelle nouvelle nécessitait que Blake traverse le pays ? Avait-il rencontré une femme à San Francisco ? Était-il venu pour le lui avouer ? Après les surprises de ces dernières semaines, tout était possible.

— Il s'est passé quelque chose à San Francisco ? demanda-t-elle.

Elle l'observait avec attention, essayant d'afficher plus de confiance qu'elle n'en éprouvait en réalité. L'attitude de Blake la laissait perplexe. Il détourna le regard et se concentra sur son assiette.

— Non, juste beaucoup de réunions. J'essaie toujours de me mettre à niveau.

— Des problèmes avec tes collègues ?

— Bien sûr que non. Pourquoi cette question ?

— Je me demande simplement pourquoi tu es rentré. Tu ne m'as rien dit.

— Est-ce que j'interfère avec tes plans ?

Il se sentait blessé. Sybil s'habituait-elle déjà à son absence ? Avait-elle rencontré quelqu'un ? Allait-elle refuser de quitter New York ? Avec ces récents changements de plans, ces décisions qui bouleversaient leur vie, ils étaient tous les deux un peu sur les nerfs.

— Bien sûr que non. C'est ta maison, idiot, et je suis ravie de te voir !

Pourquoi avait-elle cette terrible impression que Blake était nerveux ? Pourquoi semblait-il coupable ? Et de quoi ? S'il avait quelque mauvaise nouvelle à lui annoncer, elle voulait la connaître sur-le-champ !

— Néanmoins, j'ai l'impression qu'il y a une autre raison à ton retour que le plaisir de ma compagnie, continua-t-elle, le fixant du regard.

Blake resta silencieux un long moment. Il ne pouvait plus reculer. Il avait pris l'avion pour lui dire de vive voix ce qu'il avait fait à San Francisco, et l'heure était venue de se confesser.

— J'ai quelque chose à t'avouer, lâcha-t-il d'un ton hésitant, et je voulais le faire en personne.

Sybil se prépara à de mauvaises nouvelles. Blake sortit son téléphone portable de sa poche et le posa sur la table afin de pouvoir lui montrer les photos du manoir dès qu'il lui aurait annoncé son achat.

— Es-tu amoureux d'une autre femme ? demanda-t-elle d'une voix étranglée.

Blake fut horrifié par sa question.

— Quoi ? Tu es folle ! Bien sûr que non. Je t'aime ! » Il se pencha vers elle et l'embrassa. « Mais j'ai fait quelque chose cette semaine... quelque chose d'inattendu, poursuivit-il. Ça a l'air un peu dingue, mais crois-moi, ça ne l'est pas. Sur le long terme, ce sera même bénéfique.

Il lui avait déjà tenu de tels propos au sujet de son nouveau poste. Que lui arrivait-il donc ? Il ne l'avait jamais surprise comme ça auparavant, et tout ceci ressemblait fort à une démonstration d'indépendance qui la mettait mal à l'aise. Bon, au moins ne s'agissait-il pas d'une autre femme.

Elle attendait avec impatience. Blake prit une profonde inspiration et se lança :

» J'ai acheté une maison. C'est arrivé comme ça. C'est assez difficile à expliquer. Je ne sais pas ce qui m'a pris. Je l'ai vue et j'en suis tombé amoureux illico. J'espère que les enfants et toi, vous l'aimerez aussi. C'est une demeure fantastique.

Il avait l'air sérieux. Elle se rappela soudain une maison qu'ils avaient vue à Paris durant leurs vacances dans la capitale française. C'était une pagode chinoise des années 1920, située dans un bon quartier, qui était sur le marché depuis très longtemps. Blake pensait que ce serait amusant d'avoir une pagode à Paris. Mais ce n'était pas son genre de se laisser aller à ses impulsions, et il était bien vite revenu à la raison. Chez Blake, cette dernière primait... sauf ces derniers temps.

— Quel genre de maison, et pourquoi tu ne me l'as pas dit ?

Ils avaient toujours fonctionné comme des partenaires, sur un plan d'égalité, et c'était l'une des choses qu'elle aimait dans leur mariage. Alors, pourquoi Blake avait-il pris une telle décision sans la consulter ?

— Je ne pensais pas que mon offre serait acceptée. C'était une sorte de pari un peu dingue... qu'il m'était difficile de t'expliquer au téléphone. Ma proposition était tellement basse... Franchement, j'étais persuadé qu'elle serait rejetée. J'ai payé cette demeure un prix ridicule. Il nous suffira d'y mettre une bonne couche de peinture et de l'embellir un peu et l'on pourra faire une belle plus-value quand on partira.

Sybil l'observait, sourcils froncés.

— Qu'est-ce qui cloche avec cette maison ? demanda-t-elle. Pourquoi est-elle si bon marché ? Et quel était le prix initial ?

Son mari avait-il perdu toute notion de l'argent en travaillant avec deux jeunes milliardaires ? Mais quand Blake lui annonça le prix qu'il avait payé pour le manoir, Sybil n'en revint pas. Était-il possible de faire un achat immobilier pour une somme aussi ridicule ? Un manoir qui plus est ? Oh mon Dieu, vu la somme, cette bâtisse devait être dans un état désastreux ! Et un lourd projet de décoration était la dernière chose dont elle avait besoin à San Francisco. Elle voulait que leurs deux années là-bas soient insouciantes, légères. Il n'était pas prévu qu'ils restent bien longtemps sur la côte ouest, voilà pourquoi elle voulait louer et non acheter un appartement. Elle souhaitait même louer leurs futurs meubles. Ses seuls achats seraient destinés à combler ce qui leur manquerait, mais elle ne ferait pas de grosses dépenses ; elle avait déjà prévu de se fournir chez Ikea. Le loft de Tribeca restait leur foyer. Or Blake venait d'acheter un manoir à San Francisco !

— Rien ne cloche, répondit-il. C'est juste une demeure inhabituelle, un véritable pan de l'histoire de la ville. On dirait le Frick. Tiens, regarde, ajouta-t-il en attrapant son téléphone portable.

— Le Frick ? répéta-t-elle, éberluée. Tu veux dire en taille ou en style ?

Certes, c'était l'un de ses musées préférés, mais vivre dans une demeure de la sorte ! C'était impensable !

— Les deux, concéda-t-il en toute honnêteté.

Il lui montra l'une des meilleures photos qu'il avait prises de l'extérieur. Le manoir y apparaissait dans toute sa majesté. Sybil en resta bouche bée.

— As-tu perdu la tête ? On dirait la bibliothèque publique. Quelle est la surface habitable ?

Blake eut une petite hésitation avant de répondre :

— Deux mille mètres carrés, sur quarante ares de terrain à Pacific Heights, le meilleur quartier résidentiel de la ville. Il y a un parc de l'autre côté de la rue, avec un terrain de jeux pour Charlie. Sybil, l'endroit est magnifique. Crois-moi, c'est la plus belle maison que j'aie jamais vue.

— Depuis quand tombes-tu amoureux des maisons ? Tu ne voulais même pas voir cet appartement quand je l'ai trouvé ! Et tu es pratiquement tombé dans le coma quand je t'ai annoncé les changements que je voulais y entreprendre ! Quel âge a ce manoir ? A-t-il seulement l'air vieux ou l'est-il *vraiment* ?

Blake n'avait pas besoin de répondre. D'après la photo, elle avait déjà deviné, et elle en savait plus que lui sur l'architecture historique.

— Elle a été construite en 1902, dit-il humblement, mais elle a survécu au tremblement de terre de 1906 sans dommages, donc tu n'as pas à te soucier des secousses sismiques.

Il tentait tous les arguments possibles pour la convaincre. Hélas, pour l'instant, son épouse restait fort dubitative.

— Avec une maison aussi ancienne, on n'aura pas besoin d'un tremblement de terre pour qu'elle s'écroule !

— La construction est superbe, je t'assure, et l'intérieur est splendide. De belles moulures, des cheminées en marbre, de hauts plafonds, une bibliothèque lambrissée, et une salle de bal. Quant aux vues sur la ville, elles sont spectaculaires !

Il lui montra d'autres photos, qu'elle contempla d'un air sinistre.

— Blake, où as-tu la tête ? Tu traverses une crise ou quoi ? Aurais-tu perdu tout contact avec la réalité ? D'abord tu acceptes un poste à San Francisco, tu nous obliges à déménager, et maintenant ça ! Tu veux que nous nous installions dans un manoir centenaire de deux mille mètres carrés ? Comment va-t-on l'entretenir ? Ou même y vivre ? C'est une idée complètement folle !

Elle comprenait parfaitement pourquoi il ne lui avait pas parlé du manoir avant de l'acheter. Jamais elle ne l'aurait laissé faire d'offre, et il le savait.

— Certaines idées qui semblent folles au premier abord se révèlent être de bonnes idées au final, dit-il d'une voix timide, avant de s'exclamer avec ferveur : Parfois, il suffit de jeter tous ses préjugés par la fenêtre et de se lancer !

Comme il aurait voulu pouvoir partager avec elle cette sensation de renouveau qui le portait depuis qu'il travaillait à San Francisco. L'entraîner sur cette vague vivifiante !

— Peut-être, mais pas avec une femme et trois enfants, une vie à New York, un appartement que nous aimons ici, et mon travail. Blake, nous ne sommes plus des enfants.

— Tu n'as pas envie de faire quelque chose de différent et d'amusant ?

Elle réfléchit quelques secondes à sa question. Honnêtement, non, elle n'en avait pas envie...

— Déménager à San Francisco me suffit, répondit-elle.

C'était déjà beaucoup, mais elle s'était faite à l'idée. Or Blake lui demandait maintenant de vivre dans un manoir, d'en prendre soin et de « passer une couche de peinture dessus ». Cette fois, c'en était trop.

— Tu as prévu des expertises techniques ?

— Bien sûr. Elles seront terminées la semaine prochaine. La plomberie et l'électricité ne sont pas neuves, mais elles sont en bon état et la structure est solide. Je te le promets. C'est une maison magnifique, Sybil.

— Oui, pour le sultan de Brunei peut-être. Qu'allons-nous faire de deux mille mètres carrés ?

— Si tu veux, nous garderons l'étage des domestiques fermé, ou nous nous en servirons pour stocker nos affaires. Pareil avec l'étage des invités. Nous utiliserons seulement les pièces de réception et la cuisine au rez-de-chaussée, et le premier étage, avec les chambres familiales.

Il avait pensé à tout. Malgré elle, Sybil sourit.

— Je ne suis pas sûre de pouvoir te faire confiance et te laisser seul à San Francisco. Dieu seul sait ce que tu vas faire maintenant, sans me prévenir.

— Je suis désolé, je n'ai pas pu m'en empêcher. Dès que j'ai vu la maison, j'ai su qu'elle était spéciale, que nous devions l'acheter. Certes, ce n'est pas ce que nous voulions, mais je suis sûr que toi aussi, tu en tomberas amoureuse quand tu la verras.

Et si ce n'était pas le cas ? Quel choix s'offrait à elle maintenant ? Elle pourrait piquer une colère et insister pour qu'il renonce à l'achat. Elle pourrait aussi l'accepter. Désormais, son rôle semblait être de le soutenir dans toutes ses décisions, y compris les plus douteuses, y compris celles qui allaient à l'encontre de la raison, de ses désirs à elle et de leur choix de vie. Quelle serait sa limite, si elle continuait à céder ?

— Blake Gregory, reprit-elle, je veux que tu me promettes de ne plus prendre une seule décision importante sans me consulter. Tu ne peux pas acheter une maison sans m'en parler d'abord, même si à tes yeux c'est un super investissement. C'est bien compris ?

Blake acquiesça d'un signe de tête.

— Je te le promets. J'avais discuté du poste à San Francisco avec toi, mais cette maison... je ne sais pas, c'est comme si elle s'était jetée sur moi.

— Tant que ce n'est pas une femme ! grommela-t-elle.

Elle se pencha pour regarder de nouveau les photos sur son téléphone. Pas de doute : c'était une belle maison, ou tout du moins cela l'avait été, mais elle paraissait gigantesque, impossible à entretenir. Sybil poussa un lourd soupir. Il lui faudrait investir beaucoup de son temps pour rendre cette demeure vivable... et trouver une montagne de meubles. La bâtisse était d'une époque révolue. Elle avait beau adorer le Frick, elle ne rêvait pas non plus d'y vivre ! Comment Blake pouvait-il envisager de s'installer dans ce manoir ? Et combien allait-il leur en coûter pour le meubler ?

» Tu crois vraiment que cette maison va me plaire ? Et aux enfants aussi ?

— Charlie pourra faire du roller dans la salle de bal. Il va adorer ! Et pense aux fêtes que les enfants pourront organiser ! La banque m'a dit que beaucoup de meubles d'origine étaient stockés dans un entrepôt depuis des années. C'est l'un des anciens propriétaires qui les a conservés là-bas. Il ne les utilisait pas, mais les gardait quand même par respect pour les premiers propriétaires, au cas où le manoir serait un jour transformé en musée. J'ignore quelle allure ils ont, mais on pourrait envisager de les utiliser.

— Je dois aller voir cette maison, décréta Sybil.

Il fallait qu'elle sache dans quoi Blake les avait entraînés.

— Bien sûr ! Viens dès que possible !

Il était soulagé d'être rentré lui parler en personne. Maintenant, elle savait. Il avait l'air à la fois si fier et si impatient qu'elle aille à San Francisco pour découvrir son acquisition ! Quant à elle, elle ignorait si elle avait plutôt envie de l'embrasser ou de l'étrangler.

— Je pars avec toi. J'écrirai mon article dans l'avion.

Elle ne voulait pas attendre une minute de plus. S'ils devaient faire repeindre des pièces, elle tenait à s'en occuper le plus tôt possible. Il ne restait que trois semaines avant que toute la famille déménage à San Francisco. Le temps pressait ! D'autant qu'il faudrait bien plus que quelques meubles et un coup de peinture pour vivre dans cette bâtisse ! Bon sang ! Elle lui avait demandé de leur trouver un grand appartement moderne, clair et lumineux, dans lequel ils pourraient emménager du jour au lendemain sans aucune difficulté, et voilà qu'elle se retrouvait avec un chantier de décoration sur le dos dans un manoir gigantesque vieux de plus d'un siècle ! Les dés étaient jetés. Bientôt, elle saurait s'il était possible de tirer un bon parti de cette histoire, ou si Blake était devenu complètement fou. La dernière option semblait la plus probable.

— Es-tu furieuse contre moi parce que j'ai acheté cette maison, Syb ? lui demanda-t-il soudain, inquiet.

— Je te le dirai quand je l'aurai vue. Pour l'instant, je réserve ma réponse. Disons que tu es en période d'essai. Tu ferais mieux de bien te tenir en attendant ! se moqua-t-elle.

Il comprenait. Il avait conscience d'avoir quelque peu dépassé les bornes, d'abord en acceptant ce poste à San Francisco, puis en lui demandant de déménager avec les enfants, et maintenant en faisant l'acquisition du manoir Butterfield sans lui en parler au préalable.

— Je te le promets !

Quelle chance c'était, d'avoir une femme aussi extraordinaire. Sybil sourit. Elle aussi se sentait chanceuse de vivre avec un homme comme lui, même si, pour l'heure, elle ignorait totalement ce qu'ils allaient faire d'un manoir centenaire, aussi beau fût-il.

Ils passèrent un samedi tranquille dans leur loft new-yorkais, se prélassant au lit pendant que Caroline, Andy et Charlie étaient sortis se promener. Le dimanche après-midi, la gouvernante vint s'occuper des enfants, et les parents embarquèrent sur le vol de dix-huit heures, qui devait arriver à San Francisco à vingt et une heure quinze, heure locale, minuit à New York. Le lendemain matin, Sybil avait pris rendez-vous à l'agence immobilière pour voir la maison. Blake, qui avait des réunions prévues toute la journée, n'avait pas le temps de l'accompagner, mais il était persuadé que, tout comme lui, elle tomberait amoureuse du manoir. Elle lui avait posé un million de questions pendant le week-end, et ils avaient évoqué leur nouveau foyer avec les enfants. Charlie aimait l'idée d'arpenter la salle de bal en patin à roulettes, Andy avait décrété que la bâtisse ressemblait à la Federal Reserve Bank, Caroline voulait voir une photo de sa chambre à coucher et trouvait la maison cool. Ils n'étaient pas encore totalement emballés, mais Sybil savait qu'il n'en faudrait guère plus pour les persuader que cette maison était l'endroit parfait pour eux tous... du moment qu'elle et Blake le pensaient... ce qui était encore loin d'être le cas en ce qui la concernait.

« Il y a des fantômes ? avait demandé Charlie, paniqué, en voyant les photos.

— Bien sûr que non, idiot, avait répondu Sybil. Il n'y a rien de tel. Pas la peine d'avoir peur, mon chéri ! »

Pour le taquiner, Caroline avait joué les fantômes en poussant de petits cris horrifiés. Sybil l'avait immédiatement réprimandée. À six ans, Charlie était facilement impressionnable.

« S'il y a des fantômes, j'espère qu'ils savent se servir d'une serpillière et d'un aspirateur », avait-elle dit pour alléger l'ambiance.

Charlie avait éclaté de rire.

Durant le vol pour San Francisco, Sybil écrivit son article. Elle avait apporté toutes ses notes et travailla pendant que Blake visionnait un film. Quand elle eut terminé, elle regarda les clichés du manoir. Comment diable son mari avait-il pu les entraîner dans une telle aventure ? De son côté, Blake était soulagé qu'elle ne le prenne finalement pas si mal...

Sybil révisa son article et y mit les dernières touches juste avant l'atterrissage. Blake dormait profondément. Elle le regarda et sourit : si elle ne l'aimait pas tant, elle l'aurait étranglé pour avoir acheté un manoir de deux mille mètres carrés. Bah, il fallait bien admettre que leur vie prenait un nouveau tournant, mais vers quoi cela les mènerait-il, ça, elle l'ignorait.

Le lendemain matin, quand Sybil arriva en taxi devant le manoir Butterfield, elle resta à la grille et fixa la demeure pendant un long moment, essayant d'assimiler le fait qu'elle leur appartenait désormais. L'agente immobilière ouvrit le haut portail, et Sybil avança dans la cour, contemplant l'élégante architecture, les larges fenêtres. Elle avait du mal à s'imaginer vivre ici, mais elle devait bien admettre que cette demeure était l'une des plus belles qu'elle ait jamais vues. Une fois à l'intérieur, la splendeur des lieux lui coupa le souffle. Pièce après pièce, elle ne pouvait qu'admirer la grandeur centenaire, le travail remarquable sur les moulures et les exquises sculptures, les planchers magnifiques qui avaient résisté à l'épreuve du temps, les boiseries de la bibliothèque. Et que dire de la splendeur de la salle de bal... à part qu'elle n'avait aucune idée de ce qu'ils en feraient, sinon laisser les enfants y jouer ou donner des fêtes pour leurs nouveaux amis, ou encore installer un panier de basket et s'en servir comme d'une salle de sport, ce qui semblait sacrilège. Vraiment, non, elle n'imaginait pas vivre dans une maison de cette taille.

Pourtant, au mépris de toute raison, alors que Sybil allait d'étage en étage, qu'elle ouvrait les placards et explorait chaque recoin, elle avait la curieuse sensation que cette maison devenait peu à peu la sienne. Déjà, elle avait décidé quelles seraient les chambres des enfants. Ils dormiraient tous au même étage, ce qui serait pratique, si par exemple Charlie faisait un cauchemar. Et elle avait déjà choisi une pièce à l'étage supérieur, avec une vue imprenable, pour y installer son bureau. Elle commença mentalement à faire des listes de ce dont ils avaient besoin en matière d'électronique, de Wi-Fi, et de connexions Internet pour chacun d'eux. Les fenêtres ayant été barricadées, la plupart des rideaux anciens étaient en bon état, car la lumière du soleil ne les avait pas décolorés. Elle décida de les garder. À part l'équipement de base, et bien sûr tout le nécessaire pour la cuisine – qu'ils pourraient se procurer chez Ikea –, la maison n'avait pas besoin de gros travaux. Juste une bonne couche de peinture et des meubles. Beaucoup de meubles...

L'après-midi suivant, elle se rendit avec Blake à l'entrepôt mentionné par la banque pour voir le mobilier et les objets d'art que les anciens propriétaires avaient acquis avec la maison, mais jamais utilisés. Ils découvrirent de très beaux meubles d'époque, dont la majorité leur plut, et des œuvres d'art.

Une cadre de la banque, qui semblait fascinée par l'histoire du manoir, leur avait appris qu'une femme nommée Lili Saint Martin et ayant longuement vécu à Paris était la dernière personne de la famille Butterfield à avoir possédé la maison. Elle l'avait héritée de sa mère, Bettina Butterfield de Lambertin, et l'avait vendue immédiatement après le décès de cette dernière, en 1980.

Bertrand et Gwyneth Butterfield étaient le couple qui avait initialement construit le manoir en 1902, pour lui-même et ses quatre enfants. Gwyneth l'avait vendu en 1930, à la mort de son mari. C'était alors la Grande Dépression. Leur fille aînée, Bettina, l'avait racheté en 1950 et y avait vécu pendant trente ans, jusqu'à ce qu'elle meure à son tour, à l'âge de quatre-vingt-quatre ans, et le lègue à sa fille, Lili. Lili Saint Martin avait quitté le manoir avec sa mère alors qu'elle n'était qu'un bébé. Elle avait grandi en France, puis s'y était mariée, avait eu un fils, et n'éprouvait aucun sentiment particulier pour le manoir. Elle l'avait donc vendu à la mort de sa mère, et depuis, il était passé entre de nombreuses mains. Personne ne l'avait gardé bien longtemps, et il avait même été inoccupé pendant une douzaine d'années. La demeure paraissait abandonnée, mal aimée. C'était comme si elle avait tout d'abord connu une période heureuse, mais que, par la suite, les familles qui en étaient devenues propriétaires avaient eu des moments difficiles.

Bettina Butterfield était la personne qui y avait vécu le plus longtemps, et elle était apparemment très attachée à la maison. Elle avait d'ailleurs écrit l'histoire du manoir, ainsi que celle de sa famille, leur expliqua la banquière. Une copie de son livre et de nombreuses photos de famille étaient conservées à la banque, dans une boîte qui leur serait remise bientôt. Plus personne ne se souciait de cette bâtisse, ajouta la femme. Il n'y avait plus aucun Butterfield dans la région. Soit les descendants avaient déménagé très loin, soit leur lignée s'était complètement éteinte. Sybil en éprouva une pointe de tristesse : cette demeure méritait un sort plus heureux que de rester vide, oubliée et mal aimée. Un changement s'était produit en Sybil. Finalement, elle était contente que Blake se soit lancé dans cette acquisition hasardeuse. Cette maison avait besoin d'attentions et, contre toute attente, elle était prête à lui en donner.

C'était Lili qui avait laissé tous les meubles afin qu'ils soient vendus avec le manoir. Les propriétaires suivants les avaient entreposés dans un garde-meubles, et depuis ils étaient abandonnés là, comme un héritage dont personne ne voulait. Pourtant, ces meubles avaient été, à l'origine, spécialement conçus pour la maison. Peut-être que les nouveaux propriétaires les avaient trouvés démodés, songea Sybil. Peut-être n'avaient-ils pas réussi à les vendre... à moins qu'ils se soient sentis coupables de les vendre ou de les jeter, ce qui expliquerait qu'ils les aient entreposés ici, puis abandonnés.

Blake et Sybil prirent le temps de les examiner. Rien n'ayant été bougé depuis près de quarante ans, tout était couvert de poussière. Mais chaque pièce était soigneusement emballée, et donc bien conservée. Blake remarqua que les lustres se trouvaient là, et ils décidèrent de les faire réinstaller. La plupart des meubles et des objets étaient très beaux et seraient tout à fait à leur place dans la maison. Sybil avait l'intention de faire retapisser une partie des sièges. Il y avait une belle table à manger antique de style anglais, avec vingt-quatre chaises assorties. Plusieurs canapés victoriens de très grande taille, qu'elle ferait rénover dans d'autres couleurs. Ils découvrirent aussi des tables d'appoint, des crédences et toutes sortes de meubles de diverses tailles qui viendraient habiller l'espace. Ils pourraient toujours les remplacer plus tard s'ils s'en lassaient. Mais pour l'instant, tout ce stock leur épargnerait d'avoir à se précipiter pour acheter des meubles à la va-vite, chez Ikea. Ils trouvèrent aussi du linge de lit pour leur chambre, en satin rose pâle. Malgré la préférence habituelle de Sybil pour tout ce qui était moderne, chaque découverte lui plaisait. Les premiers propriétaires avaient un goût excellent.

Blake et Sybil convinrent donc d'utiliser la majorité des meubles et objets dénichés dans l'entrepôt. Ils conviendraient bien mieux à la maison que du mobilier moderne et bas de gamme. Sybil programma la venue d'un électricien pour installer les lustres et les appliques. Elle trouva l'adresse d'un bon tapissier où elle fit livrer les sièges. L'artisan les conserverait dans son atelier jusqu'à ce qu'elle ait acheté des tissus à son goût. En fin d'après-midi, Blake et elle se rendirent chez Ikea pour acheter du matériel de cuisine. Un collègue de Blake lui donna les coordonnées d'un bon peintre, qu'il engagea pour rénover les deux étages principaux avant l'arrivée de la famille, fin décembre. Plus tard en janvier, les ouvriers peindraient les pièces du troisième étage, où Sybil aurait son bureau. Blake songeait d'ailleurs à s'en aménager un, lui aussi. Comme ça, il pourrait parfois travailler à domicile.

Ils décidèrent également de transformer la salle à manger des domestiques au sous-sol en salle de jeux pour les enfants. Ils y installeraient des canapés confortables, une grande télévision à écran plat et une table de billard.

Le mercredi soir, Sybil et Blake avaient fait d'énormes progrès concernant l'organisation de leur nouveau foyer. Les inspections techniques, toutes satisfaisantes, étaient terminées, et la maison serait officiellement à eux dans une semaine.

La banque les autorisait à entamer les travaux de peinture avant cette date afin qu'ils puissent être achevés à temps pour leur emménagement. Et comme il le leur avait été promis, la banque leur remit une boîte contenant les plans originaux du manoir, un livre relié en cuir qui relatait l'histoire de la famille de Bettina Butterfield de Lambertin, un arbre généalogique et une multitude de photographies. Sybil remarqua qu'il y avait des dates au dos de la plupart des clichés, et parfois même le nom des personnes qui y figuraient. Elle rangea le livre dans son sac, avec l'intention de le lire dans l'avion du retour à New York, et laissa le reste du contenu de la boîte dans son nouveau bureau. Elle avait soif d'en savoir plus au sujet des Butterfield. Elle consulterait tout cela quand ils seraient installés ici. Les histoires de famille l'avaient toujours fascinée. Elle tenait à en apprendre plus sur celle qui avait construit le manoir et y avait vécu. Cela rendait leur nouvelle aventure plus palpitante encore.

Le jeudi, quand Sybil quitta San Francisco, tout semblait en ordre. Elle avait engagé un jardinier pour nettoyer le terrain et tailler les haies. Et elle avait pardonné à Blake sa folie immobilière. Maintenant qu'elle avait vu la bâtisse par elle-même, elle comprenait son engouement. Le manoir dégageait quelque chose de magique et de profondément émouvant. On pouvait voir à quel point, un siècle plus tôt, sa construction avait été mûrement réfléchie, et combien il avait été aimé, à une certaine époque. Tout cela persistait aujourd'hui. Elle aussi était tombée amoureuse de cette maison et elle avait hâte de la faire découvrir aux enfants. Elle prit de nombreuses photos supplémentaires, en particulier des chambres spacieuses et ensoleillées qu'elle leur avait adjugées. Au téléphone, elle leur avait déjà décrit la salle de jeux qu'ils allaient aménager au sous-sol, et elle avait annoncé la mauvaise nouvelle à Charlie : il devrait faire du patin à roulettes à l'extérieur, car le plancher ancien de la salle de bal était bien trop beau pour se voir détériorer. À présent, Blake et elle se sentaient pleinement propriétaires de la maison. Et cette acquisition, loin d'avoir amené la discorde dans leur couple comme Blake l'avait craint, les avait au contraire rapprochés.

Dès le lendemain de son retour à New York, Sybil se mit en quête de tissus pour les sièges, fauteuils et canapés. Elle en dénicha de nombreux qui lui parurent parfaits, et elle ne put s'empêcher de rire d'elle-même : après toute une carrière axée sur le design moderne, elle plongeait à présent totalement dans le style victorien. Ses recherches l'amusaient. Elle n'avait pas eu le temps de lire le livre de Bettina Butterfield dans l'avion, mais elle s'y attellerait dès que possible. Elle avait enveloppé l'ouvrage d'une couverture plastifiée pour protéger la housse de cuir centenaire dans son sac.

Elle aida les enfants à choisir ce qu'ils voulaient expédier à San Francisco, ce qui, dans le cas de Caroline, correspondait à l'intégralité de sa garde-robe. Étant donné la taille du manoir, il était inutile de se disputer sur le sujet. Il y avait de la place pour tout. Charlie prit la plupart de ses jouets, et Andy sa Xbox. Les deux garçons emportaient aussi leurs jeux vidéo et leurs PlayStation. Sybil fit les valises pour Blake et elle, tout en essayant de s'organiser pour Noël. Blake rentra à Tribeca quelques jours avant les fêtes. Il passerait ses dix derniers jours de l'année à New York, et ils partiraient tous ensemble à San Francisco le jour de l'An.

Au lycée, il y eut des adieux larmoyants, surtout pour Caroline. Andy assura à ses amis qu'il reviendrait les voir dans quelques mois et les invita à le rejoindre à San Francisco pour les vacances. La famille passa un Noël paisible, assorti de toutes leurs traditions habituelles, de la dinde du réveillon aux cadeaux le soir de Noël. Le lendemain, chacun traîna dans l'appartement en pyjama, profitant de ses cadeaux. Et deux jours plus tard, Blake et Sybil organisèrent un dîner informel pour dire au revoir à leurs amis, même si Sybil avait l'intention de revenir souvent pour son travail.

Le 31 décembre, Caroline et Andy sortirent une dernière fois avec leurs camarades new-yorkais. Blake et Sybil restèrent tranquillement chez eux. À minuit, ils portèrent un toast à l'année à venir. Ces dernières semaines avaient été chargées, et le mois de janvier le serait encore plus, avec l'emménagement à San Francisco et les enfants qui poursuivraient leur scolarité dans de nouvelles écoles. Par chance, Sybil avait une accalmie dans son emploi du temps professionnel, ce qui lui permettrait de se consacrer pleinement à leur installation.

— À notre nouvelle maison ! dit Blake en levant sa coupe.

Puis il l'embrassa alors qu'à la télévision le feu d'artifice illuminait Times Square.

— Merci de l'avoir trouvée pour nous !

Blake savait qu'il avait eu de la chance. Malgré ses réticences premières, Sybil était chaque jour un peu plus amoureuse du manoir.

» Croisons les doigts pour qu'il n'y ait aucun tremblement de terre tant que nous y vivrons, ajouta-t-elle, ne plaisantant qu'à moitié.

— Il n'y en aura pas. Je te le promets !

Pourvu qu'il ait raison. Après tout, il n'y en avait pas eu d'important depuis très longtemps... Elle avait cessé de s'inquiéter pour cela. Désormais, elle ne songeait plus qu'à la belle aventure qui les attendait. Quel changement ! Ils quittaient leur vie confortable et prévisible à New York, et leur loft de Tribeca, pour s'installer à San Francisco et vivre dans un gigantesque manoir. Oui, c'était une véritable aventure que les cinq membres de la famille Gregory avaient hâte de vivre.

3

Caroline ne cessa d'envoyer des textos à ses amis jusqu'à ce que l'avion décolle de l'aéroport JFK. Charlie, lui, avait l'air un peu nostalgique quand l'avion survola New York puis obliqua vers l'ouest. Il se tourna alors vers sa mère et la fixa de ses grands yeux bruns, aussi sombres que ceux de Blake.

— Maman, tu es sûre qu'il n'y a pas de fantômes ?

— Je te le promets.

Elle lui sourit et lui tendit son iPad. Ils regardèrent tous des films, puis déjeunèrent. Sybil savait que les enfants étaient un peu anxieux de découvrir leur nouveau foyer, dont la taille les intriguait. Elle les rassura, leur dit qu'ils s'y habitueraient bien vite. Ce serait amusant pour eux de pouvoir inviter autant d'amis qu'ils le souhaiteraient et de jouer dehors sur les vastes pelouses.

Les peintres avaient terminé leur travail à temps. Le rez-de chaussée et le premier étage étaient prêts. La cuisine n'était pas tout à fait finie, mais au moins était-elle fonctionnelle. Les employés d'Ikea avaient installé les placards et les appareils électroménagers. Et la famille avait déjà tout le linge de maison dont elle avait besoin. Sybil avait demandé aux tapissiers de commencer le travail de rénovation des canapés, des fauteuils et des sièges. Grâce aux photos d'époque, elle avait donné les instructions nécessaires aux déménageurs pour que les lustres, les appliques et les meubles découverts dans l'entrepôt retrouvent leurs emplacements d'origine. Tout ce dont les enfants avaient besoin pour leurs chambres provenait d'Ikea. Les connexions Internet et Wi-Fi fonctionnaient, et ils pourraient utiliser leurs ordinateurs dès leur arrivée. Les seules choses qui manquaient encore étaient l'écran plat et la table de billard pour la salle de jeu du sous-sol, mais leur livraison était programmée dans quelques semaines.

Sybil et Blake avaient accompli des merveilles en peu de temps, notamment grâce au mobilier d'origine trouvé dans le garde-meubles. Le manoir Butterfield leur appartenait bel et bien désormais. À croire que c'était le destin.

Ils atterrirent à l'aéroport à treize heures, heure locale, puis se rendirent directement à leur demeure. L'agente immobilière leur avait très gentiment proposé de leur apporter des provisions. En ce jour de l'An, Alicia et José, le couple mexicain que Sybil avait engagé à distance, étaient en congé, mais ils seraient à leur service dès le lendemain. Ils étaient enthousiastes et énergiques, avaient de bonnes références et disaient aimer les enfants. Et ils ne semblaient pas du tout intimidés par la taille du manoir. Plusieurs autres couples avaient décliné l'offre d'emploi à moins qu'ils n'engagent plus de personnel, ce que Blake et Sybil refusaient. Étant donné qu'ils n'avaient pas l'intention d'utiliser toute la maison, ils estimaient que deux personnes suffiraient pour l'entretien des lieux. Alicia avait proposé de garder Charlie quand Sybil en aurait besoin, et José avait la réputation d'être infatigable. Tous deux avaient la petite quarantaine et exerçaient comme domestiques depuis de nombreuses années.

À l'aéroport, Blake loua un van afin d'avoir assez de place pour tous leurs bagages. Il avait fait expédier sa voiture de New York lors de sa première venue après la signature de son contrat, mais elle était actuellement dans le garage du manoir. D'ici peu, ils achèteraient un SUV pour que Sybil puisse aller et venir avec les enfants. Son vieux break était resté à New York.

Ils discutèrent gaiement durant le trajet. Lorsque Blake arriva devant la grille et que les enfants découvrirent le manoir, un lourd silence s'abattit dans la voiture. La demeure paraissait encore plus grande et plus impressionnante que sur les photos. Les yeux écarquillés, tous trois la fixaient tandis que la voiture pénétrait lentement dans l'allée. Le van s'immobilisa à quelques mètres du seuil. Pendant un long moment, personne n'en sortit.

— Bienvenue à la maison, dit gentiment Sybil.

Blake et elle échangèrent un sourire. Puis Blake alla ouvrir la porte d'entrée et éteindre l'alarme. Leurs sacs cabine à la main, les enfants entrèrent timidement dans la maison, ne cessant de regarder tout autour d'eux.

— Faites le tour si vous voulez, suggéra Blake, vous êtes chez vous.

Ébahis, ils fixaient les portraits des membres de la famille Butterfield, qui donnaient au vaste hall un air ancestral. Sybil leur fit visiter le rez-de-chaussée, repeint à neuf. Elle avait choisi une chaude teinte blanc cassé qui s'harmonisait bien avec les meubles d'origine. L'ensemble était accueillant, même si les lustres anciens donnaient un air formel à la demeure. Ils passèrent de pièce en pièce, jetèrent un coup d'œil à la salle de séjour, à la salle à manger, ainsi qu'à la bibliothèque, où Sybil avait fait installer un vaste bureau trouvé dans l'entrepôt. C'était une belle antiquité anglaise, parfaite dans cette pièce.

Charlie se tourna vers sa mère, les yeux luisant d'excitation.

— Est-ce qu'il y a des passages secrets ?

— Je ne sais pas, mon chéri. Je n'ai pas encore eu le temps de regarder les plans, mais je vérifierai, promis.

En l'observant depuis la porte, Sybil songea que la longue table de la salle à manger paraissait immense, comme sans fin, mais qu'elle semblait faite pour la pièce. Les Butterfield avaient-ils organisé ici de grands dîners ? Ces vingt-quatre chaises avaient-elles accueilli sur leurs assises élégantes smokings et somptueuses robes du soir ? Perdue dans ses pensées, Sybil se ressaisit, grimpa l'escalier en hâte, rattrapant les enfants qui avaient déjà gagné l'étage, puis leur montra leurs chambres respectives. Chacun était content, en particulier Charlie, dont la chambre se trouvait directement en face de celle de ses parents. Le gamin était rassuré. S'il faisait un cauchemar, sa mère ne serait pas loin.

Andy avait une suite privée, avec un petit salon personnel, et Caroline possédait un dressing que Sybil avait fait peindre en rose, et une vaste salle de bains en marbre rose également, avec une gigantesque baignoire. C'était aussi « cool » que Caro l'avait espéré. Ces deux chambres, comme celle de Sybil et Blake, avaient de belles vues sur la baie.

Ils se rassemblèrent tous dans la chambre de leurs parents, puis Blake et Andy redescendirent chercher les sacs. Tout ce qui avait été expédié depuis New York se trouvait déjà dans leurs chambres. Blake avait parfaitement organisé le déménagement.

— Alors, qu'en pensez-vous ? demanda Sybil à Caroline et Charlie.

— C'est GRAND ! balbutia Charlie en regardant autour de lui.

Sa mère et sa sœur éclatèrent de rire.

— Oui, c'est vrai, convint Sybil. Ta chambre te plaît ?

Son couvre-lit bleu pâle préféré était déjà installé, ainsi que la chaise dans laquelle il aimait s'asseoir, sa PlayStation et beaucoup de jouets. Charlie acquiesça d'un signe de tête et regarda à nouveau autour de lui, tandis que Caroline explorait la chambre de sa mère. Une demi-heure plus tard, ils se retrouvèrent dans la cuisine. Sybil jeta un coup d'œil sur les provisions. Il y avait juste ce qu'il fallait pour le déjeuner et le petit déjeuner. Ils commanderaient une pizza pour le dîner. Sybil enverrait Alicia faire des courses dès le lendemain. Les enfants avaient encore deux jours de vacances avant la rentrée scolaire, et elle avait prévu de leur faire visiter la ville, afin qu'ils découvrent leur nouvel environnement. Blake, qui était en congé depuis dix jours, allait reprendre le travail.

Sybil prépara des sandwichs pour tout le monde et versa un verre de lait pour Charlie. Les deux aînés attrapèrent des sodas dans le frigo. Puis, s'étant restaurés, ils montèrent explorer les étages supérieurs, qui n'étaient pas meublés et attendaient d'être peints. Charlie fit connaissance avec sa chambre. Bien que toute la famille l'ait rassuré, le gamin redoutait toujours qu'il y ait des fantômes. Aussi se concentrait-il sur la recherche de passages secrets, même si son père lui avait fait part de ses doutes sur leur existence.

Fatigués par le voyage et les émotions, les enfants allèrent se coucher de bonne heure. Charlie dormait déjà avant que sa tête touche l'oreiller. Andy regarda un film, Caroline envoya des textos à tous ses amis et posta sur Instagram des photos de sa suite et de sa large baignoire. Sybil et Blake se retirèrent dans leur chambre, soulagés que leur arrivée se soit bien déroulée.

— Ça se passe plutôt bien, pour l'instant, dit Sybil en s'allongeant sur leur lit.

— Ils vont s'habituer à vivre ici en un rien de temps, surtout une fois qu'ils seront occupés à l'école...

Il était fatigué. Le lendemain l'attendait une journée chargée de réunions. Il était heureux que sa famille soit enfin à San Francisco avec lui. Sybil aussi était ravie. Ils s'endormirent dans les bras l'un de l'autre. Au petit matin, c'est le son de la douche qui réveilla Sybil. Blake et elle avaient la seule douche convenable de la maison. Les autres salles de bains avaient des baignoires avec des douches à main, ce dont Andy s'était plaint, mais ce que Caroline adorait. Blake avait dit à leur fils aîné qu'il pourrait utiliser la leur.

Alors qu'elle attendait que Blake sorte de la salle de bains, Sybil remarqua qu'il avait réussi à ouvrir la fenêtre qui était coincée la veille. Les ouvriers avaient dû la peindre alors qu'elle était fermée, et ni Blake ni elle n'avaient réussi à l'ouvrir avant d'aller se coucher. Elle avait prévu de demander à José d'y remédier, mais c'était inutile désormais. Le soleil brillait, l'air était frais. Quand Blake sortit de son dressing, prêt pour le bureau, elle le remercia d'avoir décoincé la fenêtre.

— Ce n'est pas moi. Peut-être qu'elle a fini par s'ouvrir après nos tentatives d'hier soir, dit-il d'un ton allègre avant de descendre l'escalier.

Elle le suivit pour aller préparer le petit déjeuner pendant qu'il parcourait le journal, et elle oublia cette histoire de fenêtre. Blake préférait lire le *New York Times* et le *Wall Street Journal* en ligne au bureau, mais il avait commandé le journal local pour elle, lequel leur serait dorénavant livré chaque matin.

Ils discutèrent quelques minutes des réunions qui l'attendaient, puis il s'apprêta à partir. Dans le grand hall, Sybil l'embrassa, et ils contemplèrent tous les deux les portraits des membres de la famille Butterfield accrochés là : Bertrand et Gwyneth, le couple qui avait construit la maison, ainsi qu'une vieille douairière intimidante, à l'expression farouche, vêtue d'une robe sophistiquée et portant une tiare, et un homme plus âgé en kilt. S'agissait-il des parents de Bertrand ou de Gwyneth ? s'interrogea Sybil. Le mur accueillait également des portraits de deux jolies jeunes filles en robe blanche, d'un jeune homme en uniforme avec une expression mélancolique, et d'un petit garçon à l'air malicieux qui ressemblait un peu à Charlie. Il fallait vraiment qu'elle lise le livre de Bettina afin d'en apprendre plus sur toutes ces personnes. Elle était surprise qu'aucun de leurs descendants n'ait voulu conserver ces portraits et qu'ils aient été abandonnés là, dans la maison. Il s'agissait de beaux tableaux, d'artistes différents, qui donnaient beaucoup de dignité au hall d'entrée.

Alors que Sybil se dirigeait vers l'escalier principal pour monter à l'étage, elle remarqua que deux des tables du hall d'entrée avaient été déplacées. Blake les avait-il bougées ? S'arrêtant un instant, elle convint en son for intérieur qu'elles étaient mieux de ce côté-ci de la pièce. Il faudrait qu'elle pense à lui en faire la remarque, songea-t-elle avant de grimper en hâte à l'étage pour aller s'habiller. Une journée bien remplie l'attendait avec les enfants.

Une demi-heure plus tard, ils la rejoignirent dans sa chambre, et ils descendirent tous ensemble à la cuisine. Ils étaient encore en train de manger quand Alicia et José arrivèrent. Les deux employés étaient chaleureux, gentils, et Charlie les apprécia immédiatement. Peu après, Sybil embarqua sa petite troupe dans le van loué, qu'elle garderait jusqu'à ce qu'ils achètent un 4×4.

Elle leur montra toutes les curiosités locales, notamment le Golden Gate Bridge, et Alcatraz au large, dans la baie. Ils suivirent un tramway dans le centre-ville, de California Street à l'Embarcadero, puis dépassèrent Fisherman's Wharf – le fameux quartier des pêcheurs, où se succèdent boutiques de souvenirs et petits restaurants servant la fameuse soupe de palourdes –, montèrent jusqu'à Coit Tower – la célèbre tour de style Art déco construite pour honorer les pompiers de la ville –, avant de gagner Union Square et Nob Hill. Puis, ils arpentèrent le quartier chinois, visitèrent les échoppes de souvenirs et les marchés, et déjeunèrent à Ghirardelli Square.

Les enfants avaient remarqué une patinoire installée à Union Square. Sybil promit d'emmener Caroline et Charlie patiner ce week-end-là pendant qu'Andy assisterait à un match de basket avec Blake. Elle conduisit ensuite Caroline et Andy devant leur nouveau lycée, pas très loin de la maison, et expliqua à nouveau à Charlie qu'il serait pris en charge par un bus scolaire tous les jours, puisque son école se trouvait dans le comté de Marin, de l'autre côté du Golden Gate Bridge.

Quand Blake rentra du bureau, tout était prêt pour le dîner. Les enfants racontèrent à leur père tout ce qu'ils avaient fait durant la journée et il en fut impressionné. Le lendemain, ils prévoyaient de faire le tour de Marin et d'aller jeter un coup d'œil à l'école de Charlie. N'ayant encore aucun camarade de classe, leur benjamin était un peu anxieux, et Sybil pensait que le simple fait de passer en voiture devant sa nouvelle école pourrait le rassurer un peu.

Après le dîner, ils jouèrent au Monopoly. Chacun était d'excellente humeur. Le déménagement se passait beaucoup mieux que Sybil l'avait redouté. Avant de se coucher, elle entreprit d'organiser son dressing. Elle était encore encerclée de maintes paires de chaussures quand elle décida finalement d'abandonner et de terminer le lendemain. Allongée à côté de Blake, elle somnolait déjà quand elle sentit qu'il secouait le lit d'un côté à l'autre. Perplexe, elle se tourna vers lui.

— Qu'est-ce que tu fais ? demanda-t-elle d'une voix endormie.

— Mais rien !

À peine eut-il prononcé ces mots qu'une violente secousse faillit les jeter hors du lit. Le chandelier au-dessus de leur tête commença à se balancer. Alors ils comprirent.

— Oh merde ! Tu m'as menti ! cria-t-elle à Blake tout en courant chercher Charlie.

C'était un tremblement de terre, et Sybil ignorait que faire. Elle ramenait Charlie, terrifié, vers sa propre chambre, au moment où Andy et Caroline surgissaient dans le couloir. À l'instant même, le tremblement cessa. Cela n'avait duré que quelques secondes, mais l'on aurait cru l'éternité. Et durant ce curieux épisode, Sybil avait entendu un horrible gémissement en provenance des entrailles de la terre. Jamais elle n'avait eu aussi peur de sa vie. Les lustres se balançaient encore. Terrorisée, Sybil se tourna vers Blake.

— Tu crois que ce n'est que le prélude à une secousse plus violente ? s'enquit-elle, frissonnant de la tête aux pieds.

Charlie s'accrochait à elle ; même leurs aînés semblaient paniqués.

— Non, je pense que c'est terminé. Il se peut qu'il y ait quelques petites répliques plus tard, mais rien d'important, répondit Blake, essayant de rassurer toute sa famille.

— Tu avais dit qu'il n'y aurait pas de tremblements de terre ! s'écria Sybil.

— Ce n'était qu'une petite secousse, Syb ! Bienvenue à San Francisco, les enfants, lança-t-il d'un ton enjoué pour dédramatiser la situation. Tout va bien, maintenant.

Aucun objet n'avait été brisé, aucun meuble endommagé. Ils avaient juste eu une peur bleue, ce qui était on ne peut plus compréhensible pour des personnes n'ayant jamais vécu de tremblement de terre.

— Tu crois qu'on devrait descendre pour s'assurer que rien n'est cassé ? demanda Sybil, inquiète.

Qu'en était-il des candélabres aux ravissants pendants de cristal, des nombreuses lampes et maints petits objets délicats disposés un peu partout. Certains étaient-ils brisés ? Qui sait si, dans la cuisine, des piles d'assiettes n'avaient pas glissé des étagères pour se répandre par terre ?

— Tu peux aller voir si tu veux, mais je suis sûr qu'il n'y a rien de grave, répondit Blake.

Aucun des enfants n'avait envie de quitter la chambre des parents. Comment être certain, après tout, que le tremblement de terre était bel et bien terminé ou qu'il n'y aurait pas de réplique plus forte ?

» Si on regardait ce qu'ils disent à la télé ? suggéra Blake.

Il saisit la télécommande pendant que les trois enfants s'entassaient dans le lit parental. CNN leur apprit qu'il s'agissait d'un tremblement de terre de niveau 5,1 sur l'échelle de Richter, dont l'épicentre s'était trouvé à deux cent cinquante kilomètres de là, où il avait été enregistré à 6,4. Ce n'était pas énorme, mais tout de même nettement perceptible.

— Je descends vérifier, chuchota Sybil.

Blake hocha la tête et lui fit signe qu'il restait avec les enfants.

Sybil éclaira le hall du premier étage et descendit au rez-de-chaussée. Elle voulait vérifier le salon et la cuisine. Elle venait juste de quitter la salle à manger quand une femme âgée portant une longue robe de style victorien passa devant elle.

S'appuyant sur sa canne, la douairière s'adressa à elle :

— J'ai bien cru que le lustre allait me tomber sur la tête. Demain, il faudra demander à Phillips de vérifier qu'il est toujours bien accroché.

Plissant les yeux, elle scruta soudain très attentivement Sybil, tandis qu'un homme en kilt s'approchait :

» Mais que faites-vous ici, pratiquement nue ? lâcha-t-elle d'un ton sévère.

Abandonnant Sybil, elle se dirigea vers l'escalier pour rejoindre l'homme en kilt, lequel la rassura, affirmant que ce n'avait été qu'une légère secousse.

Incrédule, Sybil les fixait. Un petit garçon passa alors devant elle en riant. Une jeune femme terriblement pâle lui tenait la main. Au même moment, un couple d'âge moyen quittait la salle à manger d'un pas lent et lui sourit. Puis un beau jeune homme d'allure élancée, en queue-de-pie, lui demanda si elle allait bien. Il était accompagné d'une jeune femme en robe du soir. Sybil était interloquée. Que lui arrivait-il ? Elle aurait voulu répondre à cet inconnu, lui poser des questions, mais elle était incapable de prononcer le moindre mot. Comme elle se retournait pour les regarder tous monter le grand escalier, ils disparurent soudain à sa vue.

Elle se retrouva seule dans le hall. Elle observa les portraits de famille qu'elle et Blake avaient accrochés au mur, et sut avec certitude que c'était les personnes qu'elle venait de rencontrer. Pendant qu'elle essayait de se faire à cette idée, un homme à la mine grave, également en queue-de-pie, la scruta avec sévérité depuis le seuil de la salle à manger, puis en referma la porte. Celui-là n'était pas une des personnes représentées sur les portraits... Tremblante, elle se précipita à l'étage auprès de Blake et des enfants. Quand elle pénétra dans la chambre, elle était essoufflée, et d'une pâleur mortelle.

— Est-ce que ça va ? s'inquiéta Blake.

Sybil secoua la tête pour indiquer que non, elle n'allait pas bien, mais elle vit soudain les enfants agglutinés dans leur lit. Dans la grande frayeur qu'elle venait d'éprouver, elle les avait carrément oubliés !

— Oui, oui ! Je vais bien ! réussit-elle à s'exclamer.

Caroline l'observait avec attention.

— Tu es pâle, maman. Tu te sens mal ?

— Le tremblement de terre m'a surprise, mais ne t'inquiète pas, ma puce, je vais bien, insista-t-elle.

Elle s'allongea à côté de sa fille. Une heure plus tard, quand leur père éteignit la télévision, les enfants n'éprouvaient plus aucune inquiétude.

— Allez hop ! Tout le monde retourne dans sa chambre, ordonna Blake.

Il alla border Charlie dans son lit, pendant que Sybil, toujours sous le choc, essayait de comprendre ce qu'elle avait vu au rez-de-chaussée. Elle savait *qui* elle avait rencontré, mais ne parvenait pas à comprendre comment ni pourquoi.

» Que t'est-il arrivé ? lâcha-t-il en la rejoignant. On dirait que tu as vu un fantôme.

— C'est tout à fait cela, chuchota-t-elle, ou plus exactement huit... non, neuf, dont un homme que je n'ai pas reconnu. Ils sortaient tous de la salle à manger en parlant du tremblement de terre. Ils ont monté l'escalier... et la douairière m'a reproché d'être là, presque nue, dans ma chemise de nuit... et... quand ils sont arrivés en haut de l'escalier, ils ont tous disparu. Tous ! C'étaient les gens sur les portraits, même le petit garçon.

Sybil était pâle et sa voix tremblait. Elle semblait terrifiée.

Blake lui sourit.

— Eh bien ! Qu'as-tu bu quand tu étais au rez-de-chaussée ?

Sybil se redressa vivement et s'écria d'un ton furieux :

— Ne te moque pas de moi ! Tu as menti à propos du tremblement de terre ! Tu as dit qu'il n'y en aurait pas ! Or nous venons à peine d'arriver et nous y avons déjà eu droit ! Et toute une famille de fantômes vient de passer devant moi dans notre nouvelle maison. Pas étonnant que la banque ait pratiquement donné cette baraque ! Ces revenants ont dû effrayer un sacré nombre de gens au cours des quarante dernières années !

— Sybil, calme-toi, s'il te plaît. Je comprends que tu sois perturbée par le tremblement de terre, mais ton esprit te joue des tours ! Si quelqu'un avait vu des fantômes ici, la banque était tenue de nous le dire. C'est la loi.

— Je te dis que je viens de voir tout le clan Butterfield quitter la salle à manger, monter l'escalier et disparaître ! Deux d'entre eux m'ont parlé : la vieille douairière, qui m'a réprimandée, et le jeune homme en uniforme sur le tableau. Mais là, il était en queue-de-pie. Il m'a demandé si j'allais bien. Et j'ai entendu l'homme le plus âgé, celui au kilt, tenter de rassurer la douairière à propos du tremblement de terre. Ils m'ont tous vue comme je les ai vus !

Sybil avait l'air très secouée. Blake était sceptique.

— Tu veux un verre ? proposa-t-il.

Visiblement, le choc du tremblement de terre et la peur qu'elle avait éprouvée lui jouaient des tours. À l'évidence, elle redoutait bien plus les tremblements de terre qu'il ne l'avait imaginé.

— Je ne veux pas boire quoi que ce soit, je veux savoir ce qui se passe ici ! Si nos enfants commencent à voir ces fantômes, tu imagines ! Charlie sera absolument terrifié !

— Je ne connais rien aux phénomènes psychiques, mais si tu n'as pas rêvé, peut-être que les tremblements de terre réveillent les fantômes d'une façon ou d'une autre. Si c'est le cas, je suis sûr qu'ils disparaîtront à nouveau. Après tout, ils n'étaient pas dans le hall d'entrée pour nous accueillir quand nous sommes arrivés.

Blake trouvait cette histoire absurde. Il était incapable de prendre Sybil au sérieux.

— Non, mais c'est peut-être juste un coup de chance. Si ça se trouve, ils attendent la première occasion pour nous terrifier et nous faire partir.

Elle avait l'air paniquée.

— Étaient-ils effrayants ? demanda-t-il, essayant de garder son sérieux.

— Non, juste la vieille dame, et l'homme dans la salle à manger. Les autres étaient très aimables.

— Pourquoi ne pas leur donner une chance de disparaître à nouveau ? suggéra-t-il d'un ton apaisant.

Son détachement donnait à Sybil l'horrible impression d'être une malade mentale échappée d'un asile.

— Et s'ils ne s'en vont pas ? Blake, je ne veux pas vivre avec une famille de fantômes ! Ils m'ont flanqué la trouille.

— Pourquoi ? Ils sont tous morts.

— Tu fais exprès de ne pas comprendre ou quoi ? Ils vont essayer de nous chasser ! C'est ce que font les fantômes quand on habite une maison qu'ils hantent !

— Bon, déjà, calme-toi et attendons de voir ce qui se passe. On ne va pas s'en aller parce qu'il y a eu un petit tremblement de terre et que tu crois avoir vu un fantôme.

Blake ne voulait pas nourrir cette folie. Cela ne ressemblait pas à Sybil d'être quasiment hystérique.

— Tu ne me crois pas ! lança-t-elle.

Elle le dévisagea, encore plus en colère face à son ton condescendant.

— Je crois que tu penses les avoir vus, mais on ne sait pas ce que tu as *vraiment vu*, Syb. Peut-être que les portraits ont bougé à cause du tremblement de terre.

Il cherchait une explication raisonnable à ce qu'elle avait vu, ou pensait avoir vu. Comment croire qu'elle ait réellement croisé une famille entière de fantômes ?

— Ce ne sont pas les portraits qui bougeaient, mais les personnes, Blake ! Les personnes qui figurent sur les tableaux ! Toutes ! Et elles m'ont parlé ! Elles ont même monté l'escalier.

Nom de nom, elle savait bien ce qu'elle avait vu et entendu !

— Sybil, essaie de te détendre et d'être raisonnable. Je parie que tu ne les reverras jamais. Et il n'y aura probablement pas d'autre tremblement de terre avant des années.

Elle refusa de lui répondre et s'allongea sur le lit. Que pouvait-elle faire ? À qui raconter tout cela ? Car elle le savait avec certitude : des fantômes hantaient la maison. Quoi que Blake en dise, les Butterfield étaient toujours là.

» Ont-ils essayé de t'effrayer ? De te faire fuir ? demanda-t-il avec un certain cynisme.

— Non, admit-elle, mais rien qu'en les voyant j'ai failli avoir une crise cardiaque.

Elle en voulait tellement à Blake pour son refus évident de la croire qu'elle ne lui adressa plus la parole de la soirée. Le lendemain matin, elle se leva de bonne heure et prépara le petit déjeuner. Après avoir terminé leurs bols de céréales, les enfants remontèrent à l'étage. Ils n'avaient cessé de parler du tremblement de terre, et de la peur qu'ils avaient éprouvée. Mais ce n'était rien comparé à ce que Sybil avait vu.

— Comment te sens-tu aujourd'hui ? s'enquit Blake.

— Tu me demandes encore si je suis saine d'esprit ? rétorqua-t-elle avec froideur.

— Bien sûr que non ! Tu as eu très peur hier soir, après cette secousse. C'est normal, d'être contrariée.

Aux oreilles de Sybil, le ton de Blake était toujours aussi condescendant, ce qui n'aiderait pas à calmer sa colère.

— Je sais que tu ne me crois pas, mais je les ai bien vus ! Toute la famille Butterfield, et un autre homme.

— Qui sait, peut-être qu'ils apparaissent tous les cent ans à l'occasion d'un anniversaire, ou seulement lors de tremblements de terre. Ils ne traînent certainement pas dans le coin tous les jours. On ne les a jamais vus avant.

— Nous ne vivons ici que depuis deux jours ! Peut-être qu'on les dérange et qu'ils ne veulent pas de nous ! Après tout, c'était leur maison.

— Maintenant, elle est à nous. Nous ne laisserons pas une famille de fantômes nous effrayer, répliqua-t-il.

— Ah vraiment ? J'ai déjà entendu tout un tas d'histoires horribles sur le sujet. Ils pourraient très bien pousser l'un d'entre nous dans l'escalier, ou nous terrifier pour qu'on tombe de là-haut. La vieille dame est plutôt antipathique, et il y avait un vieux type bizarre avec elle, celui au kilt. Et qui a ouvert la fenêtre de notre chambre bloquée par la peinture ? Ni toi ni moi, n'est-ce pas ? Pourtant, au matin, la fenêtre était mystérieusement ouverte. Par ailleurs, j'ai oublié de te demander si c'était toi qui avais déplacé les tables dans le hall d'entrée. Je suppose que non. Alors, tu vois ? Peut-être que ces fantômes nous observent en ce moment même ! » Un frisson la parcourut : « Je refuse que mes enfants vivent dans une maison pleine d'esprits frappeurs, si c'est ce qu'ils sont.

Blake retint un soupir. Sa femme était-elle en train de devenir folle ?

— Ce sont peut-être des esprits inoffensifs qui nous souhaitent bonne chance, suggéra-t-il. Essayons de garder le contrôle de la réalité, d'accord ? Si tu les revois, on fera appel à un exorciste, je suis sûr qu'il y a un moyen de s'en débarrasser. Ils sont morts, après tout.

— Précisément. Et s'ils traînent encore ici cent ans plus tard, tu peux être certain qu'ils n'ont pas l'intention de partir de sitôt.

À l'évidence, il ne parviendrait à la convaincre de rien. L'expérience de la veille semblait trop réelle pour Sybil.

— Peut-être qu'ils sont amicaux.

— Je me fiche qu'ils soient amicaux ! C'est notre maison, et je n'ai pas l'intention de la partager avec eux ! C'est un peu trop *Twilight Zone* pour moi.

— Essaie de ne pas y penser aujourd'hui. Profite des enfants, pendant qu'ils sont encore en vacances.

Ils allaient passer devant l'école de Charlie et iraient faire un tour à Sausalito, de l'autre côté du pont. Charlie voulait visiter Alcatraz, mais Sybil avait découvert qu'il fallait réserver des mois à l'avance. Au lieu de cela, ils iraient voir les lions de mer sur la Jetée 39. Personne ne savait vraiment comment et pourquoi ils étaient arrivés là, mais ces animaux étaient une véritable attraction.

» Bon, je vais aller travailler, dit Blake en lui lançant un baiser du bout des doigts. Passez une bonne journée, tous les quatre !

Dans la matinée, alors qu'ils étaient en route pour Marin, les enfants évoquèrent à nouveau le séisme. Sybil était soulagée qu'aucun d'eux n'ait vu les Butterfield au premier étage.

Charlie apprécia sa future école. Ils allèrent jusqu'à Sausalito, puis s'en furent observer les lions de mer qui se prélassaient au soleil. Après le déjeuner, les enfants voulurent rentrer à la maison. Ils avaient encore des affaires à déballer, et Andy avait promis de jouer à un jeu vidéo avec son petit frère. Caroline, elle, devait téléphoner à ses amis à New York. Une fois qu'ils furent tous occupés dans leurs chambres, Sybil arpenta prudemment les pièces pour voir si elle ne remarquait rien d'inhabituel. Tout semblait normal. Aucun meuble ou objet n'avait été déplacé, aucun signe des Butterfield n'était visible. Elle gagna sa chambre, sortit le livre de Bettina Butterfield de son sac et le posa sur sa table de nuit. Puis elle ouvrit son ordinateur et commença à surfer sur le Net, sans trop savoir ce qu'elle cherchait. Elle trouva plusieurs sites consacrés aux fantômes, et même un forum de personnes qui assuraient en avoir vu, mais elle voulait quelque chose de plus scientifique. Finalement, elle découvrit le site du Psychic Institute à Berkeley et nota leur numéro de téléphone. Après avoir fermé la porte de sa chambre, elle les appela et demanda à parler à quelqu'un pour obtenir des conseils. La réceptionniste lui répondit que tous leurs conseillers étaient occupés et lui proposa de prendre rendez-vous. Sur un coup de tête, elle en accepta un pour le lendemain, à un horaire où les enfants seraient à l'école. Ces gens penseraient-ils eux aussi qu'elle était folle, à l'instar de Blake ? Quoi qu'il en soit, elle voulait savoir si ce qu'elle avait vécu était possible. Était-ce un phénomène courant ou totalement inconnu ? Que pouvait-elle faire pour empêcher qu'une famille de défunts s'empare de sa maison ?

Quand Blake rentra, elle ne lui parla pas du rendez-vous. Sinon, il serait *persuadé* de sa folie. À son grand soulagement, aucun fantôme ne se manifesta ce soir-là. La maison était paisible, et Blake était pour sa part réconforté de constater que Sybil n'était plus en croisade contre de prétendus fantômes.

Le lendemain, quand Sybil eut envoyé ses trois enfants à l'école, elle s'installa au volant de son van et se dirigea vers Berkeley en empruntant le Bay Bridge. Grâce à son GPS, elle trouva facilement l'institut, qui ressemblait à un petit bâtiment médical. À l'accueil, elle annonça qu'elle avait rendez-vous avec Michael Stanton. La réceptionniste lui demanda de patienter un peu. Quelques minutes plus tard, l'homme vint la chercher pour la mener jusqu'à son bureau. Il portait un jean, une chemise à carreaux et des chaussures de randonnée. » Barbu aux cheveux courts, il paraissait avoir plus ou moins le même âge qu'elle et ressemblait à un professeur d'université. Dans son bureau, elle constata qu'il avait un certain nombre de certificats et une maîtrise de l'université de Berkeley. Il lui expliqua qu'il étudiait les phénomènes paranormaux depuis vingt ans et qu'il avait écrit plusieurs livres sur le sujet. À ses yeux, les fantômes étaient un sujet des plus sérieux.

— Étonnamment, c'est un domaine d'étude scientifique, même si ce n'est pas toujours facile à expliquer à ceux qui n'en ont pas fait l'expérience. Que puis-je faire pour vous aider ?

— Je sais que cela semble ridicule, ou que la plupart des gens trouveraient cela ridicule. D'ailleurs, mon mari agit comme si j'étais psychotique. Nous avons emménagé dans une nouvelle maison il y a trois jours. Cette demeure a été construite en 1902 par la famille Butterfield. Ils ont déménagé vers 1930, car ils étaient ruinés, je crois, puis un membre de la famille l'a rachetée en 1950 et y a vécu jusqu'en 1980. Il y a eu plusieurs propriétaires depuis. Mon mari et moi l'avons acquise il y a un mois. Nous venons juste de quitter New York. L'autre nuit, après le tremblement de terre, je les ai vus. Tous. Les gens qui ont construit la maison, leurs enfants et trois autres personnes. » Sybil se remémora sa frayeur, due aussi bien au tremblement de terre qu'à cette rencontre insolite avec les défunts Butterfield. « Je les ai vus très clairement, poursuivit-elle. Ils sont sortis de la salle à manger, juste devant moi, ils ont monté l'escalier, puis ils ont disparu. Deux m'ont adressé la parole, et je les ai entendus parler entre eux, comme s'ils étaient là avec moi.

Michael Stanton n'avait pas l'air surpris par ses propos.

— Comment savez-vous que c'était eux ?

— Leurs portraits sont accrochés dans le hall d'entrée. Nous avons acheté la maison à la banque qui avait saisi la propriété, et il y avait beaucoup de meubles et d'antiquités abandonnés dans un garde-meubles. Nous en utilisons une grande partie, et j'ai décidé d'accrocher leurs portraits dans le hall. Ça me semblait respectueux envers eux.

— Quelqu'un d'autre a-t-il vu ces personnes ?

Sybil secoua la tête.

— Non. J'étais seule en bas, et ils ont disparu en haut de l'escalier. J'étais descendue pour voir si quelque chose s'était brisé ou renversé pendant la secousse.

Il acquiesça d'un hochement de tête et prit des notes. D'une certaine façon, on aurait dit un psy. D'ailleurs, ses diplômes encadrés sur le mur indiquaient qu'il avait une maîtrise en psychologie.

— Que portaient-ils ?

Sybil réfléchit un instant.

— Des vêtements semblables à ceux des portraits, mais pas exactement. Je dirais plutôt des vêtements datant de l'époque où la maison a été construite. Robes du soir et queues-de-pie, un kilt aussi.

Michael Stanton hocha de nouveau la tête.

— Est-ce que ça vous semble dingue ? demanda Sybil.

Il lui sourit.

— Pas du tout. J'entends très souvent ce genre d'histoires. Quelque chose dans le tremblement de terre de l'autre nuit a peut-être reproduit un incident de leur vie et les a littéralement secoués. Étant donné la date de construction de la demeure, je suppose qu'ils ont vécu le tremblement de terre de 1906. Et votre emménagement les a peut-être ébranlés, aussi. Si la maison a été inoccupée pendant longtemps, votre arrivée les a surpris. Et comme vous avez accroché leurs portraits au mur, ils se sont peut-être sentis les bienvenus. Ils sont sûrement très curieux de découvrir qui vous êtes. Les fantômes aiment savoir qui vit chez eux.

— Mais c'est chez nous, maintenant !

Michael sourit.

— Ce n'est probablement pas leur avis. Il n'est pas rare que les personnes qui sont à présent dans l'au-delà soient très attachées aux maisons dans lesquelles elles ont vécu durant leur vie terrestre, notamment quand elles y ont des souvenirs heureux. Il est possible que les Butterfield n'aient jamais quitté la maison et qu'ils y soient restés pendant tout ce temps, mais c'est très inhabituel qu'un tel cas s'applique à une famille entière. En général, seulement un ou deux esprits demeurent dans les lieux, et non un groupe comme celui que vous décrivez. Les Butterfield doivent se sentir très à l'aise dans cette maison. Vous ont-ils paru menaçants ? Ont-ils tenté de vous effrayer ?

Sybil réfléchit un instant.

— Il y a un homme qui m'a regardée bizarrement. Il n'est d'ailleurs pas monté au premier étage mais est resté dans la salle à manger, fermant la porte derrière lui. La vieille dame aussi était assez intimidante, avec ses yeux sévères... et... à cause de sa tenue vestimentaire. Je crois qu'elle avait un accent.

— Quel genre d'accent ?

— Britannique... écossais peut-être, et il y avait un homme avec elle, vêtu d'un kilt. J'ai un livre qui retrace l'histoire de la famille, mais je n'ai pas encore eu le temps de le lire.

— Vous devriez vous y mettre.

Elle acquiesça d'un signe de tête.

— C'est une de leurs filles qui l'a écrit, celle qui a racheté la maison en 1950 et y est restée jusqu'à sa mort. Sa propre fille, en revanche, n'avait a priori aucun attachement pour la maison, car elle l'a vendue immédiatement après la mort de sa mère.

— Il peut y avoir plusieurs raisons à l'apparition de fantômes. Deux, le plus souvent. Soit ils essaient de prendre contact avec vous, pour une raison inconnue. Peut-être parce qu'ils vous aiment bien, ou parce qu'ils ont déjà eu une relation avec vous. Soit ils ne veulent pas de vous sur leur territoire et sont déterminés à vous faire peur, mais d'après ce que vous me dites, ça ne semble pas être le cas. Quand des esprits de l'au-delà veulent effrayer des personnes, ils ne font pas dans la demi-mesure et peuvent vraiment causer des ravages. Ceux-ci ne m'ont pas vraiment l'air hostiles, si ?

— Non, vous avez raison, ils ne l'étaient pas. C'est juste l'idée… de leur existence… qui est troublante. Je ne suis même pas sûre de croire aux fantômes. Pourtant, ils étaient extrêmement réels et se tenaient juste à côté de moi. Ils avaient l'air de gens tout à fait normaux, comme vous et moi, puis ils ont disparu. Une fois arrivés en haut de l'escalier, ils se sont tout simplement… évaporés.

Michael lui sourit.

— Oui, en général, ils font ça très bien. Un instant vous les voyez et ils vous semblent tout ce qu'il y a de plus réel, et l'instant d'après, pouf ! Vous ne les voyez plus nulle part.

— Le couple qui a construit la maison m'a souri, et le jeune homme aussi. Je pense qu'il doit être leur fils. Il y a un portrait de lui en uniforme dans le hall.

— Il est peut-être mort pendant la guerre, ce qui expliquerait qu'ils aient fait réaliser son portrait en uniforme pour l'honorer. À vous écouter, j'ai l'impression qu'ils étaient tout simplement à l'aise avec vous, qu'ils vous considèrent comme une personne bienveillante. Voilà pourquoi ils vous ont permis de les voir. Comme je l'ai dit, ce qui est inhabituel ici, c'est que toute la famille soit réunie dans la maison. Il est rare qu'un tel phénomène se produise. Là, nous avons une famille entière, incluant au moins trois générations, comme à l'époque où ils occupaient la maison. Ils doivent avoir une présence très forte pour être là plus de cent ans plus tard. Il se peut qu'ils soient toujours restés chez eux, ou qu'ils soient revenus après être partis. Leur fille, qui y a vécu pendant de nombreuses années, leur aura facilité la tâche. Et si la maison était inoccupée depuis un certain temps, cela leur aura aussi permis d'y séjourner. Les esprits n'aiment pas les maisons où il y a trop d'activité.

— Je ne veux pas qu'ils effraient mes enfants, lâcha Sybil.

— Je vous comprends. Serait-il possible que je vienne chez vous ? C'est en étant sur place que l'on peut sentir la puissance de l'activité spirituelle. Sachez que si ces êtres sont là depuis longtemps, ils seront probablement difficiles à déloger. Vous et votre famille risquez de devoir apprendre à coexister avec eux.

— Pas question ! J'ai un fils de six ans ! Il serait traumatisé s'il les voyait.

— Vous pourriez être surprise. Les enfants sont souvent très réceptifs aux personnes de l'au-delà. Leur esprit est plus ouvert que le nôtre.

— Il a peur des fantômes », insista Sybil. Et elle aussi, elle avait peur, maintenant qu'elle les avait rencontrés. « Des meubles ont été déplacés, poursuivit-elle.

Michael ne fut pas impressionné.

— C'est un phénomène typique, surtout si vous utilisez des biens qui leur appartenaient. Si vous les avez disposés différemment, ils ont peut-être eu envie de les remettre à leur place d'origine. Pour résumer, je hasarderais deux hypothèses : soit vous avez dérangé ces esprits – ce qui les a fait venir en masse –, soit ils sont à l'aise chez vous.

— Je ne veux pas qu'ils se sentent à l'aise ! Je veux qu'ils s'en aillent. Quand pouvez-vous venir voir ?

— Demain, cela vous conviendrait ?

Elle acquiesça d'un signe de tête. Elle préparait une exposition pour le musée de Brooklyn, mais elle avait encore du temps devant elle. Surtout, elle voulait en savoir le plus possible sur cet étrange phénomène, et s'assurer qu'il ne se reproduirait pas. Les Butterfield étaient peut-être à l'aise au manoir, mais ils n'étaient pas les bienvenus chez elle ! Devait-elle retirer leurs portraits ? Elle posa la question à Michael, lequel répondit que cela ne changerait rien s'ils étaient déterminés à rester. Elle lui répéta alors qu'il était important pour elle de se débarrasser de ces fantômes avant qu'ils les chassent, elle et sa famille.

» Nous verrons cela demain, répondit Michael en la raccompagnant à la réception.

Dans la voiture, Sybil songea que les propos de Michael n'étaient pas des plus rassurants. Bien sûr, elle pouvait au moins se réjouir sur un point : elle était saine d'esprit ! Néanmoins, le spécialiste lui avait bien précisé que lorsqu'une famille entière était restée pendant plus d'un siècle dans son ancienne demeure, il était difficile de l'en déloger. Ce n'était pas encourageant ! Par chance, ces esprits ne semblaient pas essayer de les terroriser ou de les chasser. Mais Sybil n'avait pas l'intention de partager son quotidien avec eux. Pas plus qu'elle ne comptait dire à Blake ce qu'elle avait appris aujourd'hui. Elle voulait d'abord avoir l'avis de Michael, lorsqu'il aurait visité la maison. Quel genre de vibrations ressentirait-il ? Hostiles ou amicales ? Que pourrait-il lui apprendre de plus ?

En entrant dans le hall du manoir, elle scruta les portraits avec attention. Ils ressemblaient en tout point aux personnes qu'elle avait vues dans le couloir le soir du tremblement de terre. Et elle aurait pu jurer que, éventail et lorgnette en main, la douairière la regardait droit dans les yeux d'un air désapprobateur. Sybil entendait encore sa voix. Elle remarqua aussi un carlin noir dans le tableau, assis à côté de la femme. Tandis qu'elle dépassait les portraits, essayant de ne pas se laisser troubler, elle sentit peser sur elle le regard du vieil homme au kilt. C'est notre maison maintenant, pensa-t-elle avec détermination, et non plus la vôtre ! Et alors qu'elle montait à l'étage pour discuter avec les enfants de leur premier jour d'école, Sybil ne vit pas le petit garçon assis sous une table, portant une culotte courte et une casquette, qui, un sac de billes à la main, l'observait en souriant avec malice.

4

Le lendemain matin à dix heures, Michael Stanton se présenta au manoir. La maison était calme. Alicia et José faisaient le ménage, les enfants étaient à l'école et Blake au travail.

Dès son arrivée, Sybil lui expliqua qu'elle n'avait pu lire que quelques chapitres du livre de Bettina la veille au soir, mais qu'il était fascinant. D'après le recueil, Bertrand et Gwyneth Butterfield avaient construit la maison en 1902, ce qu'elle savait déjà. Leur fils aîné s'appelait Josiah ; il avait huit ans quand ils avaient emménagé ici. Sa sœur cadette, Bettina, avait deux ans de moins que lui, et leur benjamin, Magnus, était âgé de trois ans. Un tragique accident était survenu trois ans plus tard, au cours duquel le petit Magnus avait été écrasé par une calèche qui s'était enfuie. Une fille, Lucy, était née en 1909, quatre ans après sa mort. La pauvre avait toujours souffert d'une santé fragile – elle avait « la poitrine faible », comme disait sa sœur aînée. Grâce au livre, Sybil savait désormais que la redoutable douairière en robe sophistiquée était la mère de Gwyneth, Augusta Campbell, née

MacPherson, et qu'elle vivait avec eux. Elle était bien écossaise, et Gwyneth Campbell Butterfield était également née en Écosse. Quant à l'homme plus âgé, à la crinière de cheveux blancs et portant le kilt, c'était le frère aîné d'Augusta, Angus MacPherson. Bettina racontait qu'il jouait de la cornemuse de façon atroce, à chaque occasion, et qu'il était venu vivre avec sa sœur, sa nièce, le mari de celle-ci et leurs enfants en Amérique. Il était pour eux plus un grand-père excentrique qu'un grand-oncle.

Tandis que Sybil donnait toutes ces informations sur l'identité de chacun à Michael Stanton, il scrutait avec attention les portraits des Butterfield, passant lentement de l'un à l'autre. Pour la première fois, Sybil remarqua dans le portrait d'Angus MacPherson une cornemuse appuyée contre sa chaise. Quant au carlin noir qu'elle avait noté la veille dans le portrait de la douairière, le recueil de Bettina lui avait appris qu'il se nommait Violet. La tiare d'Augusta, légèrement cachée par sa coiffure victorienne fort élaborée, était celle qui ornait sa chevelure la nuit du tremblement de terre, et la douairière portait plusieurs longs rangs de grosses perles.

Sybil indiqua à Michael qu'elle avait également en sa possession des photos des membres de la famille Butterfield. Ils visitèrent le rez-de-chaussée. Michael resta longtemps dans la salle à manger, les yeux fermés, puis la suivit dans l'escalier principal jusqu'aux chambres du premier étage. Ils firent ensuite le tour de toute la maison. Enfin, elle le conduisit dans le salon adjacent à sa propre chambre, où ils s'assirent. Michael semblait étrangement fatigué.

— Qu'en pensez-vous ? demanda Sybil après quelques instants.

— Les esprits sont incroyablement puissants ici. Je n'ai jamais vu ça. C'est presque comme s'ils étaient encore en vie, ou pensaient l'être. J'entends Angus jouer de la cornemuse, Augusta parler, les enfants rire. Leurs parents sont des esprits totalement bienveillants. La présence du petit garçon qui a eu l'accident de calèche est très forte aussi. Son esprit a dû revenir ici pour être avec sa famille, ce qui n'est pas surprenant puisqu'il était très jeune quand l'accident a eu lieu. Il est plein de malice et j'ai l'impression qu'il veut rencontrer votre plus jeune fils. Et que les autres, les adultes, veulent faire votre connaissance. L'homme qui vous observait depuis la salle à manger n'a rien de malveillant. C'est un serviteur, qui a dû passer toute sa carrière à travailler pour eux. Voilà pourquoi son esprit est là aussi, mais c'est un membre moins important du groupe.

Sybil était mal à l'aise.

— Vont-ils rester ?

— Je ne pense pas qu'il y ait le moindre doute à ce sujet, répondit Michael en toute franchise. La question est plutôt : vous, allez-vous rester ? Eux n'iront nulle part ailleurs, en tout cas. Ils vivent ici, comme ils l'ont toujours fait. J'ignore dans quelle partie de la maison ils se sont installés. Leur présence n'est pas très forte dans les chambres ni aux étages supérieurs. Ils sont surtout en bas, au rez-de-chaussée. Leur aura est plus forte dans la salle à manger, et je pense que vous les reverrez là-bas. Ils sont peut-être prêts à vous laisser les étages supérieurs et à partager les salles de réception avec vous. Bertrand Butterfield semble être une présence bienveillante et très déterminée, et sa femme est un esprit extrêmement doux et bon, contrairement à sa mère, au caractère bien trempé. Cette dernière est inoffensive, mais c'est une force avec laquelle il faut compter. Quant à son frère Angus, il devait être assez âgé quand il est arrivé ici. J'ai l'impression qu'il est un peu confus.

Les remarques de Michael étaient fascinantes, mais ce n'était pas du tout ce que Sybil aurait voulu entendre. Comment expliquerait-elle à Blake et aux enfants qu'ils allaient devoir partager leur maison avec les Butterfield ? Des fantômes ? Pendant quelques instants, elle espéra que tout cela n'était que balivernes, mais une force intérieure l'assurait du contraire. Michael Stanton avait parfaitement analysé la situation, et elle le savait.

» Je pense que Bettina, leur deuxième enfant et fille aînée, est la seule de la famille à avoir atteint un grand âge, reprit Michael.

Effectivement, la banquière avait appris à Sybil que Bettina était morte à quatre-vingt-quatre ans.

» À l'exception d'Augusta et d'Angus, bien sûr, ajouta Michael, mais leur esprit était déjà vieux quand ils sont arrivés ici. Je pense que Bertrand est mort vers la soixantaine, pendant la Grande Dépression, quand ils ont perdu leur argent, et Gwyneth peu de temps après. Je n'ai pas l'impression qu'elle soit morte ici, mais plutôt après la vente de la maison. Et la fille de Bettina, celle qui a vendu la maison en 1980, ne semble pas du tout présente, sauf en tant que bébé. À mon avis, enfant ou adulte, elle n'a jamais vécu ici. D'ailleurs, elle n'a pas de lien affectif avec la maison. Elle vient me voir en tant qu'étrangère. Je la perçois comme une Française ; elle a dû passer une grande partie de sa vie là-bas. Elle ne se sent pas Américaine, ni liée à la maison, comme je viens de le dire.

Le sens psychique de Michael était incroyablement précis.

— Effectivement, dans le chapitre que j'ai lu hier soir, Bettina raconte qu'elle a déménagé en France peu après la naissance de Lili, la fille de son premier mari, mort lors de la Grande Guerre. Elle s'est installée en France avec elle après 1918, s'est remariée avec un Français et est restée à Paris jusqu'à son second veuvage. Ensuite, elle est revenue à San Francisco et a racheté la maison de ses parents aux propriétaires de l'époque. Elle y a vécu les trente dernières années de sa vie. Mais sa fille Lili est restée en France.

— Voilà, désormais, vous les connaissez tous, madame Gregory. Qu'allez-vous faire ?

— Pensez-vous que je les reverrai ? demanda Sybil, inquiète.

— Oui, je le crois. Leurs esprits sont trop présents pour qu'il en aille autrement. Ils considèrent toujours cette maison comme la leur. Probablement s'interrogent-ils sur votre présence ici.

— Je ne suis pas sûre moi-même de savoir ce que nous faisons ici, dit-elle d'un air triste. J'ai l'impression d'avoir emménagé dans la maison de quelqu'un d'autre. Elle ne sera jamais la nôtre, s'ils s'y accrochent si fort.

— Ce sont des esprits, et non plus des personnes vivantes. Vous devriez pouvoir coexister. Cela dépend de la force de leur présence. Les esprits peuvent être soit très déterminés, soit très discrets, selon la façon dont ils réagissent à votre égard, et la fermeté que vous et votre mari manifestez.

— Je ne veux pas avoir à me battre pour notre territoire.

— Peut-être que vous n'aurez pas à le faire. Ce ne sont pas des gens agressifs ; la plupart d'entre eux me semblent fort aimables, et les enfants sont très gentils.

— Pensez-vous que Bertrand et Gwyneth veulent nous chasser ?

— Je n'ai pas du tout ce sentiment. Leur énergie est très accueillante et chaleureuse. Augusta vous donnera peut-être du fil à retordre, lâcha-t-il avec un sourire, mais elle est ainsi en tant qu'esprit, et l'était déjà du temps de son vivant. Un fort tempérament ! Angus, lui, est inoffensif ; ce n'est qu'un vieil homme excentrique. À mon avis, il ne s'est jamais marié et n'a pas eu d'enfants.

— Je vais devoir parler à mon mari et voir ce qu'il pense de tout cela. Enfin, s'il me croit !

Ce dont elle doutait fort.

— Il aura certainement besoin de les voir par lui-même pour prendre cette histoire au sérieux, suggéra Michael.

— Encore faut-il qu'ils se montrent à lui.

— Je pense qu'ils le feront. D'ailleurs, Magnus a hâte de jouer avec votre plus jeune fils.

Sybil pâlit légèrement.

— J'espère qu'il ne l'effraiera pas. Comme je vous l'ai dit, Charlie a peur des fantômes.

— Magnus ne lui apparaîtra pas comme un fantôme. Ce ne sont que deux petits garçons.

— Avec un siècle d'écart, souffla Sybil, essayant d'intégrer les révélations de Michael.

C'était beaucoup à digérer. Mais au moins Michael avait-il validé ce qu'elle avait vu, et elle avait appris beaucoup de choses. Elle allait poursuivre sa lecture et en saurait davantage sur les Butterfield. En réalité, Blake et elle avaient acheté bien plus qu'une maison : ils avaient acquis un siècle d'histoire, assorti de la famille qui avait vécu dans cette demeure.

— J'espère que vous me tiendrez informé de la suite des événements, suggéra Michael.

— Je le ferai, dit-elle d'un ton solennel.

Elle lui était reconnaissante de sa visite et de ses éclaircissements sur leur situation.

— Si vous apprenez à les connaître, vous verrez qu'il s'agit de personnes très attachantes. Ma visite les aura peut-être un peu perturbées, et notre contact psychique risque de les réveiller. Ils peuvent me sentir, même s'ils ignorent qui je suis.

Cela va à nouveau les attirer vers vous. Ils sentent votre présence et votre intérêt pour eux. Vous avez un esprit très ouvert, Sybil.

Avant de partir, il lui souhaita bonne chance. Selon Michael, les personnes vivant dans l'au-delà percevaient très bien les esprits purs autour d'eux. Voilà pourquoi Sybil avait attiré les Butterfield vers sa propre lumière. Son esprit leur plaisait. Elle n'était pas sûre, cependant, que ce fût une bonne chose. Était-elle vraiment prête à les revoir ? Pour l'instant, elle l'ignorait. Elle voulait d'abord parler à Blake.

L'après-midi, quand les enfants rentrèrent de l'école, Sybil était allongée sur son lit et lisait le livre de Bettina. Elle se leva pour aller à leur rencontre et leur demanda comment s'était passée leur journée. Andy et Caroline appréciaient visiblement leur nouveau lycée. Charlie se plaisait à son école. Le gamin expliqua que son instituteur était gentil, mais pas autant que celui de New York. Il alla ensuite jouer dans le jardin, et Sybil se replongea dans son livre.

Blake rentra du bureau fatigué, et fort heureux de voir sa famille réunie. Avant leur arrivée à San Francisco, Sybil et les enfants lui avaient manqué.

— Qu'as-tu fait aujourd'hui ? s'enquit-il avec intérêt, tandis qu'elle préparait le dîner.

— Pas grand-chose, répondit-elle d'un ton vague.

Elle avait préparé un rôti de bœuf, l'un des mets préférés de Blake. Il monta dans leur chambre pour retirer son costume et enfiler un jean. Quelques instants plus tard, elle envoya Charlie chercher les autres, lesquels ne se firent pas attendre. Alors que Sybil allait demander à Blake de couper le rôti, ils entendirent soudain des bruits dans la salle à manger. On aurait cru qu'une fête s'y déroulait. Des voix et des éclats de rire se succédaient. Que se passait-il donc ?

— Quelqu'un a laissé la télé allumée ? demanda Blake, l'air confus.

Les enfants secouèrent la tête. De toute façon, il n'y avait pas de télévision dans la salle à manger. Ne sachant quoi faire d'autre, Sybil ouvrit la porte qui menait à cette pièce avec un sentiment d'inquiétude. Elle savait bien, elle, ce qu'il se passait. Mais il était trop tard pour qu'elle prévienne les siens. Un par un, ils entrèrent dans la salle à manger et, au même moment, les Butterfield assis autour de la table, élégamment habillés, cessèrent leurs conversations et les dévisagèrent.

— Mon Dieu ! Qui sont ces gens et comment sont-ils vêtus ? » s'exclama Augusta en les scrutant à travers sa lorgnette. Angus se retourna pour les observer d'un air étonné. Il était incapable de quitter Sybil des yeux. Peut-être parce qu'elle portait un jean, un tee-shirt et des ballerines... « Sont-ce des costumes ? poursuivit la douairière.

Elle arborait quant à elle une robe de velours gris avec un col haut en dentelle. Bertrand se leva alors pour les accueillir et sourit à Blake comme s'ils étaient attendus. Ses manières étaient impeccables, son regard chaleureux. Comme chaque soir au dîner, tous les hommes de la famille Butterfield étaient en queue-de-pie, sauf le jeune Magnus, qui était habillé d'un costume marin immaculé – tenue courante à l'époque pour les enfants. Charlie, quant à lui, portait le pantalon en velours côtelé, le sweat-shirt et les baskets qu'il avait durant la journée, à l'école. Andy était en pantalon décontracté et en pull, et Caroline en minijupe. Remarquant la jeune fille, Augusta eut l'air horrifiée. Angus se mit à rire. Il n'avait jamais rien vu de tel, mais l'allure de Caroline lui plaisait. Voulant le ramener à la raison, Augusta lui donna un coup d'éventail sur la main.

Gwyneth et Sybil échangèrent un sourire timide. Gwyneth portait une belle robe de soie lavande et un collier de diamants. Sybil la trouvait encore plus belle que sur son portrait. Elle avait une peau exquise, aussi claire que de la porcelaine, des cheveux d'un blond pâle relevés en un chignon souple, et de grands yeux bleus comme ceux de sa mère et de Bettina. Elle se tourna vers le majordome, lequel se tenait au garde-à-vous derrière eux, et Sybil le reconnut. Elle s'adressa à lui avec le même accent écossais que sa mère, mais d'un ton plus doux.

— Phillips, s'il vous plaît, ajoutez cinq couverts pour nos invités.

Le majordome hocha la tête et disparut pour exécuter ses ordres, tandis que Blake et les enfants regardaient tout autour d'eux, essayant de comprendre ce qui se passait. Les Butterfield n'avaient rien d'effrayant, ils étaient amicaux. Blake lança un regard interrogateur à Sybil, qui hocha la tête pour le rassurer. Les enfants n'avaient pas l'air paniqués, mais plutôt fascinés par les Butterfield.

Un instant plus tard, Phillips réapparut et plaça les cinq membres de la famille Gregory à table – là où Gwyneth le lui demandait –, tandis que Bertrand s'adressait à eux avec entrain. Leurs tenues décontractées ne semblaient pas les déranger, sauf Augusta, laquelle faisait des remarques à voix basse à l'oncle Angus qui, lui, trouvait toujours les femmes délicieuses, quoi qu'elles portent. Les uns et les autres se présentèrent mutuellement. Blake était assis entre Bertrand et Bettina – une belle jeune femme. Sybil, entre Bertrand et Josiah – leur fils aîné. Andy, entre Gwyneth et Lucy – à ses yeux la plus belle fille qu'il ait jamais vue. Elle avait une peau de porcelaine aussi blanche que la neige, les cheveux blonds, et elle portait une robe du soir blanche à l'élégance discrète. Elle paraissait avoir une vingtaine d'années, son âge au moment de sa mort, comme Sybil l'avait appris dans le livre de Bettina. Magnus lui aussi semblait avoir l'âge qu'il avait à son décès, survenu trois ans après que la famille eut emménagé au manoir. Caroline était assise entre Lucy et son frère Charlie, qui avait Magnus à sa droite. Les deux petits garçons s'entendirent tout de suite très bien et découvrirent, ravis, qu'ils avaient le même âge.

Le carlin noir à ses pieds, les lèvres pincées de désapprobation, Augusta continuait à scruter leurs invités à travers sa lorgnette. Le bouledogue anglais d'Angus dormait profondément près du feu, ronflant bruyamment, comme Charlie le fit remarquer en riant. Magnus lui apprit que le chien s'appelait Rupert, et le carlin de sa grand-mère, Violet.

Autour de la table, tout le monde semblait heureux de se rencontrer. Seule Augusta était d'humeur revêche, mais c'était une habitude chez elle. Elle était leur conscience à tous et se plaignait toujours des manières des enfants ou de leurs tenues.

— Je n'ai aucune idée de qui sont ces gens, dit-elle à voix basse à son frère, qui continuait à observer Sybil et Caroline avec enthousiasme.

À ses yeux, leurs invitées étaient parfaites pour compléter leur tablée.

— Quelle merveilleuse surprise que votre venue, lança Bertrand à la famille Gregory.

Tout le monde se mit à parler en même temps, tandis que Phillips servait le dîner. La nourriture était délicieuse. Et la table, magnifiquement dressée avec de l'argenterie et des verres en cristal étincelant. Blake commenta l'excellent vin. Sybil mourait d'envie de discuter avec Gwyneth, mais elles étaient trop loin l'une de l'autre, alors elle s'entretint avec Bertrand et Josiah, évoquant San Francisco et la demeure. Elle leur expliqua qu'ils arrivaient de New York et venaient juste d'emménager.

— Nous avons construit la maison il y a quinze ans, annonça Bertrand.

Pour les Butterfield, on était donc en 1917, soit exactement cent ans plus tôt, songea Sybil. En pénétrant dans la salle à manger, ils étaient revenus un siècle en arrière. Bertrand – ou Bert, comme le surnommaient les Butterfield – et Blake discutèrent affaires pendant une bonne partie de la soirée. Les enfants des deux familles papotaient gaiement ensemble. Quant à Charlie et Magnus, ils complotaient avec joie. Magnus voulait aller grimper aux arbres du jardin, ce qui emballa Charlie. Le jeune Butterfield avoua à son nouvel ami qu'il n'en avait pas la permission, mais qu'il le faisait néanmoins fréquemment.

En les observant, Sybil fut soudain étonnée par un fait. Si pour les Butterfield on était en 1917, alors Magnus était déjà un fantôme depuis douze ans, puisqu'il était mort en 1905, quand il avait six ans. Son âge paraissait figé au moment de son décès. C'était un phénomène extraordinaire qu'elle n'aurait pas compris sans les explications de Michael Stanton. Grâce à lui, elle était moins déconcertée et confuse que Blake et les enfants. Une chose était certaine : les Butterfield n'avaient nulle intention de les effrayer. Ils faisaient en sorte que les Gregory se sentent chaleureusement accueillis et leur conféraient même un statut d'invités d'honneur. Par ailleurs, rien n'indiquait que les Butterfield étaient des fantômes. Malgré leur style vestimentaire et leurs manières désuètes, ils avaient l'air tout à fait réels. Les deux familles semblaient avoir beaucoup en commun, et les conversations allaient bon train.

Le repas se termina trop tôt. Bert affirma que cette rencontre était magique. Il espérait que les Gregory se joindraient à nouveau à eux le lendemain soir, s'ils étaient disponibles. Personne ne mentionna la divergence des dates, ni le fait que leurs deux univers avaient convergé d'une façon absolument extraordinaire ce soir-là.

— J'espère qu'ils viendront correctement habillés, la prochaine fois, s'offusqua Augusta à voix haute.

Phillips surgit, portant sur un plateau en argent une carafe d'eau-de-vie et une autre de porto. Bert se leva de table et invita chacun à le suivre dans le grand salon. Tout en bavardant avec Gwyneth, Sybil admirait sa robe. Puis, alors qu'ils pénétraient tous dans le salon, les Gregory se retrouvèrent soudain seuls. Les Butterfield avaient disparu. Quand ils jetèrent un coup d'œil dans la salle à manger, le feu était éteint, la pièce était sombre. Plus rien n'indiquait qu'un dîner venait de s'y tenir.

— Que s'est-il passé, papa ? demanda Andy.

Perplexe, Blake fixait Sybil, ignorant que répondre à son fils. Caroline était confuse, elle aussi.

— Je pense qu'une chose à la fois étrange et merveilleuse s'est produite ce soir, dit finalement Blake. Nous avons rencontré la famille qui a fait construire cette maison et qui vivait ici.

— Et ils y vivent toujours, ajouta Sybil avec douceur.

— On peut les revoir ? interrogea Charlie. Magnus a dit qu'il viendrait jouer dans ma chambre demain.

Pour sa part, il avait promis de montrer à Magnus ses jeux vidéo.

— Alors peut-être qu'il le fera, répondit Sybil.

L'air hébété, ils pénétrèrent dans la cuisine, pour constater que, dans le four, le rôti de bœuf avait brûlé. Blake resta auprès de Sybil tandis que les enfants montaient dans leurs chambres pour terminer leurs devoirs. Ils venaient de passer une merveilleuse soirée, et ils espéraient revoir leurs nouveaux amis. Personne n'était contrarié ou effrayé par cette rencontre. Cela avait été une expérience positive pour eux tous.

— Que s'est-il passé exactement ? demanda Blake, tout de même choqué.

Sybil s'assit à la table de la cuisine pour lui rapporter les explications de Michael Stanton.

— Ils vivent toujours ici.

— Ce sont des gens si gentils, fit remarquer Blake. Comment est-ce possible ? Ils pensaient qu'on était en 1917, ce soir... Tu te rends compte ?

— C'est peut-être une sorte de cadeau que la vie nous fait. Nous voyons l'histoire à travers leurs yeux et ils découvrent l'avenir lointain grâce à nous.

Cependant, ni Blake ni elle ne pouvait changer le cours de leur destin. Il était plus probable que les Butterfield puissent influencer le leur.

— Tu as peur ? voulut-il savoir.

Ce qui venait de se passer l'avait ébranlé, même si c'était très agréable. Et il appréciait vraiment Bert. Ils avaient discuté de maints sujets durant le dîner.

— Au début, j'ai eu peur, mais plus maintenant.

Quelques moments plus tard, après avoir jeté le rôti de bœuf brûlé et débarrassé la table, ils montèrent à l'étage. Cette soirée ne pouvait s'expliquer, mais quand ils rejoignirent les enfants pour leur souhaiter bonne nuit, tout le monde était d'accord : cette rencontre avait été magique, et chacun espérait qu'il y en aurait d'autres.

Sybil était convaincue que cela ne tarderait pas. Ce n'était que le début d'une belle amitié, décidée par le destin, entre leurs deux familles. Et cette relation leur serait bénéfique à tous. Elle le sentait jusqu'au fond de son âme.

5

Le lendemain matin, après le départ de Blake et des enfants, Sybil s'attela à terminer le livre de Bettina. Toute l'histoire des Butterfield y était résumée. Josiah était mort en héros pendant la Première Guerre mondiale. Ils avaient perdu leur fortune dans le krach de 1929, et la banque de Bertrand avait fermé ses portes, ce qui l'avait grandement affligé. Cette même année, leur fille Lucy était décédée, ce qui avait renforcé chez Bert un effroyable sentiment de perte et un immense chagrin. Gwyneth était dévastée, elle aussi. Ils avaient perdu trois de leurs quatre enfants.

Bert s'était vaillamment battu pour continuer à entretenir le manoir, mais un an plus tard, en 1930, il était mort dans son sommeil d'une crise cardiaque, à l'âge de soixante ans, comme Michael l'avait deviné. Gwyneth avait alors sombré dans une profonde dépression. Bettina était revenue d'Europe pour la réconforter et l'aider à vendre la maison. Elles avaient cédé beaucoup de leurs objets de valeur, des œuvres d'art ainsi que les bijoux de Gwyneth et de sa mère. Leur vie entière avait basculé. Après la vente de la maison, Gwyneth était partie en Europe avec Bettina et avait vécu avec elle et son second mari, Louis de Lambertin, un homme bon, et Lili, la fille de Bettina, qui avait alors douze ans. Deux ans plus tard, au cours du rigoureux hiver de 1932, Gwyneth avait succombé à une pneumonie, comme Lucy trois ans auparavant. Elle avait perdu toute envie de vivre depuis la mort de Bert. La vente du manoir l'avait affectée également. Elle ne s'était jamais adaptée à la vie en France.

Bettina et son époux n'ayant pas eu d'enfants ensemble, Louis avait adopté sa belle-fille, Lili. Celle-ci se sentait plus française qu'américaine et n'avait aucun souvenir des États-Unis. Elle parlait couramment le français, comme sa mère. Par ailleurs, la famille du défunt père biologique de Lili n'avait aucun contact avec elle et n'en avait jamais désiré. Louis, en revanche, avait toujours traité Lili comme sa propre fille.

Le livre racontait que Lili avait été infirmière pendant la Seconde Guerre mondiale. Elle avait à l'époque rencontré un médecin, Raphaël Saint Martin, et tous deux s'étaient mariés à la fin de la guerre. Un an plus tard, en 1946, ils avaient eu un fils, Samuel. Lili avait alors vingt-huit ans.

En 1950, Louis de Lambertin était décédé de causes que Bettina n'avait pas explicitées dans son récit. Mais il était déjà vieux à l'époque, puisqu'il avait soixante-douze ans – Bettina en avait dix-huit de moins. Il avait partagé sa fortune considérable entre sa veuve et sa fille adoptive. Deux mois après sa disparition, Bettina était retournée à San Francisco et avait racheté la maison de ses parents. Dans son récit, elle écrivait qu'elle y avait été heureuse jusqu'à ses derniers jours, en 1980, période où elle avait rédigé ce livre. Pendant trente ans, racontait-elle, elle avait connu de bons moments dans cette maison où elle avait grandi. La notice nécrologique qui accompagnait les documents de la banque indiquait que Bettina Butterfield était morte paisiblement dans son sommeil, à quatre-vingt-quatre ans. Il y avait une photo d'elle, et Sybil remarqua qu'elle ressemblait à une version plus âgée de Gwyneth.

Bettina expliquait qu'après son retour à San Francisco en 1950 Lili était venue la voir tous les deux ou trois ans au début. Par la suite, elle avait été trop occupée avec son mari Raphaël et son fils Samuel – qui n'avait que quatre ans quand Bettina était rentrée à San Francisco. Après avoir quitté la France, Bettina n'avait donc que rarement vu son petit-fils. Elle mentionnait aussi que Lili avait des problèmes de santé et qu'un jour elle n'avait plus été en état de se rendre aux États-Unis. À la fin de sa vie, Bettina n'avait pas revu Samuel depuis son enfance, ni Lili depuis plusieurs années. Sybil s'interrogea. Lili avait-elle pu assister aux funérailles de sa mère ? D'après la banque, Lili était décédée dix ans après celle-ci.

En refermant le livre de Bettina, Sybil éprouva une pointe de chagrin pour les Butterfield. Ils avaient été si étroitement liés les uns aux autres, et tant de drames les avaient marqués au fil des ans ! Certains événements étaient de ceux que l'on ne peut éviter dans la vie, mais d'autres étaient vraiment tragiques, comme la mort de Magnus à six ans, ou la disparition de Josiah et du premier mari de Bettina pendant la guerre.

Elle songea soudain que le dîner de la veille, qu'ils avaient pris avec les Butterfield, était supposé se dérouler pour eux en janvier 1917, une date à laquelle l'Amérique n'était pas encore entrée en guerre. Josiah était encore en vie...

Et si Blake et elle les avertissaient de ce qui allait se passer ? Pouvaient-ils changer le cours de leur destin ? Était-ce possible, un siècle plus tard ? Ils se rencontraient dans un espace neutre du temps. Josiah avait-il le choix, cependant ? Lors de son départ pour la guerre, sa famille était fière de lui. S'il s'était dérobé à ses responsabilités, il aurait été considéré comme un lâche, et la honte les aurait tous envahis. Non, il semblait impossible de changer le cours de leurs vies... De toute façon, à quoi bon les prévenir, cent ans après ? C'était trop tard, ils étaient déjà tous morts. Et pour autant que Sybil le sache, le seul membre de la famille encore potentiellement en vie était Samuel Saint Martin, le fils de Lili, et les enfants qu'il avait peut-être eus. Les Butterfield nommément désignés dans le récit avaient tous disparu, et leur lignée s'était poursuivie quelque part en France.

Sybil songea alors qu'elle aimerait bien tenter de dîner avec les Butterfield ce soir-là. Seul préalable : dénicher des tenues de soirée pour chacun. Charlie fut le premier à rentrer à la maison. Alors qu'elle pénétrait dans sa chambre pour lui choisir des vêtements – elle envisageait un blazer et un pantalon gris –, elle tomba sur Magnus, en train de jouer aux billes avec lui. Elle éclata de rire. Bien qu'il ait le visage et les mains sales, elle était contente de le revoir. Il semblait avoir joué dans le jardin tout l'après-midi.

— Qu'est-ce que vous faites ?

Elle s'assit sur le lit de Charlie et leur sourit à tous les deux, comme si Magnus était un ami ordinaire.

— Il m'apprend à jouer aux billes, répondit Charlie, ravi.

La veille au dîner, Magnus lui avait assuré qu'il viendrait jouer avec lui le lendemain, et Sybil était heureuse de voir qu'il avait tenu sa promesse. Il y avait désormais un lien entre les deux familles, que même le temps ne pouvait effacer. Mais comment tout cela fonctionnait-il exactement ? s'interrogeat-elle.

» Après, je lui montrerai mes jeux vidéo, poursuivit Charlie.

Sybil haussa un sourcil. C'était une intéressante tournure des événements. Magnus s'adapterait-il à des jeux qui avaient cent ans d'avance sur son époque ?

Alicia les rejoignit dans la chambre avec du lait et des biscuits pour Charlie. Sybil lui demanda alors la même chose pour elle. Alicia sembla surprise, mais quelques minutes plus tard elle revint avec. Dès qu'elle quitta la pièce, Sybil les tendit à Magnus, qui engloutit le lait et les biscuits comme n'importe quel gamin. Il n'y avait rien de fantomatique chez lui. Néanmoins, Alicia ne l'avait pas vu et n'avait aucunement conscience de sa présence. Cela aussi était intéressant.

Charlie lui posa des questions sur les passages secrets de la maison, mais Magnus répondit qu'il ignorait leur emplacement. Il ne savait même pas s'il en existait.

Sybil sortit de l'armoire le blazer de Charlie, son pantalon gris, une chemise et une cravate marine et les étendit sur le lit. Les garçons la regardèrent d'un air intrigué.

— C'est pour quoi faire ? demanda Charlie.

Ce n'était ni Noël ni Thanksgiving.

— J'ai pensé que nous pourrions essayer de dîner avec la famille de Magnus ce soir.

En l'entendant, le jeune Butterfield eut un large sourire.

— Ma grand-mère est de très mauvaise humeur, les avertit-il. Ce matin, Rupert, le chien d'oncle Angus, a mangé sa broderie et elle a dit qu'elle allait le faire bouillir pour le dîner. Mais je suis sûr qu'elle ne le fera pas. D'habitude, elle l'aime bien, mais là, elle était furieuse. Elle brodait des serviettes pour ma mère, et il les a toutes mangées. Et elle a dit qu'oncle Angus lui avait donné la migraine en jouant de la cornemuse. Il joue très mal. Ma mère aussi dit qu'il lui donne la migraine.

Sybil sourit et les laissa à leurs jeux. Charlie montra sa PlayStation à Magnus, qui fut fasciné par sa complexité. Les deux garçons criaient d'excitation, et on les entendait depuis le couloir.

— Charlie va bien ? lui demanda Alicia.

— Très bien, ne vous inquiétez pas. Il est juste un peu survolté quand il joue avec sa PlayStation. Il en a reçu une neuve à Noël.

Devait-elle lui dire qu'il avait un ami imaginaire, au cas où elle l'entendrait parler à Magnus ? Pour l'heure, elle décida de s'en abstenir.

Elle se dirigea vers la chambre de Caroline et déposa l'unique robe longue de sa fille sur son lit. Ils l'avaient achetée pour le mariage de la mère de sa meilleure amie à New York, six mois plus tôt. Sybil voulait que sa famille soit élégante pour dîner avec les Butterfield, afin de compenser leurs tenues décontractées de la veille. Pourvu qu'ils leur apparaissent ce soir, et que leur invitation de la veille ait été sincère. Elle envisagea un instant de louer des queues-de-pie pour que Blake et Andy soient aussi élégants que les hommes du clan Butterfield, mais elle y renonça et déposa leurs vestes, chemises immaculées, ceintures, bretelles et nœuds papillons noirs en satin sur leurs lits. Andy possédait son premier smoking depuis quelques semaines. Il l'avait étrenné peu de temps avant Noël, pour se rendre au bal de promo de la sœur d'un ami. Ces smokings seraient parfaits, même pour Augusta.

Puis elle plongea dans sa propre armoire et y dénicha une robe en velours noir assortie d'un grand volant de satin blanc, très décolletée dans le dos. Elle l'avait depuis un an et la gardait pour une occasion spéciale. Voilà, ce jour était arrivé. Quand Blake rentra du bureau et qu'il vit sa veste de soirée étalée sur leur lit, il la regarda d'un air intrigué.

— Est-ce que l'on va quelque part ce soir ? Tu ne me l'as pas dit.

— J'ai pensé qu'on pourrait s'habiller un peu pour dîner avec eux.

— Eux ?

— Les Butterfield, dit-elle prudemment.

Comment Blake allait-il réagir en la voyant se comporter ainsi ? Il n'était quand même pas normal de sortir des tenues de soirée pour dîner avec une famille de fantômes... Mais après tout, peut-être l'était-ce pour eux, désormais. Elle ne savait pas trop comment réagir.

— Oh. » Blake s'assit sur leur lit, à côté de son smoking. Il n'objecta pas, mais il avait l'air confus : « On va faire ça tous les jours ? demanda-t-il enfin.

Même si la soirée avec les Butterfield avait été fascinante, il n'avait aucune envie de porter son smoking au quotidien.

— Je ne sais pas. C'est nouveau pour moi aussi. Magnus est venu jouer avec Charlie cet après-midi. Ils se sont bien amusés. Il a dit que sa grand-mère était de mauvaise humeur parce que Rupert, le chien d'oncle Angus, avait mangé sa broderie.

Blake ignorait s'il devait rire ou pleurer en l'écoutant.

— Je crois que j'ai besoin d'un verre. Sommes-nous devenus fous ? Sommes-nous dans la quatrième dimension ?

Et pourtant, quand il s'était trouvé en présence des Butterfield, il s'était senti tout à fait à l'aise et avait apprécié sa discussion avec Bert. Bien que les temps aient radicalement changé depuis un siècle, leurs idées et opinions n'étaient pas si différentes. Et les principes économiques efficaces restaient les mêmes.

» Et si on s'habille bien et qu'ils ne viennent pas ? lâcha-t-il.

Sybil lui sourit.

— Eh bien, nous serons juste très chic pour manger une pizza dans la cuisine. Mais je pense qu'ils viendront. Après tout, ils nous ont invités à dîner ce soir. Et nous étions tellement mal habillés hier ! J'ai envie de faire meilleure impression.

— Cela n'a pas eu l'air de les déranger. Sauf la grand-mère, bien sûr. Mais je doute que nos tenues de ce soir recueillent sa totale approbation. » Il secoua la tête : « Écoute-nous parler, Syb ! Il ne faudrait tout de même pas qu'on oublie que ce sont des fantômes !

— Des fantômes bien réels ! Et il se trouve que nous vivons avec eux. J'y pensais aujourd'hui, quand j'ai terminé le livre de Bettina sur l'histoire de la famille. Il y a tant de choses que nous savons sur eux, sur leur destin, et qu'ils ignorent. Ça ne semble pas juste. Pourquoi ne pouvons-nous les avertir de ce qui les attend ?

— Parce que, quoi qu'on leur dise, nous ne pourrons changer leur destin. Parce que la vie n'est pas juste, et qu'ils sont déjà morts.

Sybil hocha la tête. Blake avait raison.

» Ils ont probablement plus à nous apprendre que l'inverse, reprit-il, même s'ils ignorent tout de notre avenir. Je suis persuadé que nous pouvons les prendre comme exemples. » Blake emporta sa veste dans son dressing. « C'est si étrange d'être piégés dans une distorsion temporelle, et pourtant, quand nous sommes avec eux, tout semble si juste. J'espère qu'ils viendront, ce soir.

Il comprit soudain que son dressing, un siècle plus tôt, avait été celui de Bert. L'ex-banquier était impeccablement vêtu la veille au soir. Où s'habillait-il désormais ?

Les enfants se vêtirent à contrecœur pour faire plaisir à leur mère. Magnus avait quitté Charlie une heure plus tôt. Ce dernier confia à Sybil que, pour un débutant, Magnus était doué à la PlayStation. À dix-neuf heures trente, supputant que c'était l'heure à laquelle les Butterfield dînaient, ils se dirigèrent tous vers la salle à manger. On n'entendait aucun bruit. Blake pensa aussitôt qu'il n'y avait personne, mais quand ils arrivèrent sur place, les Butterfield étaient là, prêts à passer à table. Bert et Gwyneth les accueillirent avec un large sourire. Augusta les examina de la tête aux pieds, et Sybil, Blake et leurs enfants la saluèrent avec solennité. Angus les taquina sur leur allure chic.

— Vous avez acheté des vêtements décents, je vois. Jolie robe, ajouta-t-il à l'intention de Sybil.

Il admira sa silhouette élancée et son décolleté, tandis que sa sœur lui jetait un regard sévère et lui ordonnait de s'asseoir.

Les Gregory s'installèrent aux mêmes places que la veille. Phillips s'inclina poliment devant Sybil et lui tint sa chaise, et Bert la complimenta sur sa robe. En s'asseyant, elle eut l'irrésistible impression d'être une princesse. Cependant, Augusta ne put s'empêcher de faire un commentaire sur leurs tenues. À l'époque, la tenue de soirée appropriée pour dîner était la queue-de-pie et le nœud papillon blanc. Le smoking était considéré comme informel.

Ce soir-là, la discussion porta sur la guerre. Le président Wilson engagerait-il son pays dans le conflit qui faisait rage en Europe depuis trois ans ? Jusqu'à présent, les États-Unis s'étaient tenus à l'écart, au grand soulagement de tous, et en particulier de Gwyneth.

— Vous devez vous inquiéter pour Andy aussi, dit-elle gentiment à Sybil.

Sybil ne sut que répondre. Andy ne risquait rien, bien sûr, puisqu'ils vivaient un siècle plus tard.

— Il ira à l'université à l'automne prochain, expliqua-t-elle pour changer de sujet.

Andy avait encore trois semaines pour présenter sa demande, puis ils devraient attendre jusqu'en mars pour obtenir les résultats. Il s'était inscrit à Princeton, Harvard, Yale et Dartmouth. Il pensait postuler à Stanford, mais redoutait de ne pas être accepté. Comme deux de ses amis, il s'intéressait également à l'université d'Édimbourg, ce qui était un choix inhabituel. L'idée d'aller étudier en Europe l'enthousiasmait ; par contre, la météo écossaise ne lui plaisait guère. Il en parla au dîner et l'oncle Angus l'encouragea vivement.

— Merveilleuse université ! J'y suis allé moi-même. Beaucoup plus vivante qu'Oxford ou

Cambridge. Tu devrais postuler. Contacte-les de ma part, si tu veux.

À cette idée, Andy sourit. Comment imaginer que les dirigeants de cette prestigieuse institution connaissent Angus Butterfield ? Ou alors, il faudrait qu'il ait construit l'école, ou du moins participé financièrement à sa fondation. Quoi qu'il en soit, il retournerait sur leur site en ligne pour voir.

— Merci, monsieur. Je vais relire leur dossier ce soir, promit-il.

— C'est bien, mon garçon.

Angus se plaignit ensuite que sa sœur n'ait pas permis à son chien d'entrer dans la salle à manger. Rupert était en disgrâce à cause des serviettes brodées qu'il avait ravagées.

Autour de la table, Caroline flirtait avec Josiah. Et Andy était extrêmement attentif à Lucy. Avec sa peau claire et ses boucles blond pâle, sa robe rose diaphane lui donnait l'air d'un ange. Blake surveillait attentivement ses deux aînés. Aussi agréable que soit cette rencontre, il ne voulait pas qu'ils perdent de vue la réalité et tombent amoureux de fantômes. Il fallait absolument qu'il discute de cela avec Sybil quand ils se retrouveraient seuls.

Tout le monde devisa gaiement au cours du dîner. Gwyneth était fascinée par le fait que Sybil avait étudié l'architecture et le design, organisait des expositions pour des musées et écrivait des articles sur le sujet. Blake avait chanté ses louanges, et Gwyneth était à présent en admiration devant les talents de Sybil. Elle-même était douée sur le plan artistique, mais elle n'utilisait pas ses dons.

— Ce doit être merveilleux de travailler, chuchota-t-elle à l'oreille de Sybil.

L'ayant entendue, sa mère s'interposa aussitôt.

— Ne sois pas ridicule, Gwyneth. Que voudrais-tu faire ? T'occuper du linge ? Être gouvernante ? Laisse le travail aux hommes, nous avons des choses plus utiles à faire.

Augusta ajouta que Gwyneth avait peint de belles aquarelles dans le passé, mais qu'elle avait bêtement cessé à la naissance de son premier enfant.

— Mes œuvres n'étaient pas très bonnes, intervint Gwyneth. Et je n'ai plus le temps de peindre...

— Balivernes ! rétorqua sa mère. Vos enfants sont assez âgés, maintenant. Tu devrais reprendre l'aquarelle !

Mais Gwyneth s'intéressait à la carrière de Sybil. À ses yeux, sa nouvelle amie était incroyablement courageuse. Par ailleurs, elle était émerveillée par la façon dont Sybil exprimait ses opinions sans offenser personne, tout en restant féminine. Elle la trouvait très moderne. Les deux femmes s'étaient tout de suite très bien entendues.

Ce soir-là, les deux familles s'attardèrent autour d'un café et d'un dessert. Personne ne semblait avoir envie que le repas se termine. Gwyneth expliqua à Sybil que, lors des dîners officiels, les femmes allaient normalement dans le salon à la fin du repas et laissaient les hommes entre eux, à leurs cigares. Mais avec des amis proches, les choses étaient différentes. C'était une pratique dont Sybil avait entendu parler, mais qu'elle n'avait jamais vue, bien sûr, sauf dans les vieux films.

Bert les informa qu'ils iraient bientôt passer quelques jours à Woodside, dans leur maison de campagne, pour monter à cheval. Ils songeaient d'ailleurs à acheter une nouvelle voiture, une Cadillac, et Bert demanda conseil à Blake. Ce dernier admit qu'il en savait très peu sur les voitures, mais qu'il aimerait beaucoup voir cette Cadillac quand Bert l'aurait achetée. Puis il se rendit compte que c'était impossible – l'automobile devait avoir disparu depuis longtemps.

— J'adorerais apprendre à conduire, chuchota Bettina à Andy.

— Tu devrais. Ma sœur conduit, fit-il remarquer, sans songer qu'en 1917 c'était extrêmement rare pour une femme.

— À seize ans ? s'exclama-t-elle, choquée. C'est toi qui lui as appris ?

Réalisant sa bourde et ne sachant comment lui expliquer le concept de l'auto-école, Andy répondit par l'affirmative.

Âgée de vingt et un ans, Bettina avait été éduquée par des précepteurs qui lui avaient enseigné les langues, l'histoire, la littérature et les arts féminins, tels que le dessin, la couture et la poésie. Son père avait fièrement mentionné son talent pour l'écriture. Bettina comptait écrire un livre sur l'histoire de leur famille. Peu lui importait qu'il ne soit pas publié.

Sybil sourit. Dire qu'elle venait justement de lire cet ouvrage…

— Si elle fait cela, elle finira vieille fille, prédit sa grand-mère. Les femmes n'ont pas besoin d'écrire des livres. Les hommes n'aiment pas ça.

Elle avait un avis très ferme sur le sujet. Pourtant, certaines auteures de leur époque étaient déjà célèbres.

Lorsque Phillips apparut avec le plateau de boissons digestives, ils le suivirent au salon. Blake expliquait à Bert le concept de l'entreprise qu'il dirigeait. Gwyneth et Sybil discutaient de l'éducation des enfants, et les jeunes suivaient en papotant et riant. Augusta et Angus fermaient la marche. Et comme la veille, lorsqu'ils atteignirent le salon – que Sybil avait rempli de fleurs à leur intention –, les Butterfield disparurent et les Gregory se retrouvèrent seuls dans la pièce.

— C'est vraiment étrange, tout ça, maman, dit Andy, troublé, tandis qu'ils se dirigeaient vers l'escalier.

Sybil n'essaya pas de le nier.

— Je sais. Apparemment, ce genre de choses arrive, mais c'est difficile à expliquer.

Cela l'était effectivement, comme ils en convinrent tous. Chacun reconnut toutefois qu'il avait apprécié la soirée encore plus que la veille.

Une fois dans leur chambre, Blake contempla sa femme avec un regard neuf. Il ne l'avait pas vue en robe du soir depuis longtemps, et elle était exceptionnellement belle. Le moment était très romantique.

— Tu es magnifique, dit-il en la prenant dans ses bras et en l'embrassant.

Sybil lui sourit.

— Tu es très beau aussi.

Elle avait toujours aimé le voir en tenue de soirée.

— Ils ont peut-être raison de s'habiller chic pour le dîner tous les soirs, dit-il.

Il défit le zip de sa robe et, lorsqu'elle l'eut retirée, il admira son corps à la lueur du clair de lune qui nimbait la pièce. Il voulait lui dire à quel point il trouvait étrange de dîner avec des fantômes, mais, le plus étrange de tout, c'est qu'au fond cela ne le choquait pas : c'était différent. En fait, cela leur semblait juste. Blake et Sybil étaient heureux dans leur nouvelle ville et leur nouvelle maison. Peu importait le siècle. Peu importait l'année. En cet instant, Blake ne pensait plus qu'à sa femme chérie, qu'il aimait profondément.

6

La journée du lendemain fut trépidante pour Sybil : elle devait faire des courses avec Caroline afin d'acheter diverses fournitures scolaires ; Blake avait besoin qu'elle lui rende quelques services ; le *New York Times* l'avait appelée pour qu'elle leur rédige un article dans un court délai, et elle devait vérifier certains détails de son exposition au Brooklyn Museum. Pour couronner le tout, un musée de Chicago lui téléphona au sujet d'une exposition qui devait avoir lieu en novembre. Ils la voulaient en tant que commissaire. Sans compter qu'il n'y avait plus rien à manger dans la maison. Alicia, leur gouvernante, était malade, et elle devait absolument aller faire des courses au cas où les Butterfield ne les inviteraient pas à dîner.

Le soir venu, Sybil incita les siens à s'habiller élégamment. Toutefois, Blake ne parvenait pas à trouver sa seconde chemise de smoking, Andy avait égaré ses boutons de manchettes, et elle s'aperçut soudain que la robe qu'elle voulait porter était à New York. Elle songea alors que si elle devait arborer une nouvelle robe du soir à chaque fois, elle allait vite se retrouver à court de toilettes.

— Devons-nous vraiment dîner avec les Butterfield ? se plaignit Blake en enfilant la même chemise que la veille. J'avais apporté des dossiers à étudier.

— J'ai du travail aussi, répondit-elle après avoir prêté une paire de boutons de manchettes à Andy. C'est amusant de prendre un repas tous ensemble, non ? Je ne voudrais pas les vexer.

— Sybil, bon sang, ce sont des fantômes ! Ils n'iront nulle part, et ils ne peuvent pas s'attendre à ce qu'on se voie tous les soirs. À la longue, ils vont se lasser de nous, eux aussi.

Pour Blake, il était indispensable qu'ils gardent les pieds sur terre, parmi les êtres vivants ! Il voulait d'ailleurs inviter à dîner plusieurs collègues, qu'il appréciait beaucoup.

Vers dix-neuf heures trente, Sybil entraîna tout son petit monde au rez-de-chaussée. Comme la veille, tout était calme. Il n'y avait aucun bruit dans la salle à manger. Mais ce soir, quand ils ouvrirent la porte, la pièce était plongée dans la pénombre. Il n'y avait pas de feu dans la cheminée. La table n'était pas dressée, et les Butterfield n'étaient pas là. Les Gregory se dirigèrent vers la cuisine, dépités. Sybil prépara une collation, se félicitant d'être passée au supermarché dans la journée.

— Je suis désolée. Je ne sais pas pourquoi ils ne sont pas là.

Magnus n'était pas non plus venu jouer avec Charlie cet après-midi-là, et le petit garçon avait l'air triste.

Le lendemain, les Butterfield ne se montrèrent pas plus. Le surlendemain matin, Sybil téléphona à Michael Stanton.

— Ils ont disparu, expliqua-t-elle, avant de lui raconter les deux soirées charmantes qu'ils avaient passées en compagnie des Butterfield. Vous pensez qu'ils ont déménagé ?

Il rit à cette idée.

— C'est peu probable. Ils vivent dans ce manoir depuis plus de cent ans. Les esprits font cela, ils s'évanouissent et s'affaiblissent pendant un certain temps, puis ils reviennent plus forts que jamais. Ils ont besoin de se recharger. Ne vous inquiétez pas. Ils vont réapparaître.

Les Butterfield furent absents durant une autre semaine. Les enfants parlaient d'eux au dîner. De l'avis de Blake, c'était peut-être mieux ainsi, même si Bert lui manquait, à lui aussi. Sybil écrivit son article, mais durant la nuit, elle ne pouvait s'empêcher de penser à leurs chers fantômes, qu'elle considérait comme de vieux amis. Avec nostalgie, elle regardait les clichés en noir et blanc qu'elle avait d'eux.

Les Gregory avaient recommencé à dîner en jeans et vieux pulls, mocassins, tongs ou pieds nus. Ce n'était pas du plus chic, mais leurs repas dans la cuisine étaient décontractés et brefs. Ils discutaient de leur quotidien. Andy et Caro avaient toujours des devoirs à faire. Et Blake et Sybil planchaient sur leurs dossiers. Seul Charlie s'ennuyait, sans Magnus avec qui jouer. Il avait l'air malheureux, et même Alicia le remarqua avec une certaine inquiétude.

— Il ne joue plus avec son ami imaginaire, dit-elle à Sybil en hochant la tête.

— Oui, je sais. Parfois, il l'abandonne quelque temps.

Et disant cela, elle comprit que les Butterfield avaient fait une pause dans leur relation avec eux.

Ils étaient absents depuis neuf jours quand Sybil entendit des voix dans la chambre de Charlie, un après-midi après l'école. Son fils avait-il invité un camarade à la maison ? Elle ouvrit la porte de sa chambre et découvrit… Magnus. Les deux gamins jouaient à des jeux vidéo et criaient de joie. Un sourire jusqu'aux oreilles, elle fit un petit signe de la main à Magnus et se prit à espérer qu'ils pourraient tous dîner avec les Butterfield ce soir-là.

Elle revint voir les garçons un peu plus tard, mais ils avaient disparu. Jetant un coup d'œil par la fenêtre, elle constata qu'ils n'étaient nulle part en vue. Bah, ils devaient s'amuser quelque part dans le parc. À dix-huit heures, Blake rentra. Elle venait juste de lui demander comment s'était passée sa journée lorsque de violents coups résonnèrent, en provenance du dressing de Blake. Ils s'y précipitèrent et comprirent que les sons venaient de derrière le mur. Blake ouvrit ses placards et le son devint plus fort. Puis ils entendirent les garçons appeler à l'aide de l'autre côté du mur.

— Charlie ? Où es-tu ? cria Blake.

Sybil écoutait et entendait Magnus crier aussi. Ils criaient et tapaient sur le mur en alternance. Au son de sa voix, elle comprit que son fils paniquait.

» Où es-tu ? répéta Blake d'une voix forte.

Il s'était positionné tout près des épais lambris pour qu'ils puissent l'entendre.

— Je ne sais pas. Il fait sombre. » Sa voix était assourdie. « Nous sommes dans le passage secret, cria-t-il quelques secondes plus tard.

Il craignait de se faire gronder, mais redoutait encore plus de ne pas pouvoir sortir de ce piège.

— Super ! dit Blake en lançant un regard entendu à Sybil. Comment es-tu entré là-dedans ?

— Il y avait une porte dans un placard au deuxième étage. Il y a un escalier, mais il n'y a pas de poignée de ce côté, et il n'y a pas de sortie en bas. On a essayé.

— D'accord. Je vous sors de là dans une minute. » Blake attrapa une lampe de poche dans un tiroir et se dirigea vers l'escalier du fond : « Continue à leur parler ! lança-t-il à Sybil par-dessus son épaule.

Il monta au deuxième étage, où se trouvaient les chambres d'amis, et vérifia chaque placard. Aucun n'avait de porte en son fond, et il commençait à s'inquiéter. Il envisageait déjà d'appeler les pompiers lorsqu'il vérifia un placard une nouvelle fois et aperçut le mince contour d'une porte. Hélas, elle n'avait pas de poignée, et quand il appuya dessus elle refusa de s'ouvrir. C'était comme si elle avait été peinte en étant fermée. Il pivota sur ses talons pour redescendre et appeler les pompiers, et se retrouva alors face à Bert, qui l'observait sourcils froncés. Son ami d'un autre siècle venait de surgir de nulle part.

— Qu'ont-ils fait, ces deux garnements ?

Bien que surpris par sa soudaine apparition, Blake était content de le voir, surtout avec les garçons coincés Dieu savait où.

— Ils ont trouvé un passage secret derrière le mur dans l'un des placards. Charlie dit qu'ils sont arrivés d'ici.

Bert lui fit signe de le suivre et le conduisit à un autre placard qui servait de stockage. À l'arrière, ils trouvèrent une porte. Bert tenta de l'ouvrir, mais elle était coincée elle aussi. Les deux hommes se regardèrent, perplexes.

— Je n'ai jamais parlé de ce passage à mes fils, parce que je me doutais bien qu'ils s'y retrouveraient coincés un jour, déclara Bert. D'ailleurs, il ne figure pas sur les plans et ne sert à rien, si ce n'est à s'échapper rapidement. C'est notre architecte qui nous a suggéré de l'ajouter au cas où nous subirions une attaque.

— J'ai vu un pied-de-biche en bas, je vais descendre le chercher, proposa Blake.

Bert le retint :

— Inutile, je peux m'en charger, dit-il en riant. Je vais aller les chercher en bas, puis je pousserai cette porte de l'intérieur. Quand nous les aurons sortis d'ici, nous leur passerons un bon savon !

À ces mots, il disparut, passant carrément à travers le mur.

» Je les entends, cria-t-il à Blake. Je reviens dans une minute !

— Ils sont à l'étage en dessous. Sybil leur parle pour qu'ils n'aient pas peur.

— Qu'est-ce que c'est sale ici ! lâcha Bert d'un ton écœuré.

Une minute plus tard, Sybil entendit Bert parler aux garçons.

» C'est bon, Sybil, je suis avec eux, lui cria-t-il. Blake attend là-haut. Vous n'allez plus tarder à récupérer Charlie.

Leurs voix s'estompaient au fur et à mesure que Bert entraînait les deux garçons dans l'escalier. Un bref moment plus tard, Bert s'adressa à Blake à travers la paroi du placard.

» Reculez !

Blake obtempéra, et Bert défonça la porte. Il n'était pas passé à travers le mur, car il devait aussi faire sortir Charlie. Les deux garçonnets étaient horriblement crasseux et très effrayés. Bert était presque aussi sale qu'eux et il n'avait pas l'air content du tout.

» Où aviez-vous la tête, tous les deux ? les gronda-t-il. Et si personne ne vous avait entendus ? Si on ne vous avait pas trouvés ? Vous auriez pu rester coincés pendant des semaines ! Et je suis sûr qu'il y a des chauves-souris là-dedans, ajouta-t-il d'un air sinistre.

Les deux garçons se mirent à pleurer. Leurs pères réprimèrent un sourire.

— M. Butterfield a raison, dit Blake à Charlie. Il aurait pu y avoir un puits ou une trappe. Vous auriez pu vous blesser grièvement ! Ou même vous tuer.

Il comprit toutefois que seul son fils aurait pu subir un tel sort. Magnus était déjà mort... Néanmoins, il était tout aussi effrayé que n'importe quel petit garçon de six ans. Blake nota mentalement de faire boucher l'entrée du passage afin de ne pas risquer un nouvel incident.

— Vous avez tous les deux besoin d'un bon bain, affirma Bert. Magnus, je veux que tu t'excuses auprès du père de Charlie, pour avoir entraîné ton ami dans un jeu dangereux. Tu dîneras dans ta chambre ce soir.

Bert avait l'air sévère, mais l'affection qu'il éprouvait pour son fils était évidente. Honteux, Magnus baissa la tête et s'excusa auprès de Blake.

Sybil, qui venait d'arriver à l'étage, poussa un cri de surprise en découvrant leurs visages noircis de poussière et leur état de saleté général. Néanmoins, elle était soulagée de les retrouver sains et saufs. Bert avait piètre allure, lui aussi. Elle le remercia de les avoir secourus, puis se tourna vers eux.

— Combien de temps êtes-vous restés là-dedans ? s'enquit-elle.

— Longtemps, répondit Charlie.

Les deux garçons échangèrent un regard furtif. L'aventure avait été amusante, jusqu'au moment où ils avaient compris qu'ils ne pouvaient plus sortir. La peur les avait alors gagnés.

Ils descendirent tous les cinq et tombèrent sur Alicia. Cette dernière ne pouvait voir Bert et Magnus, mais elle fixa Charlie avec étonnement.

— Qu'est-ce qui t'est arrivé ? lui demanda-t-elle.

— Ils ont trouvé un passage secret, répondit Blake, faisant référence aux deux garçons.

— Hé bien ! Tu as de la chance de ne pas avoir rencontré de fantômes ! s'exclama Alicia avant de se rendre à la cuisine.

Quand elle eut disparu, les Gregory et les Butterfield éclatèrent de rire à l'unisson. Puis Sybil entraîna Charlie dans la salle de bains, tandis que Bert s'attardait pour bavarder avec Blake.

— Vous avez réussi un sacré tour là-haut, en traversant le mur ! lâcha ce dernier.

— Je ne le fais pas souvent, seulement en cas d'urgence. C'est très fatigant et cela demande beaucoup de concentration.

Blake était fasciné.

— Magnus aurait-il pu sortir de cette manière ?

Bert secoua la tête.

— Il est trop jeune pour cela. Dieu merci, il n'a pas encore réussi à le faire jusqu'à présent. Nous n'avons franchement pas besoin d'un gamin de six ans capable de traverser les murs !

Blake resta silencieux une minute, songeur.

— Vous nous avez manqué, affirma-t-il ensuite. Je suis content de vous voir. Nous avions peur que vous ne reveniez pas.

— Nous étions à Woodside. Oh, nous ne restons jamais très longtemps là-bas.

C'était leur maison de campagne, où leurs chevaux étaient en pension. Bert, Gwyneth et leurs enfants étaient d'excellents cavaliers. Gwyneth montait en amazone et Augusta avait été une cavalière émérite en son temps, mais elle ne mon-

138

tait plus, désormais. Blake se demanda quand ils avaient vendu cette maison et qui y vivait désormais...

— Dîner demain soir ? proposa Bert.

Blake acquiesça d'un hochement de tête. Il était ravi de savoir les Butterfield de retour, même si les garçons avaient fait des bêtises ensemble.

— Avec plaisir.

Bert le salua d'un signe de la main tout en escortant Magnus dans l'escalier, tenant le gamin par l'oreille. À mi-chemin, ils disparurent tous deux.

Blake rejoignit Sybil dans la salle de bains, où elle savonnait Charlie avec vigueur. Plongé dans la large baignoire, son fils lui racontait combien Magnus et lui avaient eu peur.

— Je ne veux pas que tu recommences ! le réprimanda Blake d'un ton sévère. Sinon, nous ne te laisserons plus jouer avec Magnus.

— Promis, papa !

Sybil le fit sortir de l'eau et l'enveloppa d'une serviette.

— Bert m'a dit qu'ils avaient été à Woodside toute la semaine, expliqua Blake à Sybil.

Elle hocha la tête. Le livre de Bettina faisait mention de cette propriété à quelques reprises : ils l'avaient vendue après le krach de 1929 et avaient installé les chevaux dans une écurie du comté de Marin, ce qui était plus pratique pour les monter quand l'envie leur en prenait. Bettina parlait peu de cette maison de Woodside ; elle ne semblait pas s'en soucier particulièrement.

Ce soir-là, Charlie raconta son aventure dans le passage secret à son frère et sa sœur. Ceux-ci furent heureux d'apprendre que les Butterfield étaient de retour.

— Ils nous ont invités à dîner demain soir, leur annonça Blake.

Tout le monde en fut ravi. Blake dit à Sybil qu'il devait donner un dîner d'affaires dans quelques semaines. Il voulait en parler à Bert, pour s'assurer que son plan n'interfère pas avec eux. Il n'était pas question qu'Augusta regarde ses associés à travers sa lorgnette, même si ces derniers ne pouvaient la voir. Sybil et lui n'auraient de cesse d'entendre toutes les remarques qu'elle ne manquerait pas de faire !

Le lendemain soir, lorsque Blake évoqua son dîner d'affaires, Bert se mit à rire.

— Bien sûr que vous pouvez donner un dîner ! C'est votre maison !

— Eh bien, pas vraiment. Vous êtes les premiers à avoir vécu ici, et... vous êtes toujours là, répondit Blake avec un sourire empli de respect.

— Mais vous êtes les bienvenus ! Et nous ne voulons pas nous immiscer dans votre vie, affirma Bert. Tenez-nous au courant et nous irons à Woodside pour la nuit. L'air de la campagne nous fera du bien.

Comme tout ceci était troublant ! Blake avait vraiment l'impression que les Butterfield étaient bien vivants ! Quelle curieuse sensation que de passer du temps avec eux comme avec des amis normaux, tout en sachant qu'ils n'étaient pas vraiment là. En discutant avec Bert, Blake avait appris qu'ils n'étaient visibles que pour la famille et les personnes avec lesquelles ils se sentaient suffisamment à l'aise, et uniquement dans la maison ou sur la propriété. Au-delà de ce périmètre, ils devenaient invisibles. Ils existaient donc dans une dimension limitée et très spécifique et pourtant, ils défiaient l'espace et le temps. C'était un phénomène que Blake ne pouvait s'expliquer, mais qu'il acceptait.

— Faites-moi savoir quand aura lieu ce dîner, répéta Bert. Je m'occuperai de ma belle-mère. Qui seront vos invités ?

Il était curieux d'en savoir plus sur la vie professionnelle de Blake.

— Ce sont mes associés. Des geeks – c'est comme ça qu'on les appelle de nos jours. C'est-à-dire qu'ils sont experts en technologie. Ils développent des moyens de communication utilisant des formules complexes. Moi, je surveille les finances. J'avoue que je ne comprends pas toujours ce qu'ils font.

— Je suis sûr que ça me dépasse aussi, avoua Bert.

Angus, qui les avait entendus évoquer le dîner, s'immisça dans la conversation.

— Je serai heureux de jouer de la cornemuse pour toi, mon cher garçon. Cela ajoute toujours un peu de vie à une fête, dit-il avec jovialité.

Magnus esquissa une horrible grimace, fit semblant de se boucher les oreilles, et tout le monde éclata de rire. Puis Angus se tourna vers Andy et lui demanda s'il avait postulé à l'université d'Édimbourg.

— Oui, cette fac me plaît beaucoup. J'ai envoyé ma demande il y a une semaine, juste avant la date limite. On verra comment ça se passe.

Ses deux amis avaient postulé aussi. Malgré ses bons résultats scolaires, il ignorait si sa candidature serait retenue.

— C'est un endroit merveilleux, affirma Angus. Je n'ai jamais été aussi heureux de ma vie que là-bas. Il n'y avait pas de femmes à l'université à mon époque, bien sûr. Elles ont commencé à être acceptées il y a vingt-cinq ans, en 1892. Je suis sûr que tu t'y plairas beaucoup !

Ces dates stupéfièrent Andy, qui se mit mentalement à faire quelques calculs, tandis qu'Angus continuait d'égrener ses souvenirs.

— J'ai été fiancé deux fois à des filles du coin pendant que j'y étais, gloussa-t-il.

— Combien de fois as-tu été fiancé, oncle Angus ? lui demanda son petit-neveu Josiah.

Angus réfléchit une minute avant de répondre.

— Oh, plusieurs douzaines de fois ! Voire quarante ou cinquante. Je me fiançais au moins une fois par an. Les choses se sont un peu ralenties dernièrement, dit-il avec un regard dépité alors que les autres convives riaient, même Augusta.

— Tu étais un vrai danger public sur ce plan-là, le gronda la douairière. Tu as failli tuer notre pauvre mère à courir après toutes ces femmes. Et la plupart du temps, tu n'étais *pas* fiancé, lui rappela-t-elle.

Angus prit un air affligé qui déclencha de nouveaux rires.

— C'était le bon temps ! déclara-t-il.

Il avait toujours une lueur malicieuse dans le regard face à Sybil ou à sa fille. Aujourd'hui, Sybil portait une robe du soir bustier en satin rouge. C'était une très jolie tenue qu'elle possédait depuis plusieurs années déjà, et qui moulait sa silhouette à la perfection. Caroline, elle, avait revêtu une courte robe de cocktail noire, qui mettait ses jambes en valeur.

« Tu es danseuse ? » lui avait demandé Augusta d'un ton innocent, au début de la soirée. Caroline avait répondu par la négative, tout en précisant qu'elle avait tout de même pris quelques cours de danse quand elle était enfant. « Ah. J'ai pensé que c'était peut-être un tutu », avait répliqué Augusta en faisant référence à la robe de la jeune fille.

Cette dernière avait rougi pendant que les autres gloussaient. Ce commentaire était typique de leur grand-mère. La douairière n'approuvait pas les nouvelles modes, ni les toilettes qui montraient une cheville ou, pire, une jambe.

Les deux familles dînèrent ensemble plusieurs soirs d'affilée et leurs membres se familiarisèrent les uns avec les autres. Les taquineries et les blagues fusaient sur un mode plus vif. Andy se comportait avec Bettina presque comme avec une sœur et il avait toujours un faible pour Lucy. Néanmoins, il était raisonnable et savait qu'une romance avec elle n'était ni possible ni réaliste. Il aimait sa beauté fragile et s'inquiétait pour sa santé. Il lui apportait des livres qui, selon lui, lui plairaient, notamment de la poésie.

Lucy était si délicate qu'elle ressemblait à une poupée de porcelaine. Les soirs où elle ne se sentait pas assez forte pour sortir dans le jardin, il lui lisait des poèmes. La poétesse préférée de la jeune fille était Elizabeth Barrett Browning. Parfois, Josiah taquinait Andy, se moquant de son intérêt marqué pour sa sœur. Les deux jeunes hommes s'entendaient très bien. Josiah n'avait pas de fiancée, et Andy non plus n'avait pas de petite copine. Au lycée, il ne s'était lié d'amitié qu'avec quelques garçons avec qui il faisait du sport. Lui et Josiah passaient donc pas mal de temps ensemble.

Josiah aussi commençait à traiter Caroline comme une sœur. Elle n'avait que seize ans et lui vingt-trois, mais elle était d'une beauté renversante. Néanmoins, Gwyneth avait délicatement fait remarquer à son fils que Caroline était trop jeune pour lui. D'ailleurs, elle n'avait pas encore fait son entrée dans le monde, et ne la ferait pas avant deux ans. Elle ne pouvait donc pas être considérée comme une prétendante sérieuse. Josiah accepta avec réticence les réflexions de sa mère. « Peut-être aurai-je ma chance dans deux ans, alors », lui répondit-il. Gwyneth espérait bien que d'ici là il serait marié. Il avait déjà l'âge de se choisir une épouse, et il travaillait à la banque de son père. Cependant, aucune jeune femme bien née de leur connaissance n'avait pour l'heure fait battre son cœur. Caroline était beaucoup plus audacieuse et plus excitante que les jeunes filles qu'il connaissait. Mais il comprenait bien qu'elle venait d'un autre siècle et, comme Andy, il était raisonnable. Il avait été fiancé deux ans auparavant, mais la relation s'était étiolée.

Sybil aida Blake à organiser son dîner d'affaires. Ils invitèrent huit couples et engagèrent un traiteur réputé pour son excellente cuisine thaïlandaise. Ils avaient suggéré à leurs invités de venir habillés de façon décontractée. Les collègues de Blake étant tous très jeunes, Sybil pensait que les femmes seraient vêtues d'un pantalon et d'un joli chemisier en soie, ou bien de robes courtes, ou encore de minijupes et de bottes. Choquée, elle vit arriver les hommes en jean et tee-shirt, voire carrément en pantalon de jogging et baskets, et les femmes en sweat-shirt, jean et sandales plates, et sans aucun maquillage. On était loin de leurs dîners élégants avec les Butterfield.

Mais la soirée fut agréable et Blake était content. En plus des deux fondateurs de son entreprise, il y avait dans leur salon au moins quatre jeunes milliardaires de la haute technologie. Même si Sybil s'était toujours contentée de ce qu'ils avaient, Blake espérait être un jour aussi fortuné qu'eux. L'argent ne faisait pas rêver Sybil. Que feraient-ils d'un avion, d'un yacht, d'une imposante demeure à Atherton ou à Belvedere, ou encore d'une villa dans les Hamptons ou les Caraïbes ? Ils vivaient dans un beau manoir et menaient une vie idéale avec leurs enfants ; par-dessus tout, ils s'aimaient. Cela lui suffisait. Mais Blake était plus ambitieux.

Plusieurs fois au cours de la soirée, leurs invités leur demandèrent s'ils avaient déjà vu des fantômes. L'âge et le style de la maison incitaient à le penser. Blake et Sybil répondirent par la négative et changèrent systématiquement de sujet. Ils se sentaient extrêmement protecteurs envers les Butterfield et se réjouissaient de l'amitié qui les liait. Il était hors de question que cela devienne un sujet de plaisanterie.

La nourriture servie par le traiteur était excellente. Blake avait sélectionné de très bons vins de la vallée de Napa, et tout le monde passait un bon moment. Leurs convives étaient impressionnés par le manoir. Plusieurs personnes posèrent des questions sur l'histoire de la maison et sur la façon dont ils l'avaient trouvée. Du fait de son état impeccable et de la beauté de l'architecture intérieure, tous pensaient qu'ils l'avaient payée une fortune. S'ils savaient ! Blake et Sybil échangèrent un regard complice. Les Butterfield leur manquaient. Les dîners avec eux étaient plus élégants et plus amusants. Et aussi brillants que soient les geeks avec qui Blake travaillait, ils n'avaient guère de conversation en dehors des sujets relatifs au monde des affaires, à l'argent ou à la haute technologie. Leurs compagnes n'étaient guère plus intéressantes, songea Sybil. Elles discutaient de leurs avions privés, de leurs programmes d'entraînement sportif ou de leurs enfants.

Quand ils furent tous partis, Blake et Sybil s'avouèrent en riant qu'ils préféraient dîner avec les Butterfield. C'était bien plus divertissant. Néanmoins, Blake était satisfait : la soirée avait été un succès. Il remercia Sybil de l'avoir si bien organisée. Tout en se préparant à se mettre au lit, ils constatèrent avec étonnement que leurs meilleurs amis à San Francisco étaient une famille de fantômes qui hantaient la demeure où elle habitait depuis près de cent ans.

7

En février, Sybil passa une semaine à New York pour préparer l'exposition de design moderne qui se tiendrait à l'automne au Brooklyn Museum. Elle avait déjà fait d'importantes recherches sur ce qu'elle voulait présenter. À présent, elle voulait commencer à sélectionner certains objets et contacter des musées pour obtenir les prêts des pièces emblématiques dont elle avait besoin. D'une certaine façon, c'était agréable d'être de retour dans la Mecque culturelle qu'était New York. À San Francisco, la vie était facile et moins stressante, mais les ressources culturelles plus limitées. Se retrouver à New York était revigorant et inspirant. À sa grande surprise, toutefois, l'appartement de Tribeca lui parut minuscule et elle ne s'y sentait plus autant chez elle. Après quelques jours, le manoir lui manquait déjà.

Chaque soir, elle téléphonait à Blake et aux enfants. Ils n'avaient pas vu les Butterfield depuis son départ. Durant leur dernier dîner ensemble, elle avait parlé à Gwyneth de son voyage. Cette dernière avait avoué d'un air triste qu'elle aurait aimé avoir la liberté de travailler. Gwyneth avait quatre ans de plus, mais, à bien des égards, elle semblait plus innocente. Dans un sens, elle avait été protégée des aléas de la vie. Bert lui épargnait bien des désagréments, tandis qu'elle s'occupait de leurs enfants et dirigeait leur maison sans faille, depuis maintenant vingt-quatre ans. Douze ans auparavant, ils avaient affronté ensemble la mort de Magnus et s'étaient mutuellement apporté le courage nécessaire pour continuer à vivre. Ils formaient un couple fort, où chacun avait un rôle bien défini. La femme était le complément de l'homme. Les choses étaient moins nettes à l'époque de Blake et Sybil. La femme devait à la fois être forte, solide, tout en s'ajustant à l'univers de son mari, et cela sans rien perdre de sa féminité. Gwyneth ne percevait pas ces nuances. Seule l'impressionnait la liberté qu'avait Sybil de travailler, de prendre des décisions, de voyager et de faire ce qu'elle voulait. Quelque part, elle enviait Sybil, ce qui ne l'empêchait pas de l'aimer énormément.

« J'aimerais travailler, lui avait-elle déclaré un soir.

— Que feriez-vous ? avait demandé Sybil, curieuse.

— Je ne suis pas sûre. J'irais à l'université pour étudier l'histoire de l'art. Je pense que j'aimerais votre travail, il a l'air si intéressant et varié. Ou alors j'enseignerais l'art.

— Moi aussi, j'ai pensé à l'enseignement. Aujourd'hui, on peut tout faire ! Même créer son

propre travail. Grâce aux ordinateurs, on peut travailler de chez soi n'importe où dans le monde.

— Je n'y comprends rien, à vos ordinateurs »,
avait avoué Gwyneth.

Sybil lui avait souri.

« Vous savez, moi non plus, je n'y comprends
pas grand-chose. Je ne suis pas très douée dans ce
domaine. C'est comme une boîte avec une machine
à écrire minuscule incluse dedans, avait-elle expliqué. Vous écrivez ce que vous voulez grâce au
clavier, vous pouvez même envoyer des photos,
des dessins ou de la musique. Tout s'affiche sur
le petit écran, puis vous appuyez sur un bouton,
et cela est envoyé à qui vous voulez du moment
que le destinataire a un appareil similaire au vôtre.
C'est incroyablement rapide. Cela arrive à l'autre
bout du monde en quelques secondes, et cela vous
permet de travailler très facilement avec d'autres
personnes, même à distance. Vous pouvez aussi
dessiner grâce à un programme spécial. À dire vrai,
cela me semble magique.

— Quelle invention incroyable ! Bert nous a fait
installer un téléphone. Je trouve déjà cet appareil
absolument remarquable, pourtant je ne l'utilise
pas très souvent. Et plus du tout, maintenant. »

Et pour cause.

« Quand je reviendrai, je pourrai vous montrer
comment utiliser mon ordinateur si vous voulez. »

À cette suggestion, le visage de Gwyneth s'était
illuminé de joie. Durant son séjour new-yorkais,
Sybil n'oublia pas de télécharger plusieurs logiciels
de création graphique pour son amie.

Il neigea sur New York. La ville recouverte de blanc offrit un spectacle magique, enchanteur, mais dès le lendemain, le beau tapis blanc n'était plus qu'une triste couverture boueuse. À la fin de la semaine, Sybil fut soulagée de reprendre l'avion pour San Francisco. Ce séjour à New York sans sa famille lui avait paru bien long.

— Alors, comment c'était ? lui demanda Blake quand il rentra du bureau.

Elle lui avait manqué aussi.

— Bruyant, sale, agité, excitant, solitaire, amusant.

Blake éclata de rire :

— Excellent résumé.

— Et je ne me sentais plus chez moi. J'avais hâte de revenir.

Quelle bonne nouvelle ! En vérité, Blake avait redouté que sa femme retombe amoureuse de la Grosse Pomme. Lui se plaisait ici. Il aimait son nouveau travail et n'était vraiment pas pressé de retourner à New York.

— J'ai rencontré Bert dans le jardin ce matin ; il nous a invités à dîner ce soir, si tu n'es pas trop fatiguée.

— J'adorerais ça.

Elle lui sourit. Elle était impatiente de voir Gwyneth et de lui montrer les programmes qu'elle avait téléchargés pour elle. Elle n'avait pas résisté à l'envie de les tester. C'était tout bonnement magique. Ses simples croquis ressemblaient à de véritables dessins à la plume et à l'encre. Elle avait même trouvé une application qui les transformait en tableaux à l'huile.

Ce soir-là, les deux familles furent heureuses de se retrouver. Les adolescents étaient ravis, et Sybil put discuter quelques minutes seule avec Gwyneth avant de s'asseoir à table.

— Venez à mon bureau demain après-midi, proposa-t-elle. Tout est prêt.

Redoutant de contrarier son mari, Gwyneth ne voulait pas qu'il soit au courant. Aux yeux de Bert, l'ordinateur était une invention magique. Après le dîner, quand les deux femmes se souhaitèrent bonne nuit, Gwyneth avait l'air tout excitée.

— Qu'est-ce que vous complotiez, Gwyneth et toi ? demanda Blake à Sybil peu après. Vous aviez l'air de deux gamines s'apprêtant à faire des bêtises.

Sybil décida de garder l'affaire secrète. Les deux familles étaient tacitement convenues de ne pas s'immiscer dans la vie l'une de l'autre, et de respecter les dimensions dans lesquelles elles se trouvaient. Blake était catégorique à ce sujet. Cela signifiait qu'ils ne devaient rien révéler aux Butterfield de leur avenir. Mais cela ne signifiait pas pour autant que Sybil ne pouvait enseigner l'informatique à Gwyneth. Après tout, Charlie avait bien expliqué à Magnus comment jouer à la PlayStation. Bert n'était pas d'accord, mais les deux garçons s'amusaient comme des fous. Sybil était persuadée que Gwyneth apprécierait tout autant de savoir utiliser un ordinateur.

— Rien de spécial, répondit-elle. On se racontait juste des trucs de fille.

Sur ce, elle lui demanda de défaire la fermeture Éclair de sa robe, et il perdit bien vite tout intérêt pour les petits secrets que les deux femmes partageaient.

Le lendemain, Gwyneth vint retrouver Sybil dans son bureau. Elle s'installa timidement à la table de travail, et Sybil lui montra comment allumer l'ordinateur et utiliser les logiciels de création graphique. Gwyneth fixait l'écran avec incrédulité.

— Comment est-il possible de faire tout cela avec une machine ?

Elle saisit à son tour la souris et fut émerveillée par le logiciel qui permettait de réaliser un dessin semblable aux croquis à l'encre des artistes. Et celui qui reproduisait des coups de pinceau était encore plus stupéfiant. C'était si amusant ! Les deux femmes se divertirent ainsi pendant deux heures, puis Sybil imprima leurs œuvres et les rangea dans un dossier qu'elle conserverait dans son bureau. Gwyneth remarqua soudain son téléphone portable sur la table. L'appareil ne ressemblait à rien qu'elle ait jamais vu.

— À quoi est-ce que cela sert ?

— Ça ? C'est mon téléphone.

Gwyneth le prit dans sa main et le scruta d'un air étonné.

— C'est un téléphone ? Vraiment ?

Sybil lui montra comment il fonctionnait. Gwyneth était ébahie. Elle venait de vivre des heures passionnantes et demanda à Sybil si elle pouvait revenir le lendemain.

— Tu peux revenir tous les jours si tu veux – sans y penser, Sybil était passée naturellement au tutoiement.

Elle lui prêterait son vieil ordinateur portable et Gwyneth pourrait s'entraîner à loisir. Quand elle embrassa Sybil pour la remercier et lui dire au revoir, Gwyneth affichait un air ravi. Alors qu'elle se dirigeait vers l'escalier, Sybil lui fit un petit signe de la main. Puis la silhouette de Gwyneth s'évapora. Sybil souriait. L'après-midi avait été parfait.

Par la suite, Gwyneth revint tous les jours. Elle était devenue accro et s'appliquait à découvrir toutes les fonctionnalités du logiciel. Un nouveau monde s'ouvrait à elle, avec un siècle d'avance sur son temps. De son côté, Sybil travaillait et envoyait des e-mails à ses contacts à l'autre bout du pays. Gwyneth était fascinée par cette correspondance quasi immédiate. Sybil lui apprit à envoyer des courriels et lui montra comment utiliser Skype – et tant pis si personne ne pouvait la voir, le programme n'étant pas prévu pour les fantômes. Elles envoyèrent un courriel à Blake, et Gwyneth s'amusa de sa réponse. Il pensait correspondre avec son épouse, alors que c'était Gwyneth qui lui avait écrit. Les deux femmes rirent de bon cœur à cette blague. Gwyneth maîtrisait de mieux en mieux le logiciel de création graphique. Ses dessins étaient magnifiques et Sybil regrettait de ne pouvoir les montrer à personne. C'était leur secret.

Un après-midi, Sybil lui fit découvrir Facebook, Google et eBay. Mais Gwyneth préférait les créations graphiques. Par ailleurs, elle était impressionnée par le sérieux avec lequel Sybil travaillait et par le volume de courriels qu'elle recevait.

— Tu as besoin d'une secrétaire, déclara-t-elle.

Sybil acquiesça. Elle avait eu un assistant à New York, mais elle n'en voulait pas ici.

— Je fais tout moi-même. Je n'ai pas envie de former quelqu'un... Il est vrai que je suis parfois surchargée, surtout quand j'ai un article à rédiger ou une exposition à organiser.

Elles discutaient encore de ce point quand Alicia monta proposer une tasse de thé à Sybil. Bien qu'elle ne puisse la voir, elle l'entendit parler à Gwyneth.

— Je suis désolée, chuchota-t-elle à Sybil, vous êtes au téléphone ?

— Non, c'est bon, j'ai terminé. Merci, Alicia.

La gouvernante redescendit au rez-de-chaussée. Décidément, dans cette famille tout le monde avait l'habitude de parler seul ! Quels excentriques !

Quand elles furent certaines qu'Alicia ne les entendait plus, Gwyneth et Sybil éclatèrent de rire.

— Elle pense que nous sommes fous, expliqua Sybil. Qui sait, peut-être que nous le sommes.

— Non, vous ne l'êtes pas. Tu es une femme remarquable, Sybil. Avec ce que tu m'as appris, tu as donné un nouveau sens à ma vie.

Sybil fut profondément touchée par ces propos. Et ce moment scella leur amitié. Elles continuèrent à se retrouver chaque après-midi dans le bureau de Sybil. Elles parlaient de la vie, de leurs maris et de leurs enfants. De leurs peurs et de leurs rêves. Gwyneth était désespérée à l'idée que l'Amérique entre en guerre et que Josiah soit enrôlé. Et ce sujet revenait constamment durant leurs dîners.

Bert s'inquiétait de plus en plus de la gravité de la guerre en Europe. Comment le président Woodrow Wilson allait-il empêcher le pays d'y plonger ? En mars, la situation avait encore empiré. Bert prédisait que l'Amérique entrerait en guerre dans un avenir très proche. Ni Blake ni Sybil ne firent de commentaires. Quand bien même ils savaient, eux, ce qui allait se passer…

Le 2 avril, le président Wilson prononça un discours devant le Congrès, demandant l'entrée en guerre contre l'Allemagne. Le 6 avril, l'intervention américaine était officialisée. Ce soir-là, les deux familles partagèrent un bien sombre dîner. Deux jours plus tard, Josiah annonça à sa famille qu'il s'était enrôlé. Connaissant son triste destin, Sybil sentit son cœur se serrer. Gwyneth remarqua la mine affligée de son amie.

— Y a-t-il quelque chose que tu n'oses pas nous dire ? lui chuchota-t-elle durant le souper.

Sybil resta silencieuse un long moment, puis acquiesça.

— Il ne doit pas partir, murmura-t-elle d'un ton pressant.

Gwyneth comprit aussitôt.

— Mais comment pourrais-je l'arrêter ? Tous les garçons de son âge vont partir. Bert pense qu'il a raison. » Josiah avait été l'un des premiers à s'enrôler, et Bert était très fier de son fils. « Il sera traité de lâche s'il n'y va pas !

Sybil comprit à nouveau qu'il lui était impossible de changer le destin. Inquiète pour son fils, Gwyneth cessa de venir la retrouver dans son bureau. La création graphique lui apparaissait comme une activité trop frivole en ces heures graves.

Deux semaines plus tard, les Butterfield organisèrent un dîner pour saluer le départ de leur fils. Les Gregory étaient présents. Quand Sybil étreignit Josiah pour lui dire au revoir, elle lui recommanda d'être extrêmement prudent.

— Ne joue pas les héros, rentre à la maison le plus vite possible !

Ses avertissements firent sourire les hommes. Sybil était profondément émue. Si seulement sa mise en garde pouvait modifier le cours du destin !

— Ne te fais pas de soucis pour lui. Il s'en sortira, dit Blake quand ils se retrouvèrent en tête à tête dans leur chambre.

— Non, il ne reviendra pas, répliqua Sybil. Quand il sera de retour, ce sera comme Magnus, en tant qu'esprit.

— Il a été tué à la guerre ?

Blake avait oublié. Sybil hocha la tête. Une ombre passa sur le visage de Blake. Que pourrait-il dire à Bert pour éviter un tel drame ? Et au fond, comment l'empêcher ? Les événements s'étaient déjà déroulés, un siècle plus tôt. Il était parfois difficile de démêler le passé du présent.

— J'aimerais tant qu'on puisse changer les choses, soupira Sybil. C'est tellement injuste que nous connaissions leur avenir et qu'eux ignorent tout !

— Syb, la vie est ainsi pour tout le monde ! Personne ne connaît son destin. Quoi qu'il en soit, ils ne changeraient probablement rien à leurs décisions même s'ils savaient.

— Et si ce n'était pas le cas ?

— Ils ont vécu ici il y a plus de cent ans ! Ils seraient déjà morts de toute façon. Nous n'avons pas le droit d'interférer avec leur destin. Voudrais-tu que Josiah soit traité de lâche alors que le pays vient d'entrer en guerre ? Ça briserait le cœur de son père. Est-ce que tu voudrais cela pour Andy ?

— Oui ! Je voudrais que mon fils soit vivant, quoi qu'il en coûte.

— Bert était très fier de lui ce soir, commenta Blake, se remémorant l'expression rayonnante affichée par Bert.

— Si quelqu'un savait quelque chose qui pourrait m'aider à changer le cours de l'histoire et sauver mon fils, je voudrais qu'il me le dise, insista Sybil avec ferveur.

— Je ne suis pas sûr qu'ils nous écouteraient...

Elle secoua la tête d'un air dépité. Connaissant l'inéluctable vérité, elle se coucha les larmes aux yeux, pensant à Josiah et à la douleur qui ravagerait bientôt sa famille. Combien de temps faudrait-il au jeune homme pour revenir auprès des siens en tant qu'esprit ? Elle ne connaissait rien à ces étranges phénomènes, et Blake non plus.

— Regarde Magnus. Il semble aller bien, malgré ce qui lui est arrivé, dit Blake pour tenter de la rassurer.

— Il ne va pas bien, Blake. Il est mort.

— Ils le sont tous, lui rappela-t-il.

Elle rit à travers ses larmes.

— Tu as raison. Mais ils paraissent tellement vivants ! Et ils ne semblent pas avoir conscience qu'ils sont morts.

— C'est vrai.

Blake se jura d'être là pour Bert dans les mois à venir. Il ne pouvait rien faire d'autre. Malgré ce que Sybil et lui savaient, ils n'avaient pas la possibilité d'intervenir. Aussi cruel que cela soit, le sort de chacun était déjà scellé.

Josiah partit le lendemain. L'armée l'envoyait en train dans le New Jersey pour une formation de base, et de là, il irait en Europe, embarquant à New York sur un bateau transporteur de troupes. Ils ne le reverraient pas avant son départ pour le front. Il n'avait même pas le droit de les informer de la date de son départ. Bert supposait toutefois que son entraînement durerait environ un mois, ce qui le ferait débarquer en Europe début juin. La guerre dévorait tous les jeunes hommes d'Europe, et les Alliés espéraient que les troupes fraîchement débarquées des États-Unis renverseraient la situation.

Les Butterfield ne se montrèrent pas à la salle à manger pendant deux jours. Gwyneth essayait d'être courageuse, mais lorsqu'ils dînèrent à nouveau ensemble, Sybil perçut son désarroi. Augusta aussi était d'humeur triste. Son petit-fils lui manquait ; la place de Josiah était désespérément vide.

Ce soir-là, les hommes parlèrent affaires. Blake expliquait comment se déroulait le démarrage de l'entreprise. Il y avait quelques problèmes, mais il ne s'en inquiétait pas. À ses yeux, les deux associés fondateurs étaient trop intrépides, mais ils avaient certainement leurs raisons pour agir ainsi. Après tout, leurs entreprises précédentes avaient été couronnées de succès. Tout ceci paraissait insignifiant comparé au départ de Josiah pour la guerre, mais au moins cette conversation leur permettait-elle de se distraire un peu. Sybil et Gwyneth discutaient tranquillement. Sybil venait juste d'inciter Gwyneth à revenir utiliser son ordinateur, lorsque, tournant la tête vers Augusta, elle vit le visage de cette dernière devenir carrément violet. Incapable de proférer un seul mot, la douairière était visiblement en train de s'étouffer. Avait-elle avalé de travers un morceau du délicieux gigot d'agneau qui leur avait été servi ? Sans perdre un instant, Sybil courut jusqu'à elle. La vieille femme avait l'air terrifiée. Sybil savait qu'elle n'allait pas tarder à perdre conscience.

— Laissez-moi vous aider, dit-elle aussi calmement que possible.

Parviendrait-elle à effectuer la manœuvre de Heimlich sur une femme de cette corpulence ? Elle força Augusta à se lever, se positionna derrière elle aussi près qu'elle le put, passa ses bras autour d'elle et, les deux mains l'une sur l'autre, appuya avec force sur son abdomen, comme on le lui avait appris à la Croix-Rouge. Autour de la table, tout le monde était figé d'horreur, d'autant qu'Augusta se débattait comme une diablesse. Courageusement, Sybil fit une seconde tentative et, cette fois, le morceau d'agneau coincé dans la gorge d'Augusta fut propulsé hors de sa bouche et atterrit sur la table, juste devant Magnus. La vieille dame toussa un moment. L'air mortifié, elle se tourna vers Sybil et lui fit signe de s'éloigner.

— Comment avez-vous osé porter vos mains sur moi ? Vous avez essayé de m'étrangler alors que je m'étouffais ! Vous m'avez presque cassé les côtes !

— Je vous ai empêchée de vous étouffer, madame Campbell. Cela s'appelle la manœuvre de Heimlich ; cela a déjà sauvé beaucoup de vies. Toute notre famille a appris à exécuter ces gestes !

— Heimlich. Un étranger, bien sûr ! Les Allemands sont encore pires que les Français ! Ils utilisent probablement votre fameuse manœuvre en France pour tuer des soldats britanniques.

La gratitude ne faisait manifestement pas partie du vocabulaire d'Augusta. Avec bienveillance, Sybil s'excusa de l'avoir malmenée et retourna docilement à sa place. Elle était malgré tout soulagée d'avoir réussi à la sauver.

— Maman, Sybil essayait de t'aider. Tu t'étouffais, lâcha Gwyneth pour défendre son amie.

À plusieurs reprises durant le dîner, Augusta lança des regards noirs à Sybil. À la fin du repas, elle se dirigea vers elle et lui dit d'un ton bourru :

— Je suis sûre que vous vouliez bien faire, mais ne recommencez jamais ça ! Je préfère m'étouffer que de vous laisser me casser toutes les côtes.

— Je suis désolée si je vous ai blessée, dit humblement Sybil.

Elle avait compris que, par-dessus tout, elle avait heurté la fierté d'Augusta.

— Vous ne m'avez pas blessée. Mais vous ne pouvez pas faire confiance à ces Allemands. Laissez-leur ces remèdes barbares ! C'était affreux, je vous assure.

Sur ces mots, elle quitta la pièce au bras de son frère et disparut encore plus vite que d'habitude. Tandis que Sybil montait dans sa chambre, l'ironie de la situation la frappa. Elle avait pu épargner la mort à une vieille dame… déjà morte, mais elle ne pouvait pas empêcher un garçon de vingt-trois ans d'être tué à la guerre. Quelle injustice ! Quoi qu'il en soit, elle était sûre que, malgré ses propos acerbes, la mère de Gwyneth lui était reconnaissante. Quand ils se mirent au lit, Blake la taquina.

— Alors, tu as tenté de tuer l'aïeule, ce soir, n'est-ce pas ?

Elle éclata de rire, se remémorant le regard indigné d'Augusta.

— Je lui ai sauvé la vie, et elle m'en veut !

— Ne t'inquiète pas, ma chérie, une bonne action est toujours récompensée, même avec des fantômes.

8

Après le départ de Josiah, les Butterfield furent d'humeur morose. Dans les journaux, les reportages sur la guerre prenaient une résonance de plus en plus tragique. Sybil se mit à lire en ligne des articles sur le conflit mondial pour en apprendre davantage sur le sujet. Les rapports sur le nombre de morts et de blessés étaient terrifiants. Du gaz moutarde et divers autres gaz toxiques étaient déversés sur les soldats. Dans les tranchées, les conditions étaient effroyables. Sybil ne supportait pas l'idée que Josiah traverse cette épreuve, et Gwyneth encore moins. Cela dit, Sybil devait s'efforcer de se rappeler qu'en réalité Josiah était mort depuis cent ans. Mais dans le monde de Gwyneth et Bert, il était toujours bien vivant, et Sybil redoutait le jour où ses amis apprendraient la terrible nouvelle du décès de leur fils.

L'année précédente, en 1916, la bataille de la Somme avait ravagé les troupes alliées. L'an 1917 était encore plus meurtrier. Lorsqu'elle discutait avec Gwyneth, Sybil tentait de rester positive, mais elle savait que l'esprit de son amie était hanté par cette guerre. Dieu merci, s'occuper de Magnus et Charlie leur permettait de penser à autre chose. Caroline se languissait de Josiah, mais quelques semaines après son départ, elle rencontra un nouveau garçon à l'école, ce dont Sybil se réjouit. Élève de terminale, il était capitaine de l'équipe de basket-ball. Grand, beau garçon, il était fou de Caroline, qui l'aimait beaucoup elle aussi. Sybil savait que sa fille serait bouleversée quand Josiah serait tué. Mieux valait pour elle qu'elle vive dans le monde réel, comme une lycéenne normale.

Un soir au dîner, Caroline confia à Bettina qu'elle avait un petit ami. Cette dernière la mit en garde : elle ne devait pas s'engager avec un jeune homme qui risquait de partir à la guerre bientôt. Caroline lui rappela gentiment qu'il irait à l'université comme Andy, et non à la guerre.

Angus conseilla à Andy d'oublier l'université d'Édimbourg, même s'il était admis. Ce serait trop difficile d'aller en Europe. Ils vivaient une période dangereuse. Il était inutile de risquer sa vie pour aller étudier à l'autre bout du monde. Andy s'abstint poliment de répondre, car la plupart du temps Angus oubliait qu'ils vivaient dans deux siècles différents. Dans ce genre de situation, Andy se contentait d'acquiescer d'un hochement de tête, tout en jouant avec Rupert, qui ronflait aux pieds de son maître. Magnus et Charlie lui donnaient des petits bouts de viande chaque fois qu'ils le pouvaient, malgré l'interdiction qui leur avait été faite.

Quelque temps plus tard, Andy apprit que l'université d'Édimbourg avait accepté sa candidature, ainsi que celle de ses deux amis. Il était ravi. Malgré les déclarations pessimistes d'Angus – qui prédisait qu'Andy serait appelé au front s'il allait en Europe –, les deux familles célébrèrent la bonne nouvelle au dîner. Sybil était heureuse pour son fils, mais c'était un bonheur doux-amer pour elle. Son aîné lui manquerait... Hélas, c'était inévitable.

Depuis leur malheureuse escapade dans le passage secret, Magnus et Charlie s'étaient montrés moins aventureux. Charlie rapporta à sa mère que Magnus était très doué aux jeux vidéo. Il était presque aussi habile que lui ! Gwyneth, elle, maîtrisait désormais parfaitement l'utilisation des logiciels sur lesquels elle s'était entraînée. Les Gregory leur avaient ouvert des horizons dont ils n'auraient jamais pu rêver. Gwyneth évoquait parfois la possibilité pour elle de travailler. Mais pour son mari et sa mère, c'était hors de question.

« Je ne vois pas pourquoi, répondait Gwyneth d'un air buté. Si Sybil peut travailler, pourquoi pas moi ?

— Les dames ne travaillent pas, rétorquait Augusta sur un ton sans appel. Bientôt, tu voudras porter une jupe aussi courte et indécente que celles de Caroline. C'est pour eux, mais pas pour nous ! »

Augusta avait accepté « la nouvelle famille », comme elle l'appelait, et appréciait chacun de ses membres, mais pour elle, les règles se devaient de rester différentes entre les deux familles. Elle avait prévenu Sybil : si elle s'étouffait à nouveau un jour, Sybil ne devait pas pratiquer sur elle cette horrible méthode allemande censée la sauver. Elle affirmait que Sybil l'avait presque tuée et elle était certaine que ce procédé était utilisé par l'ennemi durant la guerre.

« Elle essayait de t'aider, maman », lui avait rappelé Gwyneth.

Augusta n'en était nullement convaincue.

Pendant les semaines qui suivirent le départ de Josiah, Sybil remarqua que Bettina était devenue exceptionnellement silencieuse. Elle ne parlait presque jamais. Son frère n'avait que deux ans de plus qu'elle, et ils étaient très proches. Sybil aborda le sujet avec Gwyneth, un après-midi où elles étaient réunies dans son bureau. Comme d'habitude, Gwyneth s'exerçait sur le logiciel de création graphique. Elle aussi avait noté le changement survenu chez sa fille. Depuis que la guerre avait été déclarée, elle s'était repliée sur elle-même. Elle s'était mise à faire de grandes promenades en solitaire, et à s'isoler pendant des heures dans le jardin, où elle écrivait de longues lettres. Elle semblait profondément malheureuse.

— Elle est tombée amoureuse d'un garçon il y a deux ans, quand nous sommes allés au lac Tahoe, expliqua Gwyneth à Sybil. C'était un gentil garçon de son âge. Il avait l'air très intelligent, mais il n'était pas du tout de notre rang. L'année précédente, elle a fait son entrée dans le monde, et nous lui avons présenté plusieurs jeunes hommes qu'elle a tous éconduits. Son cœur ne battait plus que pour ce garçon rencontré au lac Tahoe. Bert était très contrarié par cette histoire. Il a parlé au père du garçon et lui a dit que ses avances n'étaient pas les bienvenues.

— Pourquoi ?

— C'était tout à fait impossible. Ces gens sont des commerçants. La famille est italienne, et ils ont un restaurant de poissons quelque part. Les parents parlaient à peine anglais, dit-elle avec son léger accent écossais.

C'était la première fois que Sybil l'entendait exprimer son snobisme. Il était inenvisageable pour Gwyneth que sa fille se lie avec le fils d'un restaurateur immigré italien, même si l'établissement était prospère. Les Butterfield menaient leur vie en suivant certaines règles et certaines valeurs, et ils s'attendaient à ce que Bettina s'y conforme.

» Ma mère aurait eu une attaque si elle l'avait su, ajouta Gwyneth. Les parents de ce garçon étaient tout à fait d'accord avec nous. D'ailleurs, ils lui avaient déjà choisi une jeune fille à épouser en Italie, mais il ne voulait pas d'elle. Il avait des idées très modernes et refusait de travailler au restaurant familial. Il voulait aller à l'université. C'était révolutionnaire ! Ils ont accusé Bettina d'avoir fait perdre la tête à leur fils. À leurs yeux, c'est à cause d'elle qu'il a refusé le mariage qu'ils avaient prévu pour lui. Finalement, Bert a interdit à Bettina de revoir ce garçon.

— Et elle l'a quand même revu ?

Sybil était intriguée. Le livre de Bettina ne faisait aucune mention de cet amour impossible.

— Je ne crois pas, mais elle est restée très en colère contre nous pendant presque un an. Bettina peut être très rancunière. » C'était une facette de la jeune femme que Sybil n'avait jamais vue. Bettina semblait toujours si douce, si obéissante. « Depuis cette histoire, elle ne s'est plus intéressée à aucun garçon, poursuivit Gwyneth. Or, bien sûr, nous ne voulons pas qu'elle demeure vieille fille ! Mais avec cette guerre, cela va être encore plus difficile de lui trouver un prétendant valable. Tous les jeunes gens vont partir au front. Elle devrait déjà être mariée. Bert et moi, nous nous sommes mariés quand j'avais dix-huit ans.

C'était intéressant d'entendre le point de vue de Gwyneth à ce sujet. Tout comme Bert, elle croyait fermement en les anciennes règles, même si, avec les Gregory, ils faisaient preuve d'ouverture d'esprit.

— Bettina semble très malheureuse ces jours-ci, commenta Sybil.

— Oui... Je pense qu'elle est bouleversée pour Josiah. Nous le sommes tous. En tant que frère et sœur, ils sont très proches.

Quelques jours plus tard, Sybil se leva de bonne heure et aperçut Bettina au rez-de-chaussée juste avant qu'elle s'échappe de la maison. La jeune fille était vêtue d'une robe bleu clair et d'un manteau bleu marine, et un élégant petit chapeau assorti d'un voile dissimulait son visage. Elle avait soudainement l'air plus adulte, et Sybil eut le sentiment étrange qu'elle cachait quelque chose d'important à sa famille. Plus tard dans la matinée, elle prit le livre de Bettina et le passa au peigne fin, cherchant des réponses. Et elle comprit. Néanmoins, elle n'avait aucun moyen de prévenir Bert et Gwyneth, et il était trop tard pour suivre Bettina. Ce soir-là, la jeune fille ne se joignit pas à eux pour dîner. Au milieu du repas, Phillips vint apporter une lettre à Bert. Ce dernier s'excusa auprès de ses invités et lut le message d'un air grave avant de le tendre à Gwyneth. Dès qu'elle en eut pris connaissance, les larmes montèrent à ses yeux.

— Tout va bien ? demanda Sybil en posant une main sur la sienne.

Elle redoutait que ce pli ne renferme la nouvelle fatale concernant Josiah.

— Je n'aurais jamais pensé qu'elle ferait ça ! Quelle stupidité ! Comment notre fille peut-elle être si bête ? C'est Bettina, expliqua-t-elle en pleurant. Elle a dû revoir ce garçon. L'Italien.

— La lettre vient de lui ? insista Sybil.

— Non, de Bettina, répondit Gwyneth d'une voix lasse. Elle l'a épousé cet après-midi à la mairie. Il part demain pour New York, puis pour l'Europe. Elle dit qu'elle reviendra ici après son départ. Mon Dieu ! Comment a-t-elle pu faire cela ? » Elle se mit à sangloter : « Nous avons essayé de la raisonner, et regarde le résultat ! Ils sont mariés !

Si Bert était plus stoïque que sa femme, il semblait tout de même proche des larmes. Bettina les avait cruellement déçus.

Sybil n'eut pas le cœur de faire remarquer à son amie que le destin allait prendre le dessus et modifier le cours des choses. Quelques instants plus tard, Gwyneth s'excusa et quitta la table en larmes. Les émotions l'avaient épuisée, et elle voulait s'allonger. Bert continua d'être un hôte parfait jusqu'à ce que les deux familles se séparent. Plus tard, dans l'intimité de leur chambre, Sybil et Blake discutèrent de la situation. Ils étaient inquiets pour leurs amis. Le fait que leur fille ait épousé quelqu'un en dehors de leur cercle social était une tragédie pour eux.

Le lendemain, Bettina était de retour, les yeux rouges et le cœur brisé après le départ de son époux, parti en train depuis Oakland. Elle-même avait pris un ferry-boat pour rentrer à San Francisco. Sa grand-mère, qui était désormais au courant de toute l'histoire, était furieuse. Bettina, elle, était d'humeur belliqueuse. Durant le dîner, Bert affichait un air grave. Il était exceptionnellement silencieux. Un peu plus tôt, il avait eu une sévère discussion avec sa fille, durant laquelle il lui avait fait part de sa colère. Son comportement les déshonorait !

« As-tu prévu de travailler dans ce restaurant avec lui ?

— Il ne travaille pas au restaurant, père, avait répondu Bettina. Il étudie pour devenir avocat. Il terminera ses études après la guerre. »

Toujours en colère, Bert lui jeta un regard sombre par-dessus la table. Il avait menacé de faire annuler le mariage. Bettina avait rétorqué que, dans ce cas, elle s'enfuirait et irait vivre avec ses beaux-parents. Elle était si déterminée qu'il avait renoncé à son projet. Après leur mariage à la mairie, Bettina avait passé la nuit avec son mari dans un hôtel. Elle était follement amoureuse. Bert espérait qu'il n'y aurait pas de fâcheuse conséquence à cela et que Bettina recouvrerait ses esprits quand son mari reviendrait de la guerre. À ce moment-là, elle se rendrait peut-être compte à quel point leurs vies et leurs situations étaient différentes. Bettina était la plus têtue de ses enfants. Durant tout le mois de mai, la fugue de Bettina fut le principal sujet de conversation au sein de la famille Butterfield. Ils informèrent Josiah du mariage. Ce dernier écrivit alors à sa sœur pour lui dire qu'elle s'était comportée stupidement et qu'elle avait profondément bouleversé leurs parents. Même si ce jeune Italien était charmant – lui aussi l'avait rencontré au lac Tahoe –, elle serait malheureuse à ses côtés. La vie qu'il menait était trop différente de la leur.

Un jour, Sybil entendit Magnus et Charlie aborder le sujet. Magnus disait à son ami que sa grande sœur avait des problèmes avec leurs parents, car elle avait épousé un marchand de poissons.

— Pourquoi elle a fait ça ?

— Parce qu'elle est bête, je crois.

Durant plusieurs semaines, une certaine tension régna durant les dîners familiaux. Bettina restait en disgrâce. Gwyneth lui avait pardonné, mais pas Bert. Et puis surtout, tous s'inquiétaient pour Josiah. Le jeune homme avait annoncé dans sa dernière lettre son embarquement imminent. Il n'avait pas le droit de leur préciser sa destination, mais évidemment il partait au front, où il recevrait une formation au combat. Tony Salvatore, le mari de Bettina, partit peu après.

Par politesse, Bettina s'en fut rendre visite aux parents de Tony. Déçue, elle ne put que constater que, comme ses propres parents, ils étaient contrariés et en colère. En ce qui les concernait, leur fils avait une fiancée en Italie qu'il avait abandonnée à cause d'elle. La jeune Italienne était censée être une jeune fille travailleuse qui leur aurait été utile au restaurant, contrairement à Bettina, beaucoup trop sophistiquée pour cela à leurs yeux. Ils se montrèrent froids et hostiles, et elle les quitta en larmes.

De plus, ils lui firent clairement comprendre qu'ils n'avaient pas l'intention de la soutenir ou de l'aider en l'absence de leur fils, si c'était là le but de sa visite – ce qui ne l'était pas. Ils insistèrent même pour qu'elle ne revienne pas les voir. Il n'était pas question qu'elle leur demande de l'argent et, s'il y avait un bébé en route, ils ne voulaient pas le savoir. Ils avaient déjà assez de bouches à nourrir. Quand elle rentra au manoir, Bettina se sentait mal. La forte odeur de poisson au restaurant l'avait grandement indisposée. Elle raconta à sa mère sa rencontre avec ses beaux-parents, lui disant combien ils avaient été méchants avec elle ! Pour la jeune fille, la leçon était dure. Aucune des deux familles n'approuvait son mariage. Elle était seule, sans personne pour la soutenir.

En juin, les Gregory accompagnèrent Andy à New York pour qu'il reçoive son diplôme avec ses camarades de classe. Dès la fin de la cérémonie, Blake retourna à San Francisco. Sybil et les enfants restèrent une semaine à Tribeca. Tandis que les seconds en profitaient pour revoir leurs amis, Sybil travailla au Brooklyn Museum.

De retour à San Francisco, ils reprirent les dîners avec les Butterfield. Les nouvelles de la guerre ne cessaient d'empirer. Andy passa beaucoup de temps avec Lucy pour lui remonter le moral, mais elle se faisait énormément de souci pour Josiah. À dire vrai, tout le monde s'inquiétait pour lui.

En juillet, Bettina se rendit compte qu'elle était enceinte de trois mois. Le bébé devait naître début janvier. Sans nouvelles de Tony depuis son départ, elle ignorait où lui écrire. Et étant donné l'hostilité de ses beaux-parents, elle ne prit pas contact avec eux pour le leur annoncer. De violentes nausées l'indisposaient à longueur de journée. Ne supportant plus l'odeur de la nourriture, elle avait cessé de dîner à la table familiale et ne se nourrissait plus que de toasts et de thé. Elle était si malade que Gwyneth avait pitié d'elle. Bert, en revanche, était furieux que le comportement stupide de sa fille ait entraîné une naissance non désirée.

La dure réalité de sa condition s'était abattue sur Bettina. Qu'adviendrait-il d'elle, seule avec cet enfant ? Soudain, son histoire follement passionnée avec Tony lui paraissait beaucoup moins romantique. Personne ne l'avait prévenue qu'elle risquait d'être si malade en étant enceinte. D'ailleurs, ignorant tout de la conception d'un enfant, elle ne savait pas qu'il fallait prendre des précautions durant leur nuit de noces, et Tony, impatient de la faire sienne, n'en avait pas pris non plus. Maintenant, elle payait cher pour sa bêtise. Lucy aussi était malade cet été-là, et Andy passait des heures à lui tenir compagnie. Elle lui manquerait quand il serait à Édimbourg.

En août, le malheur frappa au sein des Butterfield. La famille reçut le télégramme leur annonçant que Josiah avait été tué en France, au cours de la bataille de la Somme. Quand elle rentra au manoir après avoir accompagné Charlie à son club de natation, Sybil vit une couronne noire sur la porte. Elle comprit aussitôt et crut que son cœur allait s'arrêter de battre. D'un commun accord, Blake et Sybil reportèrent leurs vacances dans les Hamptons pour rester à San Francisco et soutenir Bert et Gwyneth dans leur deuil.

— Sommes-nous devenus fous ? demanda Blake quand ils eurent pris leur décision. Ce jeune homme est mort depuis un siècle, et nous ne le connaissons qu'en tant que fantôme. Devons-nous vraiment annuler les vacances de nos enfants ?

— Ce sont nos amis, Blake. Je me sentirais mal de les quitter en une période si triste pour eux.

— Il reviendra de toute façon, lui rappela son mari.

— Mais ils ne le savent pas encore, et nous ignorons combien de temps cela prendra.

Au téléphone, Michael Stanton lui avait expliqué que cela pouvait durer des mois, voire des années. Ils firent donc tout leur possible pour apaiser le chagrin de leurs amis.

Trois semaines plus tard, presque jour pour jour, Bettina apprit que son mari avait été tué en France. Dans quatre mois, elle donnerait naissance à un bébé orphelin de père. Après ces deux décès, le manoir était aussi triste qu'une tombe.

Blake et Sybil furent soulagés de prendre l'avion pour se rendre à Édimbourg et aider Andy à s'installer. Bien sûr, Caroline et Charlie les accompagnaient. Chacun trouva la ville charmante. Andy était excité à l'idée d'étudier dans une université étrangère. Ils passèrent ensuite quelques jours à Londres. Puis Blake et Sybil emmenèrent Charlie et Caroline visiter Paris. Enfin, Blake les ramena à San Francisco, tandis que Sybil se rendait à New York pour l'ouverture de l'exposition au Brooklyn Museum. Par manque de temps depuis leur déménagement à San Francisco, elle n'avait pas avancé sur le livre qu'elle préparait. Entre ses enfants, les soirées avec les Butterfield et son travail, elle n'avait jamais l'occasion de poursuivre ses recherches, mais elle s'était promis, ainsi qu'à son éditeur, de les terminer durant l'hiver. Elle était à New York pour deux semaines, et lut avec plaisir que les critiques de l'exposition étaient excellentes. En raison de son succès, on lui demanda d'organiser une exposition au Los Angeles County Museum of Art. Quelques jours plus tard, elle rentra à son tour à San Francisco. Alicia était restée à demeure pour seconder Blake et s'occuper de Caroline et Charlie durant son absence. Quand Sybil arriva en début d'après-midi, sa gouvernante était seule à la maison. La couronne noire avait été retirée de la porte.

— Comment va tout le monde ? s'enquit Sybil.

Alicia haussa les épaules :

— Ils parlent beaucoup tout seuls.

La gouvernante trouvait qu'ils étaient tous un peu bizarres dans cette famille, mais les enfants étaient gentils et faciles à vivre.

» Ils ont bien fait leurs devoirs, et monsieur Gregory les a emmenés dîner au restaurant plusieurs fois. Ils ont mangé chinois, italien, thaïlandais et mexicain.

À cette remarque, Sybil comprit que Blake et les enfants n'avaient probablement pas dîné avec les Butterfield. Pourquoi ? Que s'était-il passé ? Comment allaient-ils après cette funeste nouvelle ? Et Bettina, comment se portait-elle ?

À son retour de l'école, Charlie se jeta dans ses bras. Comme c'était bon de les revoir, tous !

Le petit ami de Caroline était parti à l'université, mais elle avait rencontré un autre garçon qu'elle aimait bien, un élève de terminale. Charlie lui annonça qu'il avait vu Magnus presque chaque jour.

— Comment vont-ils ? demanda Sybil avec un air inquiet.

— Je ne sais pas. Il dit que sa mère pleure tout le temps, et Bettina vomit beaucoup.

Sybil esquissa une grimace. Quelques minutes plus tard, Magnus vint les rejoindre et, à son tour, il se jeta dans ses bras. Lui aussi était heureux de la revoir.

— Maman m'a dit de vous inviter à dîner ce soir.

— Comment va tout le monde ?

— Ma grand-mère a été malade pendant un moment, mais elle va bien maintenant. Et Bettina est vraiment grosse.

Pour l'heure, Magnus savait juste que sa sœur s'était mariée et était devenue veuve. Ses parents lui parleraient du bébé bientôt. Sybil ne lui demanda pas si Josiah était de retour. Il fallait qu'elle le voie de ses yeux.

Ce soir-là, quand les Gregory rejoignirent les Butterfield dans la salle à manger, Josiah ne s'y trouvait pas. Bettina était d'une pâleur extrême. Par comparaison, Lucy semblait en bonne santé. Chacun, même Augusta, salua Sybil avec chaleur. Elle avait apporté de petits cadeaux pour tous. Un foulard pour Augusta, une pipe pour Angus, un châle en cachemire léger pour Lucy, un livre pour Bert, un parfum de Paris pour Gwyneth, une boîte de mouchoirs en dentelle pour Bettina ainsi que deux petits pyjamas pour le bébé avec bonnets et chaussons assortis, et de nouveaux jeux vidéo pour les deux garçons. La grossesse de Bettina était bien avancée. Désormais, il était impossible de la cacher.

— Elle ne pourra bientôt plus sortir, dit Gwyneth avec un regard inquiet. Peut-être encore quelques semaines, c'est tout. Dès le début du mois de novembre, elle restera à la maison.

Sybil comprit que Bettina devrait rester confinée chez elle, comme les autres femmes dans son état à l'époque. Gwyneth ajouta à voix basse qu'entre cela et la guerre, il serait désormais impossible pour Bettina de trouver un mari. Nul doute qu'elle finirait vieille fille. Cette situation déprimait Sybil, mais il en allait ainsi pour les femmes au début du XXe siècle.

Durant le dîner, ils discutèrent du voyage des Gregory en Europe, de l'exposition de Sybil et de l'université d'Édimbourg où Andy se plaisait tant. Depuis New York ou San Francisco, tous les Gregory avaient discuté avec Andy par Skype.

Ils s'attardèrent à table plus longtemps que d'habitude, bavardant à bâtons rompus. Depuis le décès de Josiah, Bert semblait toujours très déprimé. La perte de son fils aîné avait été un coup terrible. Gwyneth chuchota à Sybil qu'elle avait réalisé plusieurs graphismes sur l'ordinateur pendant son absence.

— Comment te sens-tu ? demanda Sybil à Bettina quand ils se levèrent de table.

Elle vit dans ses yeux que la jeune femme était immensément triste. Elle avait perdu un mari et un frère, et attendait un bébé qu'elle devrait élever seule.

— Je vais bien, répondit Bettina d'une petite voix.

Sybil avait remarqué qu'elle n'avait presque rien mangé au dîner, sauf un peu de bouillon et un toast. Augusta, en revanche, semblait en bonne santé, tout comme Angus, qui était ravi d'apprendre à quel point Andy appréciait son université et ses escapades le week-end pour découvrir l'Écosse.

— Saluez-le pour moi à l'occasion, voulez-vous, demanda-t-il tout en tapotant la tête de Rupert, allongé à ses pieds.

— Je n'y manquerai pas, promit Sybil.

C'était bon d'être là, avec eux tous. Et aussi étrange que cela puisse paraître, elle savait qu'elle était vraiment chez elle au manoir, quand bien même des fantômes – devenus ses meilleurs amis – y habitaient aussi. La période était douloureuse pour eux, bien sûr, mais peut-être l'arrivée du bébé de Bettina apporterait-elle un peu de joie dans cette demeure.

9

À partir de la fin du mois d'octobre, Bettina ne quitta plus la maison. Sa famille estimait qu'il était inapproprié qu'elle se montre en public. La jeune fille accepta l'interdit sans se plaindre. Elle ne se joignait pas souvent aux deux familles pour dîner, mais quand elle la voyait, Sybil la trouvait profondément déprimée. Ses violentes nausées l'accompagnèrent tout au long des neuf mois. D'après sa mère, elle parvenait à peine à manger. Sybil, qui avait toujours eu des grossesses faciles, était désolée pour elle.

— Je ne pense pas que j'aurais pu supporter cela, dit Sybil avec sympathie, lorsque Gwyneth vint lui rendre visite dans son bureau un après-midi.

Elle essayait d'avancer sur son livre, mais en vain. Il se passait toujours trop de choses. Ils dînaient avec les Butterfield deux ou trois soirs par semaine, et Blake et Sybil sortaient une fois par semaine au restaurant avec des clients ou des associés de Blake. Leur vie était bien remplie.

— J'étais très malade quand j'attendais Josiah, lâcha Gwyneth d'un air triste.

Son fils lui manquait tellement ! Elle avait décidé avec Bert de faire peindre un beau portrait de leur défunt fils en uniforme, d'après une photo prise juste avant son départ.

» J'ai eu moins de problèmes avec les filles, poursuivit-elle. Par contre, quand j'attendais Magnus, j'ai dû passer six mois au lit pour ne pas risquer de le perdre. Il gigotait sans cesse, tant il était pressé de naître.

Elle sourit à ce souvenir.

— Tu crois que le bébé de Bettina se porte bien ? s'inquiéta Sybil. Elle ne mange presque rien.

— Le médecin est venu la voir plusieurs fois, et il dit qu'elle va bien, mais que le bébé est tout petit.

Cela ne semblait pas de bon augure à Sybil, qui s'abstint néanmoins de tout commentaire. Inutile d'inquiéter son amie ! De plus, les deux familles avaient leur propre façon de gérer les choses, selon l'époque à laquelle elles vivaient. Et un petit bébé faciliterait l'accouchement, qui aurait lieu au manoir en présence d'une sage-femme et d'une infirmière qui resterait à demeure pendant quelque temps. Gwyneth avait donné naissance à ses enfants de la sorte. Elle raconta à Sybil que Magnus était si impatient de naître qu'il était arrivé trois semaines plus tôt que prévu. L'accouchement avait été très rapide et tout s'était bien passé. Elle était certaine que ce serait aussi le cas pour Bettina. Bien qu'affaiblie depuis neuf mois, sa fille était jeune et forte.

— Est-ce que Bert accepte mieux cette grossesse ? s'enquit Sybil en tendant à Gwyneth la tasse de thé qu'Alicia lui avait apportée.

Elle ne pouvait pas lui demander deux tasses alors qu'elle était censée être seule.

— Disons qu'il s'est calmé. Il a pitié d'elle. D'autant que sa belle-famille ne veut pas entendre parler d'elle. Ils redoutent qu'elle leur demande de l'argent. Et ils sont dévastés de chagrin pour leur fils. Comme nous avec Josiah... En tout cas, ils n'ont pas l'intention d'aider Bettina, ni le bébé. Nous nous occuperons d'eux, bien sûr, mais aucun homme ne voudra d'elle.

Elle avait déjà fait cette remarque à plusieurs reprises. À l'évidence, elle s'inquiétait que sa fille termine sa vie seule. Grâce au livre de Bettina, Sybil savait qu'il n'en serait rien. Elle aurait tant aimé redonner espoir à son amie. Hélas, elle ne pouvait rien lui dire. Elle essaya néanmoins de la consoler.

— Il y aura beaucoup de jeunes veuves avec des enfants après la guerre, affirma-t-elle. Cela changera la vision des choses. De plus, cet enfant sera légitime puisqu'ils étaient mariés.

Un enfant illégitime aurait été beaucoup plus difficile à accepter pour un nouveau prétendant, voire impossible dans leur univers social.

Gwyneth se tourna et regarda par la fenêtre d'un air triste.

— Je suppose que tu as raison. Où en es-tu dans l'écriture de ton livre ?

— J'avance très lentement.

Les affaires de Blake, elles, allaient extrêmement bien. D'autres hommes d'affaires avaient investi dans la start-up, et ils avaient élargi leurs objectifs. L'avenir de la société s'annonçait brillant, avec un vif succès et de fabuleux profits pour tous.

Ce soir-là au dîner, Blake en discuta avec Bert, lequel le mit en garde contre les risques.

— Ne sois pas trop gourmand. Ne vous développez pas plus que nécessaire, conseilla-t-il avec grand sérieux.

— C'est difficile de résister.

Bert exprima ses opinions du mieux qu'il put en se fondant sur ce qu'il comprenait de la start-up, dont l'activité lui était étrangère. Blake fut surpris de constater que ses arguments étaient tout à fait convaincants : bon nombre de principes économiques n'avaient pas changé depuis un siècle.

Les deux familles fêtèrent Thanksgiving ensemble. Andy était rentré à la maison pour trois semaines. Avant le dîner, Angus descendit le grand escalier en jouant de la cornemuse. Rupert le suivait en aboyant. Il était difficile de décider quel son était le pire. Loin de s'asseoir tout de suite, Angus fit trois fois le tour de la table, continuant à leur briser les oreilles. Violet, le carlin, bondit sur les genoux d'Augusta et enfouit sa tête entre les bras de sa maîtresse pour se protéger du vacarme. Quand Angus posa enfin sa cornemuse, ce fut un soulagement pour tous.

— C'était merveilleux, Angus, merci, affirma Augusta.

Phillips arriva quelques instants plus tard, portant un large plateau d'argent sur lequel trônait une énorme dinde farcie. Pour l'accompagner, ils eurent droit à une délicieuse sauce aux airelles, de la purée de patates douces, une large variété de légumes différents, du pudding, et d'excellents vins de la cave de Bert.

C'était leur premier Thanksgiving commun. Ils passeraient également Noël ensemble, puis les Gregory prévoyaient d'aller skier à Aspen, où ils avaient loué un chalet, entre Noël et le Nouvel An.

La nourriture était délicieuse et tout le monde était de bonne humeur. Avant d'entamer le repas, Bert les invita à prier, et malgré les lourdes pertes qu'ils avaient subies cette année-là, ils manifestèrent leur gratitude, en particulier pour leur amitié. Bettina, qui approchait de la fin de sa grossesse, avait enfin l'air en meilleure santé. Il restait cinq semaines avant la naissance du bébé. Gwyneth tricotait frénétiquement de petits pulls et bonnets, tandis qu'Augusta brodait de minuscules chemises de nuit avec des boutons de rose blancs qui convenaient aux deux sexes. Selon la tradition, qu'il soit fille ou garçon, le bébé porterait des robes durant ses premiers mois.

Caroline, Sybil et Lucy étaient impatientes que le bébé naisse, mais Magnus et Charlie ne s'y intéressaient pas du tout.

— Je suppose que ses hurlements nous empêcheront tous de dormir la nuit, commenta Angus. Je lui jouerai de la cornemuse pour qu'il se calme, promit-il.

— Non, je t'en prie, n'en fais rien, ordonna Augusta, alors qu'ils grimaçaient déjà tous à cette idée.

Bert songea alors qu'il eût mieux valu que ce soit son fils, Josiah, qui se soit marié et ait eu un enfant : au moins auraient-ils l'impression qu'une part de lui était toujours en vie... Au lieu de cela, c'était Bettina qui donnerait naissance au petit-fils d'un propriétaire de restaurant immigré, lequel, de surcroît, ne voulait pas avoir affaire avec sa fille de peur que cela n'entraîne des frais pour lui.

Leur repas de Thanksgiving fut chaleureux. À la fin de la soirée, ils s'étreignirent tous. Augusta embrassa même Sybil, alors qu'elle préférait géné-ralement critiquer ses tenues – jamais assez élé-gantes à ses yeux, tout comme les minijupes de Caroline.

Quand elle voulut se lever à la fin du repas, Bettina pouvait à peine bouger. Son ventre était maintenant énorme, moulé dans une robe de velours rouge que Gwyneth avait cousue pour elle. La plupart du temps, Bettina portait du noir, convenant à son statut de veuve. Gwyneth égale-ment, depuis la mort de son fils. Elle avait fait de même pendant une année entière après le décès de Magnus, douze ans plus tôt.

Rassasiées par le succulent repas et les excellents vins, les deux familles se souhaitèrent bonne nuit. Comme d'habitude, les Butterfield s'évanouirent soudainement, tandis que les Gregory montaient l'escalier d'un pas lourd.

— J'ai l'impression d'être aussi grosse que Bettina, plaisanta Sybil.

D'un air nostalgique, Blake avoua qu'il ne lui aurait pas déplu d'avoir un quatrième enfant. Pour sa part, à bientôt quarante ans, elle n'en avait aucune envie.

— Imagine, une petite fille, insista Blake. Elle nous aiderait à rester jeunes.

— Parle pour toi !

Quelques moments plus tard, ils se mirent au lit et bavardèrent de tout et de rien.

— C'est si triste que Bettina ait ce bébé toute seule, dit Blake. Les choses ne seront pas faciles pour elle.

— Oui... Elle ne semble pas heureuse. Je pense qu'elle se rend compte à présent qu'elle a fait une erreur et agi à la hâte pour défier ses parents. À mon avis, elle le regrette... Peut-être que l'arrivée du bébé lui remontera le moral.

— Son père pense qu'aucun homme ne voudra d'elle maintenant, avec un enfant.

— Gwyneth le redoute aussi, mais je ne suis pas d'accord avec elle. Après la guerre, il y aura beaucoup de jeunes veuves avec des enfants. Ce conflit va changer les choses pour tout le monde. Même au niveau du travail : le manque d'hommes conduira les femmes à s'insérer dans la vie active.

— Oui, et tu es là pour en témoigner, plaisanta Blake.

Décembre fut un mois très chargé. Sybil préparait Noël. Elle avait acheté des cadeaux pour tout le monde, y compris pour les Butterfield. Les deux familles se réunirent pour décorer un gigantesque sapin dans la salle de bal, comme les Butterfield l'avaient toujours fait. Blake et Andy, rentré d'Édimbourg, s'étaient chargés d'aller acheter l'arbre. Bert leur expliqua où trouver les caisses de décorations rangées dans le garage, et chacun s'attela à la tâche. José, le mari d'Alicia, les aida, et comme les Gregory discutaient avec les Butterfield – qu'il ne pouvait évidemment pas voir –, il décida que sa femme avait raison : leurs employeurs étaient charmants, mais un peu fous.

Le matin de Noël, ils se rassemblèrent tous dans la salle de bal. Les Gregory s'étaient mutuellement offert quelques cadeaux la veille, comme ils le faisaient toujours, mais ils avaient également décidé de suivre la tradition des Butterfield et d'échanger leurs présents avec eux le jour de Noël. Phillips servit du lait de poule, assorti d'une rasade d'eau-de-vie pour les adultes. Magnus et Charlie en burent quelques gorgées en cachette dans les verres de leurs parents avant de se faire prendre. Phillips, qui appréciait les deux gamins, avait fait semblant de ne rien remarquer.

Magnus et Charlie croyant encore au père Noël, leurs parents leur annoncèrent que ce dernier était passé durant la nuit. Charlie eut droit à un nouveau vélo. Sybil et Blake en avaient aussi acheté un pour Magnus, un modèle rouge vif qu'il enfourcha aussitôt pour faire le tour de la salle de bal à toute allure.

Chacun était ravi de ses cadeaux. Bettina reçut de nombreux présents pour le bébé, tous confectionnés à la main par les femmes de sa famille. Augusta et Gwyneth s'étaient lancées avec frénésie dans les ouvrages de tricot et de couture. Bettina déclara qu'elle se sentait aussi grosse qu'un éléphant. La sage-femme avait dit que le bébé était de bonne taille et qu'il pouvait naître à tout moment, désormais. La future mère avait hâte de le tenir enfin dans ses bras. À cause de ses incessantes nausées, elle avait l'impression que sa grossesse durait depuis une éternité.

Le lendemain matin, les Gregory partirent skier à Aspen. Ils avaient l'intention de revenir le matin du 31 décembre, afin d'entamer la nouvelle année avec leurs chers fantômes. Ils avaient reçu d'autres invitations, mais ils tenaient à passer ce moment avec eux. Les Butterfield étaient comme une famille pour eux maintenant. Et Sybil avait acheté une nouvelle robe d'un délicat coloris argenté pour l'occasion.

Les Gregory passèrent une semaine merveilleuse à Aspen, skiant ensemble la plupart du temps. Andy avait plein d'histoires à leur raconter sur l'Écosse. Il se lia d'amitié avec plusieurs jeunes filles sur les pistes et sortit souvent le soir. En journée, il discutait beaucoup avec sa sœur des mérites de chaque université possible. Caroline avait envoyé une dizaine de dossiers d'admission. Elle préférait rester dans l'Ouest si elle le pouvait. Stanford était son premier choix, puis UCLA venait en second. Malgré l'enthousiasme de son frère pour la faculté d'Édimbourg, elle n'avait aucune envie d'aller si loin pour suivre ses études.

Les Gregory rentrèrent à San Francisco tous bien bronzés, leurs visages affichant les inévitables marques des lunettes de ski. Le soir venu, Sybil étrenna sa nouvelle robe du soir en lamé argenté. Blake la complimenta : elle était spectaculaire. Gwyneth portait une magnifique robe en dentelle noire ornée de perles de jais. Avec ses cheveux relevés en chignon, son collier et ses boucles d'oreilles en diamant, on aurait pu la croire sortie d'un tableau de John Singer Sargent. Augusta avait choisi une tenue en velours noir qui lui donnait un air encore plus digne que d'habitude. À la surprise de Sybil, Blake s'était acheté une queue-de-pie.

— Enfin ! lâcha Augusta d'un ton approbateur quand elle le vit. Vous avez mis bien du temps à vous vêtir correctement !

Elle le félicita pour son élégance. La vieille femme appréciait Blake, qui se montrait toujours respectueux et attentionné envers elle.

Après le dîner, ils jouèrent aux charades, puis ils gagnèrent la salle de bal. Ils utilisèrent la chaîne hi-fi que les Gregory avaient installée, et Blake entraîna Sybil pour la première danse, tandis que les enfants les regardaient en applaudissant. Dans sa robe de velours noir qu'elle pouvait à peine fermer, Bettina avait la désagréable impression d'être aussi grosse qu'une baleine. Son tour de taille avait tellement épaissi que plus aucun vêtement ne lui convenait. Néanmoins, ce soir, elle était très jolie avec son gros ventre rond. Gwyneth et Bert dansèrent un moment, puis ils sortirent sur la terrasse au clair de lune. Tous deux pensaient à leur fils chéri, trop tôt disparu. Alors qu'ils regagnaient la salle de bal, Josiah entra soudain dans la pièce, vêtu de son uniforme, et fit un petit signe de la main à tout le monde. Il était de retour ! Toute sa famille se précipita à sa rencontre... Heureux pour leurs amis, Blake et Sybil s'enlacèrent et échangèrent un tendre sourire.

— Il y a quelque chose de si parfait dans leur monde, dit Blake en entraînant sa femme dans une nouvelle danse. À la fin, la boucle est bouclée. Nous n'avons pas besoin d'attendre pour savoir ce qui se passe, ni comment cela arrive. Nous le savons déjà. Bien sûr, nous ne pouvons pas influencer leur destin... En revanche, eux, ils peuvent encore influencer le nôtre, grâce à ce que nous apprenons d'eux. C'est ça, le secret.

À minuit, ils s'embrassèrent tous et ils étreignirent Josiah, plus beau que jamais dans son uniforme. Tout le monde était ravi de le revoir. Il lui avait fallu quatre mois pour les retrouver. Sybil s'interrogeait : le mari de Bettina les rejoindrait-il aussi ? C'était peu probable, car il n'avait jamais vécu au manoir, et il savait qu'il n'était pas le bienvenu. Le livre de Bettina n'évoquait ni les fantômes des défunts de leur famille, ni Tony, bien qu'il ait été le père de sa fille. Il faut dire qu'elle ne resta pas seule très longtemps, avant l'apparition de Louis de Lambertin, son second mari.

Josiah dansa avec eux tous, même avec Bettina malgré son gros ventre qui l'encombrait. Il dansa aussi avec Caroline, ravissante dans une robe de satin bleu nuit et des talons hauts, ses cheveux blonds relevés haut sur la tête en chignon.

D'un signe discret, Augusta désigna Caroline à Gwyneth.

— Ils devront bientôt lui trouver un époux, dit-elle. Elle grandit si vite !

Caroline venait d'avoir dix-sept ans, et Augusta pensait que le moment était venu pour elle de se fiancer. En l'entendant, Gwyneth laissa échapper un rire. Elle savait pertinemment que Sybil ne serait pas d'accord sur ce point. Les principes sur l'éducation des jeunes filles étaient si différents d'un siècle à l'autre !

Lorsqu'ils quittèrent la salle de bal, ils étaient tous épuisés, tant ils avaient dansé. À minuit, Bert avait porté un toast à 1918, souhaitant que cette année soit exceptionnelle pour chacun d'entre eux. Josiah était de retour à la maison. C'était de bon augure.

10

Le jour de l'An, ils affichaient tous une mine de lendemain de fête. Avec le retour de Josiah, l'humeur générale était festive et le champagne avait coulé à flots jusque tard dans la nuit. Ce soir-là, le dîner fut calme. Chacun récupérait des abus de la veille. Tout le monde voulait discuter avec Josiah. Cependant, ils prenaient soin de ne pas lui poser de questions sur la guerre. Sybil remarqua qu'il avait l'air plus mature qu'à son départ. Son portrait accroché dans le hall d'entrée était absolument parfait.

Bettina parla très peu et, au milieu du dîner, elle s'excusa et quitta la table. Elle ne se sentait pas bien. Quelques instants plus tard, Gwyneth fit un signe de tête à Sybil et lui chuchota que le travail avait commencé. Elle avait fait appeler la sage-femme, qui arriverait sous peu avec l'infirmière.

— Tu ne crois pas qu'elle devrait aller à l'hôpital ou demander à un médecin de venir ici ? demanda Sybil, inquiète.

— Pourquoi ? Elle n'est pas malade et il n'y a pas eu de complications.

— Va-t-on lui donner quelque chose contre la douleur ?

— Quelques gouttes de laudanum, si nécessaire, mais ce ne sera sûrement pas le cas. Moi, je n'en ai jamais eu besoin, déclara Gwyneth avec fierté.

Cependant, depuis quelques semaines, le bébé avait beaucoup grossi.

» Tu veux m'accompagner ? proposa-t-elle.

— Tu penses que Bettina serait d'accord ?

Elle ne voulait pas s'imposer, car après tout, elle n'était pas de la famille.

— Je crois qu'elle apprécierait beaucoup, oui. Toi aussi, tu as eu des enfants. Tu pourras lui donner de bons conseils.

Sybil acquiesça et prévint Blake, avant de suivre Gwyneth dans l'escalier, jusqu'au second étage. Elle se retrouva dans une vaste chambre, qu'il lui sembla n'avoir jamais vue. Intriguée, elle regarda brièvement autour d'elle. Puis elle comprit soudain qu'il s'agissait de la chambre de Bettina telle qu'elle était à l'époque. La jeune fille, heureuse de la voir, lui sourit. Des perles de sueur roulaient sur son front.

Une demi-heure plus tard, Phillips faisait pénétrer la sage-femme dans la chambre. La parturiente était au lit, en chemise de nuit fraîchement repassée. L'infirmière pliait draps et serviettes et préparait le nécessaire pour la naissance. Dans la pièce, tout le monde était calme. Stoïque, Bettina haletait lourdement et serrait les dents. Sybil était la seule à vraiment s'inquiéter pour elle. Elle voyait à quel point elle souffrait. Comment allait-elle s'en sortir sans les médicaments modernes ?

La sage-femme écoutait régulièrement les battements de cœur du bébé avec son stéthoscope. Puis l'infirmière aida Bettina à retirer sa chemise de nuit et la recouvrit d'un drap. Bettina fit un léger signe de tête à l'intention de sa mère et de Sybil. Les deux femmes s'approchèrent chacune d'un côté du lit et lui prirent les mains.

— Maman... j'ai mal... c'est horrible !

Gwyneth lui lissait les cheveux et lui essuyait le front avec un linge trempé dans de l'eau de lavande. Bettina serrait les dents pour ne pas crier. Aux yeux de Sybil, la jeune fille était incroyablement courageuse. Dire que tout aurait pu être différent avec les remèdes adéquats. Mais c'était ainsi que se déroulaient les naissances à l'époque, et elle ne pouvait interférer. Tous les enfants de Gwyneth étaient nés à la maison, dans la chambre à coucher où elle dormait avec Blake aujourd'hui. Sybil se rendit compte alors qu'elle ne s'était jamais demandé où Gwyneth et Bert dormaient désormais... Avaient-ils une chambre ?

— Ce ne sera plus très long, dit la sage-femme avant d'ordonner à Bettina de pousser.

— Je ne peux pas ! Ça fait trop mal !

Les quatre femmes l'encouragèrent de leur mieux. Le travail se poursuivit pendant une longue demi-heure, et enfin le bébé fut là et poussa son premier cri. C'était une adorable petite fille. Sybil sentit des larmes rouler sur ses joues. Elle n'avait jamais vu une femme aussi courageuse que Bettina.

La sage-femme coupa le cordon ombilical et confia le bébé à l'infirmière, qui le lava. Elle donna quelques gouttes à Bettina pour l'aider à dormir, et lui mit sa fille entre les bras. Le bébé fixait sa mère d'un air tranquille, tandis qu'elle l'embrassait sur le crâne. Tout était paisible. C'était si différent de ce que Sybil avait connu à la maternité. Là-bas, il y avait une activité frénétique, des gens, du bruit. Ici, un grand calme régnait désormais. Le bébé faisait de délicieux petits bruits de bouche. Puis la sage-femme mit le bébé au sein de Bettina. Gwyneth souriait à sa première petite-fille, embrassait Bettina et la félicitait. Sybil observait la jeune mère. Quelle tristesse que son mari ne soit plus là ! Bettina méritait tellement mieux que ce veuvage !

— Comment allez-vous l'appeler ? lui demanda la sage-femme.

— Lili. Lili Butterfield.

Elle avait décidé de ne pas lui donner le nom de son père, puisque sa belle-famille ne voulait pas d'elles deux. En outre, elle connaissait si peu celui qui avait été son mari, l'espace de quelques mois. Elle préférait donner son propre nom à son enfant. Gwyneth acquiesça d'un signe de tête. Sybil songea alors que Bettina devait se sentir terriblement seule, quand bien même quatre femmes étaient là, dans la pièce, pour l'aider. Le père du bébé aurait dû se trouver quelque part dans la maison, à faire les cent pas et à attendre des nouvelles de la naissance. Quelques secondes plus tard, Bettina s'assoupit. Et peu de temps après, Gwyneth disparut pour annoncer la bonne nouvelle à Bert.

Ils étaient les grands-parents d'une adorable petite fille.

À son tour, Sybil regagna sa chambre. Blake dormait profondément. Sybil se déshabilla, enfila sa chemise de nuit et s'allongea à côté de lui. Surprise, elle remarqua que le soleil se levait déjà. La nuit s'était écoulée bien vite alors qu'elle assistait à cette naissance. Sybil sourit. Même si la petite fille n'avait pas de père pour l'aimer, elle était certaine que l'avenir lui offrirait tout ce dont elle aurait besoin. La vie de Lili Butterfield ne faisait que commencer.

11

Les deux familles fêtèrent la naissance de Lili en trinquant au champagne. Ils étaient tous allés voir le bébé durant l'après-midi, sauf Angus, qui annonça préférer attendre que la petite ait l'âge de boire du champagne avec lui. Après une inspection minutieuse de chaque centimètre de son corps, y compris de ses doigts et de ses orteils, Augusta déclara que la petite était « très jolie » et elle ajouta que « c'était étonnant » étant donné l'identité de son père. Elle ajouta être soulagée qu'elle n'ait pas l'air « trop Italienne ». Le bébé avait la beauté de Bettina. Elle serait aussi blonde que sa mère et sa tante.

Même Bert s'attendrit quand il vit sa petite-fille dans les bras de Bettina. Celle-ci avait soudain l'air plus âgée et plus mûre. Elle ne cessait de contempler les minuscules traits parfaitement formés de Lili. Elle était désormais responsable d'une autre vie et, du jour au lendemain, cela l'avait subtilement changée. Pour autant, elle ne cessait de penser à Tony. Aurait-il été heureux ou déçu que ce ne soit pas un garçon ? Pour sa part, elle était ravie d'avoir une fille.

Quand Sybil vint lui rendre visite, Bettina voulut se lever et marcher un peu dans sa chambre. Après l'accouchement et toutes ces heures passées au lit, elle avait besoin de se dégourdir les jambes. Pourtant, à la grande surprise de Sybil, l'infirmière refusa de laisser Bettina se lever. La mère et l'enfant devaient selon elle rester au lit et au chaud. Curieuse recommandation, d'autant qu'il y avait un grand feu dans la cheminée, que Bettina avait l'air agitée, et qu'elle était jeune et en bonne santé. À vrai dire, elle se sentait bien mieux maintenant que durant les neuf mois de sa difficile grossesse. Plus jamais, elle ne voulait revivre pareille épreuve. Cela avait été une période triste et de profond chagrin, liée à la mort de Tony et à la désapprobation de sa famille.

Par respect pour l'homme qu'elle avait épousé, Bettina écrivit une lettre à ses beaux-parents pour leur annoncer la naissance. Souhaitaient-ils rencontrer leur petite-fille ? Elle songea à Tony. Elle le connaissait si peu, finalement. Elle s'était laissé emporter par de romantiques illusions, l'avait épousé en cachette, et voilà qu'elle venait de donner naissance à leur enfant, après une seule nuit passée avec lui ! Aujourd'hui, malgré la présence de Lili, Tony était presque un étranger pour elle. S'il avait vécu, leur amour se serait-il épanoui ? Ou bien leurs familles auraient-elles réussi à les séparer ? Jamais elle n'aurait la réponse à cette question. Le destin en avait décidé autrement.

Comme elle l'avait confessé à sa mère, Bettina n'éprouvait aucun sentiment particulier envers son bébé. Gwyneth l'avait rassurée en lui disant que cela viendrait avec le temps. Songeuse, Bettina s'interrogeait sur l'avenir de sa fille. C'était stupéfiant de penser que ce petit être et elle étaient désormais liés pour la vie. À qui ressemblerait-elle le plus ? Quel genre de personne deviendrait-elle ? Sa grand-mère, Augusta, trouvait qu'elle avait les traits des Butterfield, et Bert était tout à fait d'accord.

Bettina demanda à Phillips de déposer sa lettre au restaurant des Salvatore. Elle l'avait écrite à l'attention du père de Tony, Enrico, le chef de famille, et lui demandait principalement s'ils souhaitaient voir le bébé, puisque c'était l'enfant de leur fils. Sa réponse arriva par la poste quelques jours plus tard. En termes très durs, il lui disait que la naissance de sa petite-fille ne changeait rien à ce qu'ils éprouvaient envers elle ou les Butterfield en général. Il ne voulait avoir affaire à aucun d'eux. Il précisait également qu'il ne lui enverrait pas d'argent – ce qu'elle n'avait pas demandé – et exigeait qu'elle ne le contacte plus jamais. Il avait déjà quatre petits-fils et ne s'intéressait nullement à sa nouvelle petite-fille.

Bettina se réjouit d'avoir décidé de ne pas donner leur nom au bébé. Les Salvatore les rejetaient totalement, sa fille et elle. Elle les avait contactés par politesse. À présent, elle ne leur devait plus rien. Elle pouvait laisser le passé derrière elle. La lettre l'avait blessée, mais elle lui apportait aussi un certain soulagement. Les Salvatore étaient désormais totalement rayés de sa vie et de celle de sa fille. Lorsqu'elle montra la lettre à son père, Bert fut soulagé, lui aussi. La missive lui confirmait à quel point ces gens étaient indignes d'eux.

— C'est mieux comme ça, dit Bettina à Sybil. Je ne veux plus les revoir non plus. Je leur avais écrit seulement pour être juste envers Tony. J'ai pensé qu'il aurait aimé que je le fasse. Mais Lili n'a pas besoin d'eux. Ce ne sont pas des gens bien.

Sybil était désolée pour elle. C'était triste d'élever un enfant sans père ; l'avenir ne serait pas facile. Lili se poserait forcément des questions sur la famille de son père. Elle voudrait savoir pourquoi ses grands-parents paternels l'avaient rejetée. Bettina devrait trouver une explication. Un soir, au dîner, Bert aborda le sujet avec Blake.

— Si seulement elle nous avait écoutés ! se plaignit-il.

— Elle n'a même pas vingt-deux ans, Bert, elle est jeune. Nous avons tous fait des bêtises à son âge.

— La sienne a donné naissance à un enfant ! C'est à la fois une responsabilité et un fardeau qu'elle aura à assumer pour le reste de sa vie. Je suppose que nous devrons inventer une histoire respectable sur l'identité du père de Lili. C'est plus facile après une guerre. Beaucoup de jeunes gens se sont mariés trop vite. Au moins, Lili n'est pas née hors des liens du mariage.

Cela aurait été une tare impardonnable qui aurait marqué à jamais la mère et l'enfant. Bert était reconnaissant qu'ils n'aient pas eu à affronter cela. Lili était une Butterfield, un point c'est tout.

— Comment va Bettina ? s'enquit Blake.

Depuis la naissance, qui remontait déjà à une semaine, Bettina n'avait pas dîné avec eux.

— Bien. Elle va se reposer pendant le mois à venir, puis elle reprendra sa place parmi nous.

Les femmes de classe inférieure se remettaient plus vite sur pied. Mais il en allait autrement dans l'univers des Butterfield, où les femmes étaient extrêmement choyées.

Augusta était ravie de la naissance de son premier arrière-petit-enfant. Bettina avait choisi « Augusta » comme deuxième prénom pour rendre hommage à sa grand-mère, laquelle en était flattée. Angus, quant à lui, regrettait que le bébé ne soit pas un garçon.

Dans l'ensemble, les Butterfield étaient heureux de l'arrivée de Lili au sein de leur famille. Gwyneth avait interrompu ses travaux de création graphique pour aider Bettina à s'adapter à sa nouvelle maternité. La jeune mère avait déjà déclaré qu'elle ne voulait plus d'enfants. Elle avait trop souffert pendant sa grossesse, puis lors de l'accouchement.

Bettina était impatiente d'être autorisée à descendre dîner. Pour elle, un mois était une éternité ! On lui avait toutefois permis de se promener dans le jardin avec l'infirmière, et elle avait avoué à Sybil qu'elle aurait aimé sauter par-dessus le mur et s'enfuir. Enfermée dans sa chambre à longueur de journée avec le bébé, elle avait l'impression d'être prisonnière ! C'était une convalescence plutôt longue pour une jeune femme de son âge et en bonne santé, après un événement naturel. Elle avait presque retrouvé sa silhouette, et elle n'allaitait pas. Gwyneth avait engagé une nourrice quelques jours après la naissance de Lili. Celle-ci était en parfaite santé et venait de faire son premier vrai sourire.

Si Bettina retrouva une mine plus joyeuse lorsque le médecin l'autorisa à quitter sa chambre, elle avait encore du mal à se sentir proche du bébé. Sybil se demandait si l'allaitement aurait pu rapprocher la mère et la fille, mais Bettina avait été catégorique : il était hors de question qu'elle allaite. Tout ce qu'elle voulait, c'était récupérer son corps et sa vie. Certes, Lili et elle étaient liées pour toujours, mais elle était ravie de laisser la nourrice s'occuper des besoins du bébé. Les dix derniers mois avaient été trop traumatisants ; elle voulait se remettre sur pied.

Le premier soir où Bettina rejoignit la table du dîner, Caroline annonça qu'elle avait été acceptée à UCLA et qu'elle intégrerait donc cette université à l'automne. Elle avait été mise sur liste d'attente à Stanford, mais elle était satisfaite de son deuxième choix. Andy avait entamé son second semestre à Édimbourg. Il sortait avec une fille là-bas, et Sybil avait le sentiment que c'était sérieux, ou que cela pourrait le devenir. Caroline voyait toujours le même garçon au lycée, mais il avait été accepté à Princeton. Ils avaient donc déjà décidé de se séparer en juin.

De son côté, Blake avait l'air tendu. La start-up avait connu des problèmes financiers. Les fondateurs venaient de perdre beaucoup d'argent à cause d'investissements à haut risque qui avaient mal tourné. Il en discutait avec Bert, qui lui donnait de bons conseils.

Pour les Butterfield, la guerre était toujours d'actualité. Leur fils n'y participait plus, mais les nouvelles du front étaient dévastatrices. Dans les tranchées, les soldats mouraient les uns après les autres. Les Alliés butaient sur les positions allemandes qui semblaient imprenables. Dans le pays tout entier, des bannières étoilées accrochées aux fenêtres indiquaient que là, un fils était mort au combat. L'Amérique n'était entrée en guerre que depuis neuf mois, mais le bilan était alarmant. Et les informations relatives à la révolution en Russie étaient elles aussi déprimantes.

Au manoir Butterfield, toutefois, l'ambiance était plus légère : le bébé ne cessait de les émerveiller, la convalescence de Bettina était terminée, et Josiah était de retour à la maison. Sybil travaillait sur son livre et espérait le terminer d'ici la fin de l'année. Elle ne cessait d'y ajouter de nouveaux chapitres, et Blake l'avait baptisé *Le Livre sans fin*. Gwyneth s'était remise à ses créations graphiques. Elle et Sybil travaillaient côte à côte des après-midi entiers, dans un silence complice, interrompu de temps en temps par un commentaire amical ou juste un sourire.

Sybil regrettait que Gwyneth ne puisse montrer ses créations à personne. Elle n'en avait même pas parlé à Bert. Sybil ne pouvait qu'approuver cette décision. Non seulement son amie défiait-elle la barrière du temps, mais elle allait aussi à l'encontre des règles sociales de son milieu en essayant d'être une femme moderne. Comme il était pénible de subir autant de restrictions dans ce monde entièrement dirigé par les hommes !

Cet été-là, délaissant la maison des Hamptons où ils se rendaient habituellement, les Gregory louèrent une villa à Santa Barbara pour un mois. Ce changement de décor serait distrayant et bénéfique pour toute la famille. L'été précédent, leur premier à San Francisco, Josiah avait été tué au front. Ils avaient alors annulé leurs vacances pour ne pas abandonner leurs amis. Mais cette année, ils n'avaient aucune raison de se priver. D'autant que les Butterfield allaient à Woodside.

En juin, comme prévu, Caroline avait rompu avec son petit ami. Durant leur séjour à Santa Barbara, elle rencontra un autre garçon, Max Walker, qui entrerait lui aussi à UCLA à l'automne. Il emmena plusieurs fois Caroline au restaurant et au cinéma, et ils firent quelques sorties en mer sur le voilier de ses parents, accompagnés de ses frères avec lesquels il s'entendait à merveille. Sybil et Blake appréciaient beaucoup le jeune homme. Ils l'invitèrent à dîner et apprirent à cette occasion que Max voulait se spécialiser en cinéma. Il semblait déjà très calé sur le sujet.

Andy quant à lui – qui passait le mois à Santa Barbara avec eux – envoyait des dizaines de textos quotidiens à la jeune fille qu'il fréquentait à Édimbourg : Quinne MacDonald. Il avait demandé à ses parents la permission de l'inviter à San Francisco pour Noël. C'était un véritable dilemme, car les Gregory passeraient leurs vacances de fin d'année avec les Butterfield. Or Sybil et Blake n'avaient aucune idée de la façon dont ils se comporteraient avec une étrangère ou même s'ils allaient apparaître. Et d'ailleurs, comment une inconnue réagirait-elle à la présence de fantômes ?

— Je lui ai déjà parlé d'eux, lâcha Andy d'un ton allègre.

Sybil fut stupéfaite.

— Vraiment ? Comment lui as-tu annoncé cela ?

Elle n'avait jamais évoqué les Butterfield en présence de personne, si ce n'est Michael Stanton, du Psychic Institute. Et si elle avait dû le faire, elle n'aurait su par où commencer afin que ses interlocuteurs ne la prennent pas pour une folle.

— Je lui ai juste raconté comment ça a commencé. Ses parents ont un château dans le nord de l'Écosse. Il paraît qu'il est plein de vieux fantômes, de parents morts là-bas et de gens qu'ils ne connaissent pas. Ce n'est pas exactement comme nous et les Butterfield, mais elle a dit que c'était amusant.

Amusant, en effet. Cela l'était aussi, pour eux et les Butterfield. C'était bien là le plus étrange de l'histoire. Depuis un an et demi, les deux familles s'étaient adaptées à la situation. Elles n'avaient aucun mal à vivre ensemble sous le même toit, à des siècles différents.

— Très bien. Invite ton amie, cela me fera plaisir de la rencontrer, répondit Sybil.

Andy avait l'air de tenir à cette fille, comme Sybil le fit remarquer à Blake.

Quand les deux familles se retrouvèrent après leurs vacances, elles avaient beaucoup de choses à se raconter : Lili avait grandi, et Bettina semblait s'attacher un peu plus à elle. À Woodside, la jeune femme avait passé la majeure partie de son temps à monter à cheval avec son frère Josiah. Tous deux étaient d'excellents cavaliers. Bettina tenait à ce que sa fille apprenne à monter dès qu'elle en aurait l'âge. Elle avait beaucoup de projets pour Lili, ce qui, pour Sybil, était de bon augure, car Bettina avait encore des difficultés à se sentir mère. Elle n'avait pas l'instinct maternel de Gwyneth. D'une certaine façon, la jeune fille ressemblait plus à Augusta, dont elle était très proche.

Sybil remarqua qu'Angus avait l'air fatigué et qu'il était de plus en plus confus. Sa sœur, toujours en parfaite forme, physique et mentale, veillait de près sur lui. Quel âge pouvait bien avoir Augusta ? Au moins quatre-vingts ans, voire quatre-vingt-cinq ou quatre-vingt-dix si l'on se référait aux événements dont elle parlait. La douairière gardait toutefois l'information secrète.

Fin août, après le retour d'Andy à Édimbourg pour sa deuxième année universitaire, Sybil accompagna Caroline à UCLA. Dès leur arrivée, Caroline contacta son ami Max. Il les aida à transporter toutes ses affaires dans son logement sur le campus. Max était là depuis deux jours et connaissait bien les lieux. Lorsque Sybil quitta sa fille le lendemain, Caroline était déjà très occupée. Max et elle devaient dîner le soir même avec des amis d'autres résidences universitaires. Sa vie étudiante démarrait sous de bons auspices.

En reprenant la route pour San Francisco, Sybil fut envahie par un irrépressible sentiment de solitude. Ses deux aînés avaient quitté le nid familial. Par chance, ils avaient encore Charlie à la maison. Elle n'était pas encore prête à faire face à une maison vide. Pendant un moment, elle s'interrogea. Blake avait-il raison de vouloir un autre bébé ? Tout de même, elle avait déjà quarante ans ! Et si la grossesse se passait mal ? S'il y avait un problème avec l'enfant ? Franchement, elle n'avait guère envie de tout recommencer. Elle adorait jouer avec Lili, mais un bébé requérait tant d'attentions ! En outre, Blake était accaparé par son travail, et elle serait trop souvent seule, comme cela avait été le cas lors de ses précédentes grossesses.

Sybil se replongea dans l'écriture de son livre. Bettina elle aussi s'était mise à écrire. Elle avait commencé à rédiger une histoire sur leur famille. Elle avait posé à Augusta de multiples questions, sans expliquer pourquoi. Sa grand-mère se souvenait de maints détails et ragots oubliés de tous. Qui était lié à qui et de quelle façon ? Qui avait épousé qui ? Qui était mort et quand ? Cela permit à Bettina de dessiner un arbre généalogique qui l'aiderait dans son récit. La jeune fille ne se doutait pas qu'elle mettrait si longtemps à le rédiger, mais Sybil savait, elle, qu'elle ne l'avait achevé qu'à l'âge de quatre-vingts ans, à la toute fin de sa vie.

Pendant les mois qui suivirent, Bettina et Sybil passèrent la majeure partie de leur temps à écrire, et la maison était très calme. Blake se débattait avec les hauts et les bas financiers de la start-up et restait tard au bureau.

En Europe, les batailles furent extrêmement violentes cet automne-là. La Première Guerre mondiale tua plus de huit millions d'hommes et en blessa vingt et un millions. Le 11 novembre, l'armistice fut finalement signé, dix-neuf mois après l'entrée en guerre des États-Unis, lesquels avaient perdu plus de cent mille hommes, dont Josiah Butterfield et Tony Salvatore. Tony n'était jamais réapparu en tant que fantôme.

Sybil estimait que c'était mieux ainsi. Bettina était jeune, elle débordait de vie ; elle avait besoin de rencontrer un homme de son milieu prêt à être un père pour Lili. Grâce au recueil, Sybil savait que cela ne tarderait plus. Un soir de décembre, Bettina fit une annonce qui déconcerta tout le monde. Elle avait correspondu avec des amis de ses parents qui vivaient à Paris, et ils l'avaient invitée à séjourner chez eux, maintenant que la guerre était terminée. Ils savaient qu'elle était veuve et qu'elle avait eu un bébé, et ils pensaient qu'un changement de décor lui ferait le plus grand bien.

— Les Margaux ? répéta Gwyneth, stupéfaite. Nous ne les avons pas vus depuis des années. Qu'est-ce qui t'a poussée à leur écrire ?

— Je n'ai rien à faire ici, maman. Je ne vais pas passer le reste de ma vie à me promener dans notre jardin en poussant Lili dans sa poussette.

Ce qu'elle ne faisait pas, de toute façon. C'était l'infirmière qui s'en chargeait. Bettina préférait écrire.

» Je ne resterai pas éternellement à Paris, juste quelques mois.

— Tu vas emmener Lili ?

Gwyneth avait l'air déçue. Elle aimait tellement sa petite-fille. En voyant son air triste, Sybil lui pressa amicalement la main.

— Je crois que ce serait mieux, oui, répondit Bettina. Ce sera bon pour elle de voir de nouvelles personnes et de nouveaux endroits.

Il était évident qu'elle avait beaucoup réfléchi à la question et que sa décision était prise.

— Quand penses-tu partir ? lui demanda sa mère.

— Je ne sais pas encore. En février peut-être, ou en mars. La guerre n'est finie que depuis quelques semaines en France, on verra comment la situation évolue.

Lili aurait alors un an.

— Je trouve que c'est une excellente idée, intervint Augusta. Bettina ne trouvera jamais de mari ici, enfermée dans cette maison.

— Je ne cherche pas de mari, grand-mère. Je veux juste changer de décor.

209

— Il n'y a rien de mal à vouloir les deux. Un bon Anglais peut-être, ou un Écossais. Mais s'il te plaît, ne choisis pas un Français. As-tu l'intention d'aller à Londres ?

— C'est possible. Je n'ai pas encore décidé. » Bettina se tourna alors vers son père et lui demanda d'un ton implorant : « Père, puis-je partir ?

Il fallait absolument qu'elle quitte San Francisco. Elle n'en pouvait plus de sa vie de veuve et de mère.

Bert acquiesça d'un hochement de tête.

— Je n'y vois aucune objection du moment que tu attends que les choses se calment là-bas et que les soldats rentrent chez eux. Il est trop tôt pour partir maintenant. » Bettina était d'accord. « Moi aussi, je pense que c'est une très bonne idée, poursuivit Bert en souriant à sa fille. Mais ne reste pas trop longtemps. Les Margaux sont fort aimables de t'avoir invitée. Je les ai toujours appréciés.

Gwyneth dut se rendre à l'opinion générale. Bien qu'elle détestât l'idée de savoir sa fille et sa petite-fille au loin, elle devait reconnaître qu'il n'y avait rien de mieux que Paris pour se changer les idées. Quelle femme ne voudrait pas y aller ?

Ce soir-là, quand Bettina regagna sa chambre, c'est d'un pas tout léger qu'elle gravit l'escalier. Et même si elle devait patienter plusieurs mois, elle avait déjà hâte d'être à Paris.

12

Peu avant Noël, Andy envoya un courriel à sa mère pour lui annoncer qu'il arrivait avec sa petite amie, Quinne MacDonald, dans quelques jours. Il en avait vaguement parlé à Sybil au cours de l'été, mais depuis, elle avait oublié.

Il y avait suffisamment de chambres au manoir pour recevoir du monde, et de toute façon Quinne dormirait avec Andy, mais Sybil s'interrogeait sur les Butterfield. Certes, Andy avait expliqué le curieux phénomène à Quinne, mais comprenait-elle vraiment qu'ils existaient à un carrefour du temps et que les Butterfield, même s'ils paraissaient bel et bien vivants, étaient en réalité morts ? C'était une histoire de fantômes des plus réelle, fondée sur des phénomènes qu'aucun d'eux n'était capable d'expliquer. Andy insista : Quinne comprenait parfaitement, et ils l'apprécieraient tous.

Par politesse, Sybil en informa Gwyneth, laquelle ne sut que lui répondre. Ils ne se montraient jamais devant des inconnus. Or, les deux familles avaient prévu de passer Noël ensemble. Elle promit d'en discuter avec Bert, puis lui fit part de sa réponse :

— Il dit que, étant donné qu'Andy lui a expliqué la situation, et à partir du moment où cette jeune fille l'accepte, cela nous convient. Évidemment, il est difficile de prévoir les réactions de ma mère et d'Angus. Cela peut aller dans un sens comme dans l'autre. Ma mère peut refuser de rencontrer une inconnue, ou bien il est possible qu'elle se montre très curieuse.

Sybil était soulagée d'avoir leur permission pour recevoir une invitée. Après tout, le manoir était toujours leur foyer.

Lorsque Sybil alla récupérer Andy et Quinne à l'aéroport, l'apparence de la jeune fille lui fit craindre le pire. Tout en Quinne MacDonald était criant de modernité. La jeune fille avait plusieurs tatouages nettement visibles sur les mains et les bras, une sorte de fleur sur le cou et six minuscules clous en diamant dans chaque oreille. Elle portait des bottes militaires à lacets qui lui montaient jusqu'aux genoux, et une minijupe en cuir. C'était une belle fille avec un visage adorable, une silhouette gracieuse, et des cheveux... bleu électrique. Mais elle semblait très intelligente et avait des manières parfaites. Andy avait dit à sa mère que Quinne était une élève brillante et qu'elle voulait étudier la médecine. Elle appartenait à une noble famille d'Écosse – son père était comte. Sybil espérait que ses origines compenseraient ses cheveux bleus auprès d'Augusta, si jamais cette dernière décidait de se montrer.

La conversation sur le chemin jusqu'au manoir fut agréable, et Quinne remercia très poliment

Sybil pour l'invitation. Quand ils pénétrèrent dans la cour, elle admira la bâtisse et, une fois dans le hall, elle contempla les portraits des Butterfield avec intérêt. Puis elle se tourna vers Sybil avec un regard interrogateur.

— Alors, où sont-ils ?

— En général, nous les retrouvons pour dîner.

Ces derniers temps, cependant, Gwyneth et Bettina venaient de plus en plus souvent lui rendre visite dans sa chambre ou dans son bureau. Cela inquiétait Alicia. Ces derniers mois, elle avait remarqué que sa patronne parlait de plus en plus fréquemment toute seule. Peut-être était-ce un effet secondaire de certains médicaments ? Ou alors, c'était le syndrome de La Tourette, maladie qu'elle avait découverte en lisant des articles sur Internet. Charlie semblait en être atteint également. Et Blake de temps en temps aussi. Tous les Gregory, en fait. Ils se parlaient régulièrement à eux-mêmes, et parfois ils riaient sans raison.

Quelle tristesse de voir des gens souffrir de troubles mentaux ! Alicia avait pitié d'eux. Et le soir, pour dîner, ils s'habillaient souvent comme les membres de la famille Addams. Elle voyait leurs tenues de soirée dans leurs dressings, le lendemain. Sybil portait plus de robes du soir qu'une chanteuse d'opéra ou une star de cinéma. Au début, Alicia avait pensé avoir affaire à des vampires, car elle croyait fermement en l'existence de telles créatures. À ses yeux, leurs comportements étaient complètement incohérents.

Sybil ignorait que leur gouvernante les observait de si près et en arrivait à de si terribles conclusions à leur sujet.

— Si tu as apporté une robe élégante, mets-la ce soir pour le dîner, conseilla-t-elle à Quinne. Nous ne savons pas s'ils apparaîtront ou si tu pourras les voir. Mais je leur ai parlé de toi, et je pense que la plupart d'entre eux viendront. Ils sont assez formels. Les hommes portent une queue-de-pie pour le dîner... Caroline et moi, nous mettons donc des robes du soir. Caro s'autorise parfois des robes de cocktail courtes, mais, je te préviens, Angus est un peu pervers.

À ses propres oreilles, ses paroles sonnaient comme celles d'une folle, mais Andy approuvait d'un signe de tête tout ce qu'elle disait. Il avait expliqué à Quinne à peu près la même chose.

Alors qu'ils déposaient les sacs de la jeune fille dans la chambre d'Andy, Sybil remarqua son vernis à ongles bleu étincelant, assorti à ses cheveux. Le look était complet !

— En fait, déclara Quinne, j'ai apporté des robes pour le dîner. Mes grands-parents aussi sont très formels. Mais eux n'ont pas l'excuse d'être morts !

À cette remarque, tous trois éclatèrent de rire.

En quittant le jeune couple, Sybil songea qu'elle aussi était excentrique, d'une certaine façon, puisqu'elle acceptait de vivre dans une faille temporelle avec des morts qui semblaient vivants, mais ne l'étaient pas. Comment expliquer tout cela à une personne saine d'esprit sans passer pour une folle ?

Quinne, elle, paraissait les comprendre. Peut-être fallait-il avoir les cheveux bleu électrique...

Peu de temps après, Andy et Quinne sortirent pour déjeuner. Andy avait emprunté la voiture de Sybil pour faire découvrir San Francisco à sa petite amie. Avant de partir, il enlaça sa mère avec tendresse. Il était heureux d'être à la maison avec ses parents et d'avoir Quinne avec lui. Il ne faisait aucun doute qu'il était très amoureux. Quinne était une fille fort sympathique, une étudiante brillante, et malgré le style punk-rock qu'elle affichait, elle était très bien élevée. Sybil avait hâte de la présenter à Augusta et Angus et de voir leurs réactions. Elle sourit en imaginant la rencontre. Un peu de provocation ne leur ferait pas de mal.

Au dîner, Quinne se présenta vêtue d'une robe du soir noire moulante, qui mettait sa silhouette en valeur et dévoilait ses tatouages. Elle portait des chaussures à semelles compensées en daim noir étonnamment hautes, et ses cheveux étaient remontés en arrière et sculptés au gel, un peu comme la coiffure de la fiancée de Frankenstein, mais en bleu. Andy avait mis son smoking. Sybil avait choisi une robe du soir en velours vert foncé. Rentré du bureau à l'heure, Blake avait eu le temps de faire connaissance avec leur invitée avant d'enfiler lui aussi son smoking. Caroline devait revenir le lendemain de Los Angeles, pour les vacances de Noël. Elle et Quinne s'étaient déjà rencontrées sur Skype et se suivaient mutuellement sur Instagram.

Lorsque Quinne pénétra dans la salle à manger avec les Gregory, Augusta fut saisie d'étonnement.

Il n'y avait pas de mots pour décrire l'expression de son visage. Gwyneth et Sybil durent se détourner pour que la matriarche ne les voie pas rire.

— Oh mon Dieu ! Quelle tête elle fait ! murmura Gwyneth.

— J'ai prévenu Quinne, chuchota Sybil. Tu verras, elle est très gentille et très polie ; il ne faut pas se fier à son apparence bizarre.

Mais déjà, Augusta interrogeait leur invitée. Elle avait tout de suite remarqué son accent et deviné ses origines écossaises.

— D'où viens-tu exactement ? s'enquit la douairière.

Lorsque Quinne eut répondu, Augusta plissa les yeux et la scruta avec encore plus d'attention.

— Comment s'appelle ton père ?

— Glenn MacDonald, madame. Pourquoi ?

Cette fois, Augusta la dévisagea carrément de la tête aux pieds. L'incrédulité s'était peinte sur son visage.

— Du château Creagh ? demanda-t-elle.

La jeune fille hocha la tête. Malgré son air sévère, elle ne craignait pas Augusta, qui lui rappelait sa propre grand-mère. En fait, la vieille femme l'amusait. Fantôme ou non, elle connaissait bien ce genre de personnages.

— Ian MacDonald et mon défunt mari sont allés à l'école ensemble, dit Augusta.

— C'était mon arrière-grand-père, annonça Quinne.

Augusta parut un instant troublée par l'emploi du verbe au passé. Elle n'avait pas compris que, dans le monde de Quinne, l'homme en question était mort depuis soixante ans.

— Que fais-tu ici ? demanda-t-elle alors.

Manifestement, elle avait décidé de faire abstraction de sa couleur de cheveux, de ses tatouages, ses chaussures ou tout autre élément de sa tenue. Et elle avait l'air véritablement ravie de rencontrer la jeune fille.

— Je rends visite à Andy, répondit celle-ci en souriant.

Augusta s'empressa de présenter Quinne à Angus. Lui aussi était enchanté de faire sa connaissance, mais il ne se souvenait pas de son arrière-grand-père. Augusta lui expliqua que son père était l'actuel comte de Creagh, et qu'ils vivaient au château de Creagh.

— Ta famille ne l'a pas vendu, n'est-ce pas ?

— Non, madame.

Quinne s'adressait à Augusta en forçant son accent écossais, ce qui fit sourire Andy. Elle s'en servait à dessein, sachant que c'était un atout auprès de la vieille dame. Après cet échange, Quinne se retrouva placée à table à côté de Bettina ; avec qui elle discuta gaiement. Andy lui avait dit que la jeune mère partait bientôt pour Paris avec son bébé. Quinne lui révéla qu'elle avait étudié à la Sorbonne pendant six mois.

— Mais mon accent est affreux ! Écossais à cent pour cent ! confessa-t-elle.

Bettina éclata de rire.

Depuis qu'elle avait décidé de partir, elle s'entraînait à parfaire son accent. Elle avait prévu d'engager une gouvernante française à son arrivée, en plus de son infirmière américaine, pour que Lili apprenne à parler français.

En dépit de l'allure extravagante de Quinne, le dîner se déroula remarquablement bien. Ses origines écossaises, et le fait qu'elle soit la fille du comte de Creagh, avaient immédiatement séduit Augusta. Apparemment, Quinne tenait son excentricité de son père. Elle avait révélé à Andy qu'à une époque de sa vie son père avait voulu devenir une rock star. Et d'ailleurs, quand Andy et Quinne eurent quitté la table, Augusta déclara que les Creagh avaient toujours été un peu étranges. Néanmoins, elle trouvait Quinne très jolie et appréciait ses bonnes manières.

Mais lorsque Sybil ajouta que Quinne voulait étudier la médecine, Augusta eut l'air choquée.

— Pour quoi faire ? C'est tellement inconvenant pour la fille d'un comte, dit-elle d'un ton grandiloquent. Vous devez absolument l'en dissuader !

Si les cheveux bleu électrique de la jeune fille ne la dérangeaient pas outre mesure, son choix de devenir médecin l'horrifiait. Quel monde guindé, songea Sybil avant d'échanger un regard entendu avec Gwyneth.

Le lendemain, Caroline rentra de UCLA. Max ne l'accompagnait pas, mais il la rejoindrait après Noël pour passer le Nouvel An avec elle. Pour l'instant, il retrouvait ses parents au Mexique.

Après un agréable dîner, tout le monde joua aux charades. Josiah était exceptionnellement doué à ce jeu. Les jeunes s'attardèrent ensuite dans le salon, et Josiah dit à Andy qu'il appréciait beaucoup Quinne. C'était aussi le cas de Lucy, même si elle éprouvait une pointe de jalousie envers la jeune Écossaise, car elle avait toujours eu un faible pour Andy. Entre les jeunes gens des deux familles, les tentatives de flirt s'étaient toutefois muées en sentiments d'amitié. Tous avaient compris qu'ils avaient besoin de passer du temps avec leurs contemporains. Ils ne pouvaient vivre uniquement dans une faille temporelle.

— Dès que ma grand-mère a su que tu étais comtesse, elle n'a même plus prêté attention à ta couleur de cheveux, se moqua gentiment Josiah.

— Ma mère est toujours en vie, donc je ne suis pas encore comtesse, expliqua Quinne. Et pour information, ses cheveux à elle sont rose vif. Elle les a teints en violet pendant des années, mais elle a changé récemment. Mon père a les cheveux bleus comme moi. C'est génétique !

— Tu es écossaise. Pour ma grand-mère, c'est le principal. C'est un synonyme de « parfaite ».

— Évidemment ! lança Quinne avec un large sourire.

Elle s'intégrait parfaitement à leur petit groupe, et elle était tout à fait à l'aise au milieu de fantômes. Andy avait eu raison.

Il était déjà tard lorsque les jeunes montèrent se coucher. Quinne et Andy sortirent boire un dernier verre dans un bar de Mission District. Le lendemain, ils firent la grasse matinée. Lorsque Quinne émergea de la chambre d'Andy, Alicia eut un mouvement de recul en voyant ses cheveux. Quinne la salua poliment et descendit l'escalier vêtue d'un short en jean et d'un pull à imprimé léopard, ses longues jambes moulées dans des bottes hautes à impression camouflage.

— Madre de Dios ! s'exclama Alicia en secouant la tête avec incrédulité.

Un peu plus tard, quand elle passa l'aspirateur au deuxième étage, elle entendit à nouveau Sybil parler seule dans son bureau. En fait, Gwyneth était venue la rejoindre quelques minutes pour bavarder. Elles discutaient de Quinne. Toutes deux l'appréciaient. À part l'excentrique couleur de ses cheveux, elle semblait parfaite et Andy était fou d'elle. Une seule chose déplaisait à Sybil : Andy envisageait de rester en Écosse pendant que la jeune fille ferait ses études de médecine...

— Il ne peut pas la convaincre de venir ici ? demanda Gwyneth.

— Je ne sais pas. Je crois qu'il se plaît là-bas. Tout ça, c'est la faute d'Angus, ajouta-t-elle sur un ton taquin.

— S'il l'épouse, il faudra absolument qu'il la fasse venir aux États-Unis !

— Oh ! Ils n'en sont pas encore là. Mais on ne sait jamais.

Avec les enfants, il y avait toujours de quoi s'inquiéter, convinrent-elles. D'ailleurs, Gwyneth se faisait du souci pour Bettina. Elle aussi redoutait que sa fille reste à l'étranger, en France en l'occurrence.

— Bettina s'ennuie ici. Si jamais elle rencontre un homme là-bas...

Gwyneth ne se faisait guère d'illusions. Sybil essaya d'oublier ce qu'elle savait déjà. Bettina avait bel et bien rencontré un homme en France, et elle l'avait épousé. Mais Blake et elle s'étaient mis d'accord. En aucun cas, ils ne révéleraient leur avenir aux Butterfield. Le destin devait suivre son cours, sans qu'ils tentent de l'influencer. De toute façon, ils n'avaient pas ce pouvoir.

Ils passèrent un excellent réveillon. Quinne avait apporté de petits cadeaux très attentionnés pour chacun. Le jour de Noël, il faisait plus beau et plus chaud que d'habitude. Ils s'installèrent dans le jardin et passèrent une partie de l'après-midi à bavarder gaiement. Le soir venu, ils dînèrent à nouveau ensemble, de manière informelle. Les hommes avaient délaissé la queue-de-pie pour le smoking.

Quelques jours plus tard, Andy emmena Quinne dans la vallée de Napa et au lac Tahoe pour être un peu seul avec elle. Sybil appréciait de plus en plus la jeune fille. Celle-ci s'entendait bien avec tout le monde, et Augusta l'adorait. Angus ne comprenait pas très bien qui elle était, mais il affirma un jour qu'elle avait de belles jambes et une très belle poitrine, ce qui lui suffisait... Cela fit rire tout le monde excepté sa sœur, laquelle le réprimanda sévèrement et le traita même de vieux satyre.

Le réveillon du Nouvel An fut également parfait... et plus calme que l'année précédente, quand

Josiah était revenu de la guerre. Max Walker les rejoignit pour passer la soirée avec Caroline. Sybil avait prévenu Gwyneth. Toutes deux redoutaient quelque peu la réaction d'Augusta face aux allées et venues de tous ces inconnus. Mais Augusta ignora complètement Max. Il n'était pas écossais et son père ne possédait aucun titre, donc à ses yeux il était insignifiant. Les autres membres de la famille Butterfield l'accueillirent chaleureusement. Caroline lui avait expliqué que c'étaient des fantômes, ce qu'il avait eu du mal à croire. Mais tout se déroula à merveille.

Deux jours plus tard, on célébra le premier anniversaire de Lili. Bettina avait décidé de partir pour la France en février. Elle avait réservé une cabine sur un navire de la White Star Line, le *Baltic*.

C'est après cette fête qu'Augusta commença à tousser.

— Vous vous sentez bien, Mère ? s'enquit Gwyneth.

Augusta paraissait faible et fiévreuse. Sybil se remémora alors les écrits de Bettina et suggéra à son amie d'appeler immédiatement un médecin. Celui-ci arriva une heure plus tard et monta aussitôt dans la chambre d'Augusta. Les deux familles l'attendaient dans le salon. Quand il redescendit, il avait la mine grave.

— Comment va-t-elle ? demanda Bert.

— Je crois que c'est la grippe espagnole, mais, je l'espère, un cas très léger.

La grippe espagnole ravageait les États-Unis et l'Europe depuis plusieurs mois. Beaucoup y succombaient, et le nombre de morts commençait à concurrencer celui des morts de la guerre, voire à le dépasser. C'était une épidémie aux proportions épiques...

Le médecin recommanda le repos. Augusta devait rester dans son lit, bien au chaud. Il n'y avait malheureusement pas de traitement miracle. On savait peu de choses sur la maladie, si ce n'est que la mort pouvait survenir très rapidement, même chez les individus jeunes et en bonne santé, et encore plus, évidemment, chez les personnes âgées et les nourrissons. Augusta était donc gravement menacée.

Rapidement, il fut décidé que Gwyneth, Bettina et Sybil s'occuperaient de la vieille dame. Lucy et Angus, en revanche, eurent interdiction de pénétrer dans sa chambre, étant trop fragiles. Quinne et Caroline offrirent leur aide, mais la proposition fut rejetée, même si Sybil savait qu'il n'y avait aucun risque qu'elles attrapent une maladie véhiculée par des fantômes.

Gwyneth entama le premier tour de garde pour veiller sur Augusta. Au cours de la nuit, l'état de sa mère ne fit qu'empirer. Elle la veilla jusqu'à midi, puis la laissa aux soins de Bettina. Sybil prit la relève à minuit jusqu'au lendemain. Accompagné d'une infirmière, le médecin vint voir Augusta à plusieurs reprises, mais il n'y avait rien à faire. La grippe affluait en elle comme une vague dévastatrice. La fièvre montait, l'affaiblissant de plus en plus. Bientôt, elle se mit à cracher du sang.

Le troisième jour, Augusta était à peine consciente. Bert vint prendre de ses nouvelles, mais Gwyneth le renvoya. Elle ne voulait pas qu'il prenne le moindre risque de tomber malade. Durant l'après-midi, Bettina vint prendre son tour de garde, mais Gwyneth ne voulait plus quitter sa mère. Elles étaient donc assises chacune d'un côté du lit quand Augusta poussa un profond soupir, les regarda tour à tour en leur souriant, avant de les remercier de leurs bons soins. Puis elle ferma les yeux et expira son dernier souffle. Augusta venait de succomber à la terrible grippe espagnole. Gwyneth et Bettina restèrent un long moment assises sans bouger, les larmes aux yeux, tandis qu'Augusta reposait sur le lit, son corps telle une coquille vide dont l'esprit s'était envolé.

Bert vint annoncer la triste nouvelle à Sybil et Blake. Toute la maison était en deuil, et Phillips plaça une couronne noire sur la porte. Alicia la vit quand elle vint prendre son service le lendemain et elle s'interrogea sur la raison de cet ornement. Elle avait déjà vu ce type de couronnes sur la porte du manoir et elle les trouvait effrayantes. Parfois, elle se demandait si les Gregory pratiquaient la sorcellerie. Au moins, ce jour-là, aucun membre de la famille ne se parla à lui-même comme elle les entendait souvent le faire. Les Butterfield étaient enfermés dans leur intimité. Gwyneth et Bettina organisaient les funérailles d'Augusta.

Avec tout le tact possible, Bert informa Angus du décès de sa sœur. Le vieil homme, pourtant, ne semblait pas comprendre. Pendant un long moment, il évoqua des personnes que Bert ne connaissait pas. L'après-midi même, il se mit au lit, et le lendemain, il refusa de se lever. Il prétendait être fatigué, mais il était évident que son esprit rejetait la triste nouvelle. Le décès de sa sœur cadette était trop dur à supporter pour lui. Au beau milieu de la nuit, il prit sa cornemuse et se mit à en jouer. Bert dut intervenir pour lui demander d'arrêter.

Le jour des funérailles, Angus ne voulut pas s'y rendre. Après en avoir discuté ensemble, Gwyneth et Bert acceptèrent de le laisser à la maison. Sa conscience refusait catégoriquement la disparition de sa sœur. Angus n'avait pas été contaminé par la grippe espagnole, mais son corps et son esprit étaient tous deux défaillants. C'était comme si quelqu'un l'avait débranché et qu'il s'éteignait à petit feu.

Les funérailles furent solennelles et emplies de dignité. Les Gregory ne purent y assister, cependant. Il leur était impossible de remonter le temps pour se rendre à des événements à l'extérieur de la maison. Tandis qu'ils attendaient le retour de leurs amis au manoir, Quinne déclara qu'elle était heureuse d'avoir rencontré Augusta, même pour si peu de temps. La journée fut très calme. Ils prirent un dîner léger, puis allèrent se coucher de bonne heure. Au matin, ils découvrirent qu'Angus était mort dans son sommeil. Il avait rejoint sa sœur dans l'au-delà. Sybil se demanda combien de temps il leur faudrait pour revenir.

Le lendemain, Andy et Quinne regagnèrent Édimbourg, et Caroline s'envola pour Los Angeles. Max était déjà reparti, juste avant qu'Augusta tombe malade. C'était un moment triste pour eux tous, mais ils savaient qu'elle avait mené une belle vie. Sybil fouilla dans la boîte de photos que la banque lui avait donnée. Elle y trouva des clichés de Lili quand elle était petite fille en France. Bettina se tenait à côté d'elle, ainsi qu'un homme que Sybil ne reconnut pas. Il y avait des photographies de tous les Butterfield, annotées de dates au verso. L'une d'elles représentait Augusta dans toute la beauté de sa jeunesse. Elle la mit de côté, prévoyant de l'encadrer puis de la placer sur son bureau.

Quand Gwyneth la vit quelques jours plus tard, elle lui demanda d'où elle provenait. Sybil lui répondit qu'elle l'avait trouvée dans un tiroir. Elle ne tenait pas à lui parler de la boîte de photos remise par la banque ni du livre de Bettina. Gwyneth hocha la tête d'un air pensif. Sur la photo, Augusta était telle que dans son souvenir, quand Gwyneth était jeune fille.

La maisonnée resta en deuil pendant plusieurs semaines. Bettina envisagea de reporter son voyage à Paris, mais Gwyneth l'en dissuada. Cela ne servirait à rien. Seul le temps atténuerait la souffrance de la perte.

Bettina continua donc les préparatifs de son départ. Sybil savait que Lili lui manquerait. Elle aimait tant la tenir sur ses genoux, lui chanter des berceuses, humer ses cheveux ou écouter les petits bruits qu'elle faisait avec sa bouche pendant son sommeil. Lili lui rappelait ses propres enfants, lesquels avaient maintenant quitté le nid. Les seuls jeunes qui restaient dans la maison étaient Lucy, qui sortait rarement de sa chambre, Magnus et Charlie.

13

Le 10 février, Gwyneth et Bert accompagnèrent Bettina, Lili et l'infirmière à la gare et les aidèrent à s'installer dans les deux compartiments de première classe du train qui les mènerait à New York. Les malles avaient déjà été chargées dans les wagons de marchandises. Bettina avait leurs passeports, leurs billets, une lettre de crédit pour une banque à Paris signée par son père, des devises étrangères et bien plus que nécessaire en monnaie américaine. Elle portait un tailleur de voyage en laine bleu nuit, un manteau de vison qui avait appartenu à sa mère, un chapeau noir très élégant et de longs gants assortis. Ses malles regorgeaient de vêtements pour toutes les occasions. À New York, elles embarqueraient sur le *Baltic* direction Liverpool, puis Cherbourg, et de là elles prendraient le train jusqu'à Paris. Gwyneth ne put retenir ses larmes au moment des adieux.

— Reviens vite, sanglota-t-elle.

Bert lui passa un bras autour des épaules, et tous deux regardèrent le train quitter la gare. Bettina leur fit de grands signes par la fenêtre de son compartiment jusqu'à ce qu'elle ne puisse plus les voir. Elle ressentait une pointe de culpabilité à partir si loin, mais, simultanément, elle éprouvait la délicieuse sensation d'être libérée, comme un oiseau à qui l'on aurait ouvert la porte de sa cage. C'était excitant de traverser le pays jusqu'à New York, de passer une nuit à l'hôtel, puis d'embarquer pour la traversée transatlantique. C'était même la chose la plus excitante qu'elle ait jamais vécue. Sourire aux lèvres, elle sortit un livre de son sac. Enfin, sa vie d'adulte commençait.

Gwyneth, quant à elle, pleura jusqu'à la maison. Après le décès de sa mère un mois plus tôt, le départ de Bettina et de Lili était plus qu'elle n'en pouvait supporter. Sybil l'attendait et l'embrassa avec affection. Elles s'installèrent dans le bureau de Sybil pour discuter, quand des bruits s'élevèrent soudain dans l'escalier. Sybil crut que son imagination lui jouait un tour, mais elle entendit nettement Augusta donner des ordres à Phillips. Elle perçut aussi la voix d'Angus à l'arrière-plan. Les deux amies se précipitèrent sur le palier pour découvrir Phillips en train de traîner comme il le pouvait les malles d'Augusta derrière lui. Coiffée d'un immense chapeau, la douairière donnait également des directives à son frère. Levant la tête, elle vit Sybil et Gwyneth, qui éclatèrent de rire devant ce joyeux spectacle. Les malles d'Augusta envahissaient le hall. Elle les désignait les unes après les autres de sa canne, interpellant sans cesse Phillips, visiblement débordé.

Sybil et Gwyneth embrassèrent Augusta avec effusion. Comme c'était bon qu'elle soit déjà de retour ! Elle avait un esprit si puissant qu'il ne lui avait fallu que quatre semaines pour retrouver les siens. Et visiblement elle avait réussi à entraîner son frère avec elle.

— Bon retour chez nous, Mère Campbell ! lui lança Bert, qui venait d'apparaître dans le hall.

Il entreprit d'aider Phillips avec les malles, tandis qu'Augusta retirait son large chapeau d'un air victorieux. Angus, lui, avait déjà disparu dans sa chambre.

Comme la vieille dame demandait des nouvelles de Bettina, Gwyneth lui apprit qu'elle était partie pour la France le matin même.

— Je suis désolée de l'avoir manquée. Et la petite Quinne, où est-elle ?

— Elle est retournée en Écosse avec Andy, répondit Sybil.

— Gentille fille, mais couleur de cheveux inappropriée pour une comtesse, rétorqua Augusta d'un ton aigre.

Gwyneth était tout sourire. Cette arrivée compensait quelque peu le départ de Bettina. Sa fille et sa petite-fille étaient parties bien loin, mais sa mère était revenue, d'encore plus loin. Aboyant avec frénésie, Violet et Rupert grimpèrent l'escalier à toute allure pour l'escorter. Depuis un mois, les deux chiens affichaient une triste mine. Le retour de leurs maîtres les emplissait de joie.

— C'est merveilleux qu'ils réapparaissent tous, dit Sybil à Blake ce soir-là. D'autant qu'ils ont l'air en pleine forme, d'attaque pour un autre siècle au moins.

Elle détestait l'idée que les êtres meurent à jamais, comme cela arrivait dans la vraie vie. Grâce à la faille temporelle dans laquelle ils vivaient depuis un siècle, les Butterfield avaient la chance de pouvoir revenir auprès de ceux qu'ils aimaient, dans les lieux où ils avaient vécu des jours heureux.

Le train qui emportait Bettina vers New York s'arrêtait de temps à autre dans de petites villes, juste le temps d'embarquer quelques passagers. À Chicago, en revanche, il resta à quai un après-midi entier, et Bettina put visiter un peu la ville. Enfin, ils atteignirent New York. La ville bourdonnait d'énergie. À l'hôtel Plaza, un télégramme de Bert attendait Bettina, lui annonçant que sa grand-mère et son oncle Angus étaient de retour. À cette nouvelle, la jeune femme eut une pensée émue pour sa famille. Elle leur envoya un télégramme pour les rassurer : tout s'était bien passé pour elles jusque-là. Puis la jeune femme loua une calèche et se promena dans la ville, ravie. Le soir, elle dîna dans sa suite, et le lendemain matin, elle montait à bord du *Baltic* !

Tandis qu'elle prenait possession de sa cabine, l'infirmière s'installait avec Lili dans la seconde. Les porteurs s'étaient occupés de leurs malles et bagages divers. La traversée prendrait neuf à dix jours jusqu'à Cherbourg, avec un arrêt à Liverpool. Après ses activités de transport de troupes en temps de guerre, le *Baltic* était à nouveau au service des passagers civils. C'était un bateau puissant, qui était sorti indemne d'une attaque par des sous-marins allemands. Chaque jour, des distractions étaient proposées aux passagers : des jeux en journée, mais aussi des soirées élégantes, des dîners en compagnie du capitaine. Et bien sûr, l'après-midi, on prenait le thé dans les salons, servi par un personnel empressé.

Belle, jeune et veuve, Bettina n'était pas du tout effrayée de voyager sans escorte. D'autres auraient probablement eu des réticences à cette idée, mais elle n'en éprouvait pour sa part aucune. Elle n'avait qu'une hâte : découvrir le monde, aller à Paris et échapper à sa vie monotone. Attendre la fin de la guerre pour pouvoir quitter San Francisco lui avait paru interminable. Aujourd'hui, elle avait l'impression d'être enfin sortie de prison. On était en 1919, elle avait vingt-trois ans, et une seule chose lui importait désormais : déployer ses ailes et voler. Être libre. Contrairement aux souhaits de sa famille, elle n'avait pas l'intention de s'encombrer d'un mari. À ses yeux, ce n'était qu'une autre forme de prison !

Alors que les remorqueurs guidaient le *Baltic* hors du port de New York et que le vent caressait son visage, Bettina sut qu'elle avait pris la bonne décision en partant. Et elle n'était nullement pressée de revenir.

La traversée fut aussi divertissante qu'elle l'avait espéré. À la table du capitaine, elle rencontra des personnes fort intéressantes. Il y avait là un journaliste illustre et un écrivain célèbre, un couple très distingué de Boston, un jeune couple de New York en lune de miel, et des mondaines. Bettina n'était qu'une simple jeune femme de San Francisco, mais personne ne pouvait nier sa beauté. En outre, elle voyageait dans les deux cabines les plus chères, ce qui lui assurait une certaine attention et une place à la table du capitaine.

Que dirait sa grand-mère si elle la voyait converser avec d'élégants inconnus, et danser le soir avec de beaux célibataires qui flirtaient avec elle ? Elle savait toutefois qu'elle était en sécurité sur le bateau. Sa fille et l'infirmière lui procuraient un statut respectable, et l'on ne pouvait la confondre avec une célibataire en chasse au mari. C'était une veuve de guerre, comme tant d'autres jeunes femmes à l'époque.

Elle regretta de voir le voyage se terminer et de devoir quitter ses nouveaux amis. L'arrivée à Cherbourg la fascina. Ses bagages furent transférés sur le train qui, à travers la campagne française, la mènerait en quatre heures à Paris. En cette fin février, il faisait encore froid, et une fine couche de neige recouvrait le sol. Quelle chance que sa mère lui ait offert son manteau de vison ! Quand elle monta dans le train, elle remarqua le luxe de son compartiment de première classe. Son père avait veillé à ce qu'elle voyage dans le plus grand confort. Pendant un instant, elle regretta que Lucy et Josiah ne soient pas avec elle. Ils lui manquaient.

Les Margaux lui avaient envoyé des lettres très chaleureuses. Manifestement, ils voulaient lui faire oublier son veuvage. Ils possédaient un splendide hôtel particulier du XVIIIᵉ siècle sur la rive gauche de Paris. Sur la propriété se trouvaient également des dépendances, des écuries et des jardins encore plus vastes que ceux du manoir familial à San Francisco. N'ayant pas eu d'enfants, les Margaux étaient ravis de recevoir Bettina et sa fille pendant plusieurs mois. Dans leurs lettres, ils disaient à la jeune femme qu'une aile entière de la maison serait à sa disposition, et ils l'avaient invitée à se faire accompagner d'autant de domestiques qu'elle le souhaiterait.

Quand Bettina arriva à la gare Saint-Lazare, le chauffeur des Margaux l'y attendait déjà. Il y avait même une seconde voiture pour ses malles et ses bagages. Une fois ses affaires chargées, ils traversèrent Paris jusqu'à la rive gauche. En bas de la rue de Varenne, le chauffeur arrêta la voiture devant une imposante grille à double battant, que le gardien leur ouvrit. Le véhicule entra dans la cour. Bettina descendit de voiture et contempla la magnifique demeure. Déjà Angélique de Margaux, accompagnée de son mari Robert, descendait l'escalier pour l'accueillir. Ils l'avaient attendue tout l'après-midi. Ils l'embrassèrent chaleureusement, puis admirèrent le bébé dans les bras de l'infirmière. Lili, qui venait de se réveiller, semblait confuse de se trouver en un lieu qu'elle ne connaissait pas, entourée de personnes qu'elle n'avait jamais vues et qui lui parlaient en français. Angélique déposa un délicat baiser sur sa petite joue.

Angélique et Robert étaient enchantés de recevoir Bettina chez eux. Prendre de jeunes amis sous leur aile – ce qu'ils faisaient régulièrement – atténuait leur douleur de ne pas avoir d'enfants. Ils conduisirent la jeune femme à l'intérieur de la maison et lui firent découvrir ses quartiers, tandis que des domestiques montaient les bagages. Lili et l'infirmière seraient installées à l'étage au-dessus, pour que Bettina ne soit pas dérangée. C'était une organisation parfaite, et plusieurs employées s'étaient portées volontaires pour garder Lili quand l'infirmière descendrait prendre ses repas au quartier des domestiques. Cette dernière avait l'air très enthousiaste, elle aussi. Elle avait déjà remarqué plusieurs valets de pied qu'elle trouvait séduisants. Bettina rit en se remémorant les avertissements de sa grand-mère et les calomnies qu'elle lançait sur les Français. Pour sa part, elle ne partageait aucune de ses opinions sur le sujet.

Le soir venu, Bettina dîna avec ses charmants hôtes, dans une salle à manger encore plus vaste et plus sophistiquée que celle du manoir. La pièce était décorée de boiseries exquises, de somptueux rideaux de satin et de tableaux splendides. Certains de ceux-ci se trouvaient à Versailles avant la Révolution et avaient été achetés aux enchères par les Margaux. D'autres provenaient de leur château des environs de Bordeaux. Le repas était délicieux. Angélique et Robert voulurent tout savoir sur la traversée ; ils prirent des nouvelles de ses parents et, avec une infinie délicatesse, ils lui présentèrent leurs condoléances.

Bettina avait hâte de visiter les musées et les galeries d'art de Paris. Elle était déjà venue en France lorsqu'elle était jeune fille avec ses parents et Josiah. Ses hôtes avaient de nombreux projets pour elle. Ils avaient déjà organisé plusieurs dîners pour la présenter à leurs amis et à diverses personnes de son âge. Angélique de Margaux lui murmura qu'elle souhaitait lui faire rencontrer plusieurs prétendants possibles. Par bonté de cœur, ils souhaitaient l'aider et avaient décidé de prendre son avenir en main. Ils éprouvaient beaucoup d'affection pour ses parents. L'idée que la fille de leurs amis reste veuve avec sa petite fille leur semblait trop cruelle. Bettina fut tout d'abord choquée par leur plan. Le but de son voyage n'était pas de se trouver un mari ! Néanmoins, leurs propositions lui semblèrent finalement amusantes. Ils avaient même prévu un séjour dans leur château bordelais, où ils prévoyaient d'aller quand les chaleurs estivales s'abattraient sur Paris.

Ce soir-là, couchée dans son lit à baldaquin aux brocarts de soie rose – un meuble digne de Marie-Antoinette –, Bettina avait l'impression d'être une princesse. D'ailleurs, étant donné le goût de ses hôtes pour les antiquités de prix, ce lit aurait bel et bien pu appartenir à l'ancienne reine de France.

Le lendemain matin, Bettina prit son petit déjeuner avec Angélique. Robert était déjà parti à son bureau, au siège de la banque dont il était propriétaire. Ensuite, le chauffeur des Margaux la conduisit au Louvre. Elle revint à la maison en fin d'après-midi, rendit une courte visite à Lili, puis regagna sa chambre pour se reposer avant le dîner.

Cinq jours après son arrivée à Paris, Bettina entamait sa vie sociale parisienne. Les Margaux recevaient à dîner une douzaine d'invités, tous soigneusement choisis. Il y avait là deux sœurs de son âge avec leurs parents, un charmant jeune couple avec un enfant de l'âge de Lili et trois beaux célibataires d'excellentes familles, qu'Angélique lui présenta comme les hommes les plus séduisants de la capitale.

Bettina passa une soirée fantastique, réussissant même à parler français tout du long, pour le plus grand plaisir de tous. Elle savait que ses parents auraient été extrêmement heureux et très reconnaissants envers ses hôtes. Et à elle seule, cette soirée compensa largement les deux années si ennuyeuses, si déprimantes qu'elle venait de passer à San Francisco. Depuis trois ans, sa vie sociale était réduite à néant. Elle aimait sa famille, certes, mais désormais elle était prête à explorer le vaste monde.

Le lendemain matin, Bettina remercia grandement son hôtesse pour cette belle soirée. Au cours de l'après-midi, deux des hommes venus dîner la veille lui firent livrer des fleurs. Flirter avec les nouvelles venues semblait être une habitude pour eux. Quant au troisième convive, c'était manifestement un coureur de fortune. Mais peu importait, ils avaient été de charmante compagnie et l'avaient divertie. Angélique voulut savoir si l'un de ces messieurs lui avait plu.

— Je ne suis pas à la recherche d'un mari, répondit Bettina en toute honnêteté.

— Mais pourquoi ne pas vouloir faire de nouvelles rencontres ? C'est tellement amusant. Et tu mérites un bel homme !

Bettina rougit comme une écolière. Elle devait bien admettre qu'il était plaisant d'être l'objet de leurs attentions.

Dès lors, ses hôtes organisèrent un dîner par semaine pour lui présenter de potentiels maris. Bettina n'avait jamais vu autant d'hommes de sa vie. Elle n'avait aucune idée de ce que sa grand-mère reprochait aux Français, mais pour sa part, elle les trouvait d'une beauté dévastatrice. Les convives des dîners des Margaux commencèrent à l'inviter aussi. Deux mois après son arrivée, Bettina avait ainsi un large cercle d'amis parisiens. On était à présent au début du mois de mai, et le temps était magnifique.

Un après-midi, elle fut invitée à une charmante garden-party pour jouer au croquet. Assise sur une chaise de jardin, un verre de limonade à la main, elle observait les joueurs quand un homme s'approcha d'elle. Elle l'avait déjà rencontré chez les Margaux et se souvint qu'il était banquier, comme son père et Robert. Il affichait un air plus sérieux que les hommes qui la poursuivaient de leurs assiduités, mais il était beau, agréable, et également un peu plus âgé que les autres.

— Vous appréciez votre séjour à Paris ? lui demanda-t-il.

— Beaucoup, répondit-elle en français.

Elle se remémora alors son nom : Louis de Lambertin.

— Combien de temps resterez-vous ici ?

— Je ne sais pas. J'avais besoin de changer d'air, avoua-t-elle en toute franchise.

— De lourdes pertes pendant la guerre ? s'enquit-il, curieux d'en apprendre davantage sur elle.

Il savait qu'elle venait d'une importante famille américaine qui résidait en Californie, mais rien de plus.

— Un frère et un mari.

— Je suis désolé. La guerre a été si dure pour tout le monde. Je ne connais aucune famille qui n'ait été touchée, dit-il avec empathie.

— Particulièrement en Europe.

Ils échangèrent un sourire.

— Avez-vous des enfants ?

Sa question lui sembla naturelle, puisqu'elle avait été mariée.

— Une petite fille de seize mois. Son père est mort avant sa naissance. Et vous ?

Louis lâcha un rire.

— Non, aucun. Je n'ai jamais été marié.

Elle en fut surprise, car elle avait cru de prime abord qu'il était presque aussi âgé que son père. Finalement, il semblait un peu plus jeune. Il devait avoir la quarantaine, soit quelque dix-huit ans de plus qu'elle, mais il était jeune d'esprit. Jamais son père n'aurait entamé une conversation avec une fille de son âge, surtout une femme seule. Il n'aurait su quoi lui dire.

— Étiez-vous en prison ? le taquina-t-elle.

Il rit à nouveau.

— Non, mais j'aurais peut-être dû. Tous les banquiers devraient être en prison.

Ils bavardèrent un moment, puis Bettina rejoignit les Margaux.

Sur le chemin du retour, Angélique évoqua sa discussion avec Louis de Lambertin.

— C'est un homme discret, lui apprit-elle. Je crois qu'il a eu une histoire d'amour sérieuse quand il était plus jeune, mais ça n'a pas marché, et il ne s'est jamais marié. Depuis, c'est un célibataire endurci.

Bettina sourit.

— C'est parfait. Parce que je ne cherche pas de mari, vous le savez bien...

Mais un ami, quelqu'un qui pourrait explorer Paris avec elle, cela lui plairait.

Quelques jours plus tard, Louis l'invita à déjeuner au Pré Catelan, au cœur du bois de Boulogne. Il vint la chercher dans sa Citroën rutilante, et ils ne cessèrent de discuter tout au long du trajet, puis durant le déjeuner. Louis n'était nullement expert en flirt, mais c'était un homme sympathique avec qui il était facile de bavarder. Il appréciait Bettina et la trouvait très belle.

Dans les semaines qui suivirent, elle continua à fréquenter les réceptions de ses nouveaux amis, mais elle allait aussi au ballet, au théâtre et à l'opéra avec Louis. Il lui fit rencontrer ses propres amis. Un jour, ils emmenèrent ensemble Lili se promener au parc. Bettina se rendait compte peu à peu qu'elle ne s'était jamais sentie autant à l'aise avec quiconque. Louis était à la fois un père, un frère et un ami pour elle, ce dont elle s'ouvrit à Angélique.

— Louis serait un mari parfait pour toi, répondit Angélique en souriant.

— Vraiment ?

Bettina paraissait surprise.

— Je pensais que c'était censé être beaucoup plus romantique, dit-elle innocemment.

Cela avait été le cas avec Tony, mais rien que pour une nuit.

— Pas vraiment, expliqua Angélique. La plupart du temps, le romantisme d'une histoire d'amour s'estompe. Mieux vaut qu'il y ait autre chose. L'amitié est souvent un bon départ pour construire une vie de couple. D'ailleurs, c'est souvent ce qu'il en reste, à la fin.

Ses propos étaient frappés au coin du bon sens, songea Bettina.

Louis semblait penser de même. Il continua à l'inviter à sortir et à planifier des excursions. Et fin juin, avant de partir rendre visite à sa famille en Dordogne pour un mois, il s'agenouilla devant Bettina et la demanda en mariage. La jeune femme resta interdite quelques instants. C'était si différent de ce qu'elle avait vécu avec Tony ! Ils s'étaient précipités à l'hôtel de ville pour se marier et ils avaient passé une seule et unique nuit dans un hôtel bon marché. Rétrospectivement, tout cela lui semblait sordide, et son père avait raison. Leur couple n'aurait jamais duré.

— Je ne pensais pas me remarier, répondit-elle finalement d'une voix douce. Je ne suis même pas sûre d'en avoir envie, bien que je vous aime beaucoup.

Sa façon de s'exprimer le fit sourire.

— Moi aussi, je vous aime beaucoup. En fait, je vous aime, Bettina. Je pense qu'on pourrait être heureux ensemble. Pourquoi ne voulez-vous pas vous remarier ?

C'était si bon de pouvoir se confier à lui en toute franchise.

— Je ne veux plus d'enfants. Ma grossesse a été un long calvaire. C'était horrible. J'étais malade tout le temps. Je connaissais à peine l'homme que j'ai épousé… De plus, j'aime Lili, mais je ne pense pas avoir l'instinct maternel.

Touché par son honnêteté, il se pencha et l'embrassa.

— Dans ce cas, nous n'aurons pas d'enfants, dit-il simplement. Je ne suis pas sûr d'en vouloir non plus. Si vous m'épousez, pourrai-je adopter Lili ? Ainsi, elle sera ma fille, et nous formerons une véritable famille.

Tout semblait si facile avec lui ! Bettina savait déjà que, quoi qu'il arrive, Louis la protégerait, comme son père l'avait fait jusqu'ici.

— Oui, bien sûr, vous pourrez l'adopter. La famille de son père n'a aucun lien avec elle. Ils ne l'ont jamais vue.

— Jamais ? Combien de temps avez-vous été mariés avant qu'il rejoigne le front ?

— Une nuit, répondit-elle avec un sourire penaud. Nous nous sommes enfuis. Sa famille possède un restaurant, et mon père était furieux que je l'épouse. Je crois que je me suis laissé emporter par beaucoup d'illusions romantiques parce qu'il partait à la guerre.

Louis hocha la tête. Désormais, il comprenait mieux sa situation.

— Quand retournez-vous aux États-Unis ?

— Je n'ai encore rien décidé. Peut-être cet été ou à l'automne. Mes parents ont hâte de me revoir.

De son côté, elle n'était pas pressée de quitter Paris. Elle s'amusait tellement ici !

— Je pars en Dordogne dans deux jours, reprit Louis. Je rends visite à mes parents et ma grand-mère, qui est très âgée. Mais si vous attendez quelques semaines, j'irai aux États-Unis avec vous, et je demanderai votre main à votre père, comme il se doit. Qu'en pensez-vous ?

— Ce serait parfait.

Un large sourire illumina son visage. Louis serait un mari gentil, patient, et un père merveilleux pour Lili. C'était un homme sur lequel elle pourrait s'appuyer, quels que soient les aléas de la vie. Oui, finalement, malgré ses désirs d'indépendance, l'idée d'épouser Louis lui plaisait. Leur amour n'avait rien de follement passionnel, contrairement à ce qui avait enflammé ses rêves de jeune fille, mais c'était un amour stable, mature, et, selon Angélique, le genre d'amour qui durait plus longtemps. Son amie lui avait aussi appris qu'il possédait une fortune considérable et qu'il était fils unique. Tout en élégance et discrétion, Louis ne faisait jamais étalage de ses richesses, et c'était une autre de ses qualités qu'elle appréciait.

Louis la contempla un instant avec chaleur.

— Vous avez juste oublié une chose, lui dit-il.

— Pardon ?

— Vous n'avez pas encore accepté ma demande. Dois-je me remettre à genoux ?

Elle rougit d'embarras et laissa éclater un rire. Puis, l'air grave, elle noua les bras autour de son cou, et il l'embrassa.

— Oui. Oui, je veux vous épouser, Louis, et... je vous aime, moi aussi, chuchota-t-elle.

Avant le départ de Louis pour la Dordogne, ils prirent toutes les dispositions nécessaires pour leur voyage aux États-Unis. Louis réserva trois cabines sur un transatlantique, et Bettina écrivit à ses parents pour leur annoncer son retour. Elle précisa qu'une personne rencontrée chez les Margaux l'accompagnerait. Quand ils reçurent sa lettre, ses parents supposèrent qu'il s'agissait d'une amie. Elle n'avait pas mentionné le nom de Louis, et encore moins leur futur mariage, puisque son fiancé n'avait pas demandé sa main à son père. Or, cette fois, elle voulait faire les choses bien...

Si les Margaux se félicitaient de leur entremise dans le mariage de Louis et Bettina, ces derniers étaient les plus heureux de tous. Tandis que la jeune fiancée passait ses dernières semaines à

Paris, elle imaginait un avenir radieux aux côtés de son futur époux. Et elle rit en pensant à la réaction de sa grand-mère quand elle apprendrait que sa petite-fille s'apprêtait à épouser un Français.

14

Après ces cinq mois passés en leur bienveillante compagnie, Bettina était triste de quitter les Margaux, mais elle savait qu'elle reviendrait bientôt. Elle avait l'intention de rester quelques semaines à San Francisco avec Louis. Ensuite, ils retraverseraient le pays pour gagner New York, d'où ils prendraient un bateau pour rejoindre Paris. C'était un long voyage. Or Louis devait être présent à sa banque à la fin du mois d'août. Et à leur retour, Angélique voulait donner une fête pour célébrer leur mariage. Louis était un homme discret, mais il était très apprécié et avait beaucoup d'amis.

Les parents de Louis possédaient un hôtel particulier sur la place François-Ier, qu'ils n'utilisaient plus depuis qu'ils s'étaient retirés dans leur château en Dordogne. C'était là que Louis souhaitait emménager avec Bettina et Lili. Pour l'heure, il vivait dans sa garçonnière. La demeure de ses parents serait parfaite pour son foyer d'homme marié.

Durant leur voyage en Amérique, Bettina laisserait deux de ses malles chez Angélique et Robert. Ils ne s'absenteraient en effet que cinq ou six semaines. Ensuite, Paris serait à jamais son lieu de résidence. Ses parents lui manquaient, mais elle préférait nettement vivre à Paris ! Tout était si excitant, ici. Et quelle chance pour Lili de grandir dans cet univers ! Louis parlait anglais, mais il s'adressait à elles en français. Lorsque la jeune femme songeait à tout cela, il lui était difficile de croire qu'elle avait quitté San Francisco seulement cinq mois plus tôt et que sa vie avait à ce point changé.

Pourvu que son père approuve leur mariage ! Et apprécie Louis ! Et que sa grand-mère ne fasse pas d'histoires à cause de sa nationalité. Elle avait prévenu son fiancé du caractère obstiné et excentrique de sa grand-mère, ajoutant que son grand-oncle, qui vivait avec eux, l'était davantage. Elle ne lui avait pas révélé, en revanche, que la maison était pleine de fantômes et que les gens qui y vivaient n'en partaient jamais. Une fois morts, ils revenaient au manoir, et rien ne changeait. La vie continuait, comme sans fin. Inutile de l'affoler. Elle avait enfin la chance de pouvoir mener une vie normale et heureuse. Il n'était pas question que quoi que ce soit vienne tout gâcher ! Et après tout, peut-être que les fantômes chéris de sa famille n'apparaîtraient pas pendant son séjour, ce qui faciliterait les choses.

Leur traversée vers New York fut presque comme une lune de miel, si ce n'est qu'ils logeaient dans des cabines séparées et que Louis était très respectueux envers elle. Ayant compris que sa précédente vie conjugale n'avait duré qu'une seule nuit, il ne voulait pas se montrer impatient. Ils auraient tout le temps qu'ils voudraient ensuite, pour se découvrir l'un l'autre. Bettina était si jeune, si belle ! Quel bonheur qu'elle ait accepté sa demande ! Et ce mariage ferait également de lui un père. Tout était parfait.

Sur le bateau, ils discutaient pendant des heures, allongés au soleil dans des chaises longues, jouaient au palet, nageaient avec Lili dans la piscine, et dînaient chaque soir avec le capitaine avant d'aller danser. Bettina n'avait jamais été aussi heureuse de sa vie. Elle se sentait même plus proche de Lili. Le fardeau de la parentalité, qui lui avait paru si lourd auparavant, était plus léger maintenant qu'il était partagé. Et quel soulagement que Louis ne veuille pas d'autres enfants !

À New York, ils passèrent une nuit au Plaza, puis ils prirent le train pour la Californie, voyageant dans trois compartiments de première classe. Le voyage fut long et fastidieux. Lili fit plusieurs caprices. À dix-neuf mois, elle courait partout et détestait être enfermée dans le compartiment. Accompagné de l'infirmière, Louis se promenait avec elle dans le couloir du wagon, pendant que Bettina faisait la sieste.

À San Francisco, les Butterfield se préparaient au retour de Bettina, qu'ils croyaient définitif. Elle ne leur avait pas dit que son séjour ne serait que de courte durée. Ni qu'un lien sentimental l'unissait à la personne qui l'accompagnait... Gwyneth était impatiente de retrouver sa petite-fille. Cette absence de cinq mois lui avait semblé interminable. En outre, les Gregory avaient loué une maison dans le Maine pendant deux mois, et ils ne reviendraient pas avant la fin août. Charlie manquait terriblement à Magnus. De fait, tout le monde au manoir s'ennuyait sans les Gregory ; en particulier Josiah, qui lisait des romans à Lucy jusque tard dans la nuit, faute d'avoir autre chose à faire.

Gwyneth voulait que la maison soit belle pour le retour de Bettina. Le jour de leur arrivée, elle disposa des vases de fleurs fraîches dans toutes les pièces. Elle choisit elle-même les fleurs et composa les bouquets avec le plus grand soin. Il y en avait tant qu'on se serait cru dans un jardin intérieur. Un parfum floral flottait dans l'air.

— On dirait que nous attendons une visite royale ! se moqua Augusta.

Elle aussi était impatiente de revoir Bettina et Lili. Angus avait proposé d'aller les chercher à la gare, mais Augusta avait réussi à le convaincre de les attendre à la maison. Le temps était brumeux et froid, comme cela arrive souvent à San Francisco en été, et elle redoutait qu'il n'attrape un rhume.

— Qui l'accompagne, au fait ? demanda Augusta.

Elle avait déjà posé la question, mais Gwyneth n'avait toujours aucune réponse précise à lui fournir. C'était un mystère pour eux tous. Gwyneth supposait qu'elle était accompagnée d'une amie rencontrée à Paris, qui resterait un mois ou deux, comme le faisaient régulièrement les Européens, car le voyage était long jusqu'aux États-Unis.

Gwyneth faisait les cent pas dans le hall. Elle aurait aimé aller chercher sa fille et sa petite-fille à la gare, mais elle savait qu'il y aurait beaucoup d'attente pour les malles et les bagages, aussi avait-elle envoyé le chauffeur avec la voiture, et le cocher avec la calèche. Rentré de bonne heure à la maison, Bert était tout aussi impatient de revoir sa fille. Installés au salon, Lucy et Josiah regardaient Augusta et Angus jouer aux cartes. Magnus faisait des bêtises dans le jardin. Chacun patientait comme il le pouvait.

Enfin, ils entendirent la voiture s'arrêter dans la cour. La calèche s'immobilisa à côté. Déjà, tous les Butterfield se ruaient dehors. Vêtue d'un élégant tailleur en lin blanc et portant un large chapeau acheté à Paris, Bettina fut la première à sortir de la voiture. Tenant Lili dans ses bras, l'infirmière la suivait. Gwyneth se précipita pour les embrasser, Bert rayonnait de joie. Descendu en dernier de la voiture, Louis observa la scène familiale. Son costume sombre et son chapeau lui donnaient l'allure austère du banquier qu'il était. Personne ne l'avait encore remarqué. Soudain, il aperçut une dame âgée, fort élégante, qui se tenait en haut de l'escalier menant à la maison et le fixait d'un air revêche.

D'ordinaire, en présence d'un inconnu, elle disparaissait, mais là, elle demeura sur place et interpella sa petite-fille d'une voix forte.

— Bettina ! Qui est-ce ?

Bettina leva les yeux vers sa grand-mère et lui sourit, heureuse de la voir, puis courut vers elle pour l'embrasser. Elle embrassa ensuite son père, puis son frère, sa sœur et son grand-oncle. Quand elle se retourna dans la direction que sa grand-mère pointait du doigt, elle vit Louis qui patientait discrètement. Bert regarda sa fille, puis l'homme au chapeau et au costume sombre, et Bettina lut une question muette dans les yeux de son père.

— Je suis désolée, dit-elle, se rappelant soudain les bonnes manières.

Elle fit signe à Louis de les rejoindre et le présenta d'abord à ses parents. Puis elle lui présenta ses parents :

— Louis de Lambertin, je vous présente mes parents, Bertrand et Gwyneth Butterfield.

Elle sourit fièrement. Gwyneth la prit de nouveau dans ses bras et la serra avec tendresse, pour s'assurer qu'elle était réelle.

— Je vous ai écrit qu'il m'accompagnait, leur rappela-t-elle devant l'air interdit de toute la famille.

— Tu ne nous avais pas précisé que ton invité était un gentleman, dit sa mère.

— J'ai pensé qu'il valait mieux que vous le rencontriez.

Elle tenait à ce que la raison de sa présence soit une surprise.

Louis serra la main de Bert et celle d'Angus, fit un baisemain à sa mère et à sa grand-mère, puis serra également la main de Josiah, qui le salua chaleureusement. Rien dans leur apparence ou leur comportement n'aurait pu suggérer que Josiah, Angus, Augusta et Magnus n'étaient plus de ce monde. Ils se comportaient comme des personnes bien vivantes. Seules leurs subites disparitions – selon leur habitude – pouvaient indiquer qu'ils n'étaient plus tout à fait réels.

— Et si nous entrions prendre le thé ? suggéra Gwyneth avec un sourire.

En pénétrant dans la maison, Bettina ne put que remarquer que sa mère l'avait emplie de fleurs. Elle était très fière du manoir, tout comme Louis l'était du château de sa famille en France. Son père avait accepté de les laisser emménager dans l'hôtel particulier de la place François-Ier après leur mariage. Louis avait hâte de le faire découvrir à Bettina dès leur retour. Ce n'était pas un palais, non plus une demeure aussi vaste que le manoir, c'était néanmoins une très belle propriété. Quant au château bordelais, il était immense, mais glacé et presque impossible à chauffer, voire quelque peu... intimidant.

— Est-il français ? Il est forcément français, disait Augusta. Tu as remarqué ce baisemain ? Aucun Anglais digne de ce nom ne ferait ça.

Louis sourit en entendant ces propos et fut même tenté de faire un nouveau baisemain à la vieille dame, juste pour la choquer un peu. Derrière son apparence stricte, il avait le sens de l'humour.

Une fois qu'ils furent installés au salon, Gwyneth lui tendit une tasse de thé et lui demanda s'il prenait du lait et du sucre ou du citron. Il répondit qu'il le buvait nature. En observant plus attentivement sa fille en compagnie de Louis, Bert comprit aussitôt la raison de sa présence. D'ailleurs, pour quelle autre raison aurait-il entrepris un si long voyage ? Il chuchota quelques mots à l'oreille de Bettina. Elle sourit et hocha la tête.

— Tu aurais pu nous avertir, la gronda-t-il.

— Je voulais que ce soit une surprise, répondit-elle d'un air innocent.

— Eh bien, c'est réussi !

Il la prit à part et la conduisit à la bibliothèque, tandis que Gwyneth et les autres membres de la famille entretenaient avec Louis une simple conversation de politesse. Dans la bibliothèque, Bert s'adressa à sa fille avec le plus grand sérieux.

— Alors, qui est-ce, et comment vous êtes-vous rencontrés ? Qui sont ses parents ? Sont-ils encore vivants ? Il a l'air plutôt vieux pour toi, jugea-t-il sévèrement.

— C'est un homme charmant, Père. Tu vas l'adorer. Il est banquier comme toi. Il est français, possède une demeure à Paris, et un château en Dordogne, ou du moins sa famille. Je l'ai rencontré chez les Margaux, qui l'aiment beaucoup. Et en ce qui me concerne, je l'aime. Nous voulons nous marier.

— Tu ne m'as pas demandé la permission pour ton premier mariage, lui rappela-t-il. Pourquoi maintenant ?

— Louis tient à faire les choses dans les règles, répondit-elle avec solennité.

Bert comprit que c'était important pour elle aussi. Il était heureux que les choses se déroulent ainsi cette fois. Et surtout que sa fille ait rencontré l'homme qui lui convenait.

— Quel âge a-t-il ?

— Il a quarante et un ans, Père. Mais il n'est pas vieux, insista-t-elle.

— Cela fait tout de même dix-huit ans de plus que toi. C'est beaucoup !

— Il est très bon avec moi. Il s'occupera de moi, je te le promets. Et il tient à adopter Lili.

Elle le suppliait presque. De son côté, Bert avait déjà pu constater que Louis était un homme bien et tout à fait convenable. D'ailleurs, jamais les Margaux ne l'auraient présenté à sa fille dans le cas contraire.

— Et où allez-vous vivre ? Ici ou en France ?

Il devina sa réponse avant même qu'elle ouvre la bouche. Elle avait hésité trop longtemps.

— Sa banque se trouve là-bas, Père, dit-elle d'une voix douce, sachant que leur choix attristerait ses parents. Mais vous pourrez venir nous rendre visite aussi souvent que vous le voudrez.

— Cela serait un très long voyage pour nous, répliqua Bert. Et nous ne pouvons pas laisser ta grand-mère et Magnus.

— Bien sûr que si, vous le pouvez ! Il ne peut plus rien leur arriver, désormais ! Oh, en parlant d'eux, s'il te plaît, ne les laisse rien faire de bizarre pendant qu'il est là, et oncle Angus non plus.

Elle savait que Josiah se comporterait bien.

— Je ne peux pas contrôler ta grand-mère, mais je dirai un mot aux deux autres. Quand pensez-vous vous marier ?

— C'est à lui de décider, et bien sûr nous choisirons une date qui vous conviendra, à maman et toi. Où sont les Gregory ?

— Ils sont dans le Maine jusqu'à la fête du Travail.

Elle en fut déçue, car Louis et elle seraient alors déjà de retour en France.

— Eh bien, il ne me reste plus qu'à attendre qu'il fasse sa demande, conclut Bert tandis qu'ils quittaient la bibliothèque.

Dans le salon, Louis était engagé dans un échange animé avec Augusta.

— De quoi parlez-vous, grand-mère ? s'enquit Bettina, légèrement inquiète.

— Je disais à ton ami qu'il a d'excellentes manières pour un Français.

Bettina leva les yeux au ciel et suggéra que l'on montre sa chambre à Louis. La journée avait été longue, ils étaient debout depuis l'aube. Quelques minutes plus tard, Phillips se présenta pour accompagner leur invité dans une des vastes chambres d'amis.

— Nous dînons à dix-neuf heures trente, dit Bert.

Louis lui demanda alors s'il pourrait avoir un entretien avec lui avant le dîner. Bert lui répondit par l'affirmative, tandis que Gwyneth se tournait vers sa fille en haussant les sourcils.

— C'est ce que je pense ? murmura-t-elle en montant avec elle dans sa chambre.

La pièce était restée vide pendant les cinq mois de son absence.

— Oui, Mère, c'est bien cela.

À cette révélation, des larmes emplirent malgré elle les yeux de Gwyneth.

— Je n'aurais jamais dû te laisser aller à Paris, se lamenta-t-elle. Vous allez vivre là-bas, et nous ne nous verrons plus !

Mère et fille s'étreignirent un long moment. Les larmes roulaient sur les joues de Gwyneth.

— Je te promets que je viendrai vous rendre visite, et vous pourrez venir aussi. Louis est un homme si bon, maman !

Gwyneth hocha la tête. Quelle tristesse que sa fille quitte à nouveau le nid familial ! Mais c'est vrai, elle semblait si heureuse !

— C'est réellement ce que tu veux ?

Gwyneth ne se mettrait pas en travers de son chemin. Sa fille avait été si malheureuse à San Francisco ces dernières années. Son triste mariage avec Tony, sa grossesse inattendue, et une vie à la fois trop calme pour une jeune fille, mais avec plus de responsabilités qu'elle ne l'aurait voulu. Elle serait bien plus comblée par sa vie à Paris, avec Louis.

Louis et Bert se mirent d'accord avant le dîner. Bert donna au jeune couple la permission de se marier. Il était impressionné par le sérieux de Louis et comprit qu'il aimait réellement Bettina. Sa fille serait entre de bonnes mains. Par ailleurs, Louis était manifestement un homme qui possédait une belle fortune.

Bettina descendit le grand escalier, vêtue d'une robe du soir de satin bleu pâle. Sur sa tête trônait le diadème qu'elle portait quand elle avait fait son entrée dans le monde. Cette soirée était spéciale. En bas de l'escalier, Louis l'attendait.

— Qu'a-t-il dit ? chuchota Bettina.

— Il a dit oui. Et toi, que dis-tu, ma chérie ?

— Je dis oui, moi aussi, murmura-t-elle, des étoiles dans les yeux.

Il l'embrassa et sortit une petite boîte en cuir noir de sa poche. La bague qu'elle contenait avait appartenu à sa grand-mère. Ses parents la lui avaient confiée quand il était allé en Dordogne. Avec une infinie douceur, Louis la lui passa au doigt. Bettina la contempla, étonnée. La bague lui allait parfaitement ! Alors qu'ils entraient dans la salle à manger, la jeune femme pouvait presque sentir le diamant scintiller à son doigt. Il paraissait si gros sur sa fine main !

Il fallut exactement deux minutes à Augusta pour prendre sa lorgnette et fixer la main de sa petite-fille.

— Qu'est-ce que c'est que ça ? demanda-t-elle, regardant alternativement Bettina et Louis.

— Nous avons quelque chose à vous dire, commença Bettina, mais son père l'interrompit.

S'étant levé, il se tenait à l'une des extrémités de la table et il souriait à tous.

— J'aimerais souhaiter la bienvenue à notre invité, monsieur Louis de Lambertin », dit-il dans un français à l'accent parfait, même s'il n'avait pas parlé cette langue depuis fort longtemps. Il marqua une légère pause et poursuivit avec fierté : « J'ai une annonce à faire. Monsieur de Lambertin et Bettina sont fiancés !

— Depuis quand ? s'écria Augusta.

Elle était furieuse de ne pas avoir été informée plus tôt.

— Il y a vingt minutes, Mère Campbell, répondit Bert. Nous leur souhaitons tout le bonheur du monde. Hélas pour nous, ils vivront à Paris. Monsieur de Lambertin va adopter Lili, il sera donc officiellement son père. C'est un jour très heureux.

Il sourit largement à sa fille, tandis que des larmes coulaient sur les joues de Gwyneth. Cette heureuse nouvelle avait cependant un léger goût d'amertume.

— Je n'arrive pas à croire que toi et Lili allez devenir françaises, maugréa Augusta. Je dois te dire, ma chère petite-fille, que je trouve cela assez choquant.

Elle devait pourtant bien admettre que Louis était fort distingué et qu'il semblait très gentil.

— Quand aura lieu le mariage ? demanda-t-elle.

— Je ne sais pas, répondit timidement Bettina. Nous n'avons pas encore fixé de date.

— Vous devez vous marier ici ! La France est si loin ! Je suis bien trop vieille pour un tel voyage !

Il y avait un autre problème. Vu leur condition de fantômes, Bettina ignorait si sa grand-mère, oncle Angus, Josiah et Magnus pourraient traverser l'Atlantique ! C'était une complication à laquelle elle n'avait pas pensé. Dans trois semaines, Louis et elle seraient repartis et il leur serait difficile de revenir pour se marier. Elle se tourna vers Louis et lui chuchota quelque chose à l'oreille. Il acquiesça d'un hochement de tête.

Après le dîner, elle s'entretint un moment avec ses parents. Lesquels lui donnèrent illico leur accord. C'était la solution parfaite. Ainsi, elle n'aurait pas besoin de révéler à Louis certains faits concernant sa famille. Bettina voulait tout simplement se marier au manoir, avant leur retour en France. Louis aussi était enchanté par cette idée. Ainsi, ils pourraient voyager en tant que mari et femme et vivre sous le même toit dès leur retour dans la capitale française.

— Je m'occupe de tout, promit Gwyneth.

Elle allait se renseigner pour savoir si les Gregory pouvaient rentrer à temps du Maine.

Dès le lendemain, Gwyneth et Bettina se lancèrent dans les préparatifs du mariage. La cérémonie aurait lieu le week-end suivant, ce qui leur laissait à peine une semaine pour tout organiser. Il leur fallait trouver un pasteur, un traiteur et un fleuriste. Une robe de mariée, bien sûr, mais qui ne pourrait être confectionnée sur mesure, faute de temps.

Dans l'après-midi, Bettina et sa mère montèrent au grenier et entreprirent d'ouvrir les boîtes contenant les robes de mariée familiales. Gwyneth avait les épaules plus larges et était plus grande que sa fille ; il aurait fallu plus de temps pour faire ajuster sa robe, que, de toute façon, Bettina jugea démodée. Augusta également était plus grande et plus forte que Bettina, et la jeune femme se serait noyée dans sa robe de mariée. La mère d'Augusta, en revanche, avait à peu près sa taille et sa corpulence. Avec maintes précautions, les deux femmes déplièrent la robe de satin blanc, entièrement incrustée de petites perles. La boîte contenait aussi une tiare en perles. Consciente de sa fragilité et de son ancienneté, Bettina s'en saisit avec délicatesse et l'essaya. Et quand elle enfila la robe, on aurait cru que celle-ci avait été créée pour elle.

Comme Louis était avec Bert à la banque, Bettina descendit sur la pointe des pieds jusqu'à la chambre d'Augusta pour lui montrer la robe. Celle-ci la contempla, saisie d'émotion.

— Puis-je la porter, grand-mère ?

— Bien sûr, répondit Augusta, les larmes aux yeux. Elle te va à ravir. Tu as l'air d'une princesse ! Dommage que ce soit pour épouser un Français, ironisa-t-elle en lui souriant d'un air complice.

Bettina ne s'offusqua pas de sa remarque. Elle savait que sa grand-mère appréciait Louis et se réjouissait de son bonheur.

La jeune femme rangea soigneusement la robe. Elle était ravie. Elle avait des escarpins en satin blanc qui seraient parfaits pour l'occasion et avait déjà décidé de porter ses cheveux relevés, coiffés de la ravissante tiare. Son voile était brodé de perles, ainsi que la longue traîne de la robe.

— Tu seras exquise dans cette tenue, lui assura Gwyneth quand elles regagnèrent la chambre de Bettina.

Quelques minutes plus tard, Gwyneth se rendit dans le bureau de Sybil et lui envoya un courriel.

C'était la seule façon de prendre contact avec elle à un siècle de distance. Elle lui annonça le mariage de Bettina et lui dit leur désir à tous qu'ils puissent être présents. Une heure plus tard, Sybil avait répondu. Hélas, ils ne pourraient être là à temps, car ils devaient organiser le départ d'Andy et Quinne pour Édimbourg, et celui de Caroline pour Los Angeles. Ensuite, Blake devait se rendre à New York pour affaires. Ils étaient désolés de manquer cette belle cérémonie, mais leur emploi du temps familial ne leur laissait pas d'autre choix.

Gwyneth informa Bettina que les Gregory ne pourraient être là pour le mariage. La cérémonie aurait donc lieu en famille seulement. Mais peu importait à Bettina le nombre d'invités. Tout ce qu'elle voulait, c'était Louis, et il en allait de même pour lui.

Le jour venu, un soleil éclatant brillait sur San Francisco. Toute trace du brouillard estival habituel avait disparu. C'était une journée splendide. La cérémonie aurait lieu dans le jardin, sous une arche de roses blanches. Gwyneth avait rempli la maison d'orchidées blanches provenant de leur serre. Elle portait une robe d'un superbe bleu royal, et Augusta, une tenue violette. Lucy arborait une robe en soie rose toute neuve. En jaquette noire, pantalon à fines rayures et chapeau haut de forme, les hommes étaient d'une extrême élégance. Magnus portait les alliances. À la demande de

Louis, Josiah était son témoin, et Lucy, la demoiselle d'honneur de sa sœur.

Émerveillé, Louis vit Bettina descendre le grand escalier du manoir, vêtue de la sublime robe de son arrière-grand-mère, la traîne déployée derrière elle sur toute la longueur des marches. Lucy la suivait, veillant à la bonne tenue de la traîne. La cérémonie fut brève et émouvante. Chaque détail était parfait. Le déjeuner servi dans la salle à manger était délicieux. Angus insista pour jouer de la cornemuse. Personne ne parvint à l'en dissuader, mais il s'essouffla très vite, heureusement.

Louis affirma qu'il n'avait jamais vu une mariée aussi magnifique. Bert avait fait venir un photographe pour immortaliser l'événement. Bien vite, toutefois, ce dernier fut contrarié. Son objectif lui posait un problème. Apparemment, son appareil fonctionnait mal chaque fois qu'il essayait de prendre des photos de la grand-mère de la mariée, de ses deux frères et de son grand-oncle. Les silhouettes étaient floues. Cela ne lui était jamais arrivé auparavant. Les Butterfield s'abstinrent de lui fournir la moindre explication, mais ils avaient bien leur petite idée...

Bettina déclara à Louis que c'était le jour le plus parfait de sa vie.

— Vraiment, madame de Lambertin ? la taquina-t-il.

En fait, pour lui aussi, c'était la plus belle journée de sa vie. Il lui avait promis une lune de miel à Venise à leur retour en Europe, ou à Rome si elle préférait, ou même les deux, pourquoi pas ?

Cette nuit-là, les époux dormirent dans la chambre de Bettina, où elle, sa sœur et ses frères étaient nés. La nostalgie saisit quelques instants la jeune femme. Sa famille et le manoir allaient lui manquer terriblement. Cette bâtisse avait une âme qui lui était propre.

— Tu aimes cette maison, n'est-ce pas ?

— Je l'aimerai toujours, oui.

— Peut-être qu'un jour nous passerons du temps ici, quand nous serons vieux.

Louis avait son château en Dordogne et un hôtel particulier à Paris. Mais ici, c'était chez elle, et ça le serait toujours.

— Peut-être, oui.

Mais elle préférait ne pas y penser. Songer au jour où sa famille ne serait plus là était trop triste.

— T'ai-je dit combien je t'aime ? lui chuchota-t-il à l'oreille en la serrant dans ses bras. Je t'aime encore plus, maintenant que nous sommes mariés.

Cette nuit-là, elle découvrit avec lui les mystères de l'amour. Elle avait l'impression de l'avoir attendu toute sa vie. Désormais, elle était sienne. Oui, désormais, sa vie était aux côtés de Louis. Elle était madame de Lambertin. Et l'avenir s'annonçait radieux.

15

Le moment du départ fut extrêmement difficile pour Bettina. Comment partir, comment quitter sa famille alors qu'elle savait qu'elle ne reviendrait pas, ou pas avant très longtemps ? Pourtant, il lui fallait abandonner ses parents, ses frères et sa sœur. Augusta l'embrassa avec tendresse et lui souhaita d'être heureuse avec Louis. Bettina aurait aimé que ses parents viennent lui rendre visite en France, mais les responsabilités qu'ils avaient ici les empêchaient de voyager aussi loin.

Tandis que la voiture s'éloignait du manoir, Bettina contempla chacun des membres de sa famille qui lui faisait de grands signes de la main. Oncle Angus entama un air de cornemuse. Elle avait souhaité qu'ils ne les accompagnent pas à la gare. Les adieux auraient été trop déchirants... Le cœur de la jeune femme se serra. Elle savait qu'elle se souviendrait éternellement de cette vision d'eux, tout comme elle n'oublierait jamais le jour de son mariage parmi les siens.

Leur visite à San Francisco s'était déroulée à merveille. Et Louis n'avait aucune idée des par-

ticularités de sa famille. Il n'avait pas de raison
d'avoir le moindre soupçon.

— Tu m'avais laissé entendre que les Butterfield
étaient des excentriques, qu'ils aimaient jouer des
tours aux gens, dit-il sur le chemin de la gare.
Je n'ai pas trouvé... Ta grand-mère s'est mon-
trée charmante ; elle m'a presque pardonné d'être
français !

— C'est parce que tu l'as charmée. Toute
ma famille t'aime, ajouta-t-elle en se blottissant
contre lui.

Ils s'installèrent dans leurs compartiments. Peu
après, le train se mit en branle. Un bras autour de
ses épaules, Louis tenait Bettina serrée contre lui
tandis qu'elle regardait sa ville natale disparaître
au loin.

Bettina apprécia d'effectuer le voyage de retour
en tant que femme mariée. La traversée en bateau
vers l'Europe fut particulièrement agréable. Une
fois à Paris, ils emménagèrent dans l'ancienne maison des parents de Louis. Bettina s'attela à faire en
sorte qu'ils s'y sentent comme chez eux désormais.
La demeure était un peu sombre, mais avec de nouveaux rideaux, en changeant les meubles de place
et en disposant des bouquets de fleurs fraîches,
elle avait déjà meilleure allure. S'occuper de leur
maison lui donnait l'agréable sensation d'être plus
adulte, et elle aimait organiser leur nouveau foyer
en attendant que Louis rentre de la banque. Ils
faisaient l'amour plus qu'elle n'aurait jamais pu
l'imaginer, et elle était si heureuse qu'il ne veuille
plus d'enfants ! Lili leur suffisait à tous les deux.

Elle aurait détesté avoir un autre enfant. Louis le savait et l'avait accepté. C'était un mari et un amant aimant et attentionné. Leur lune de miel de trois semaines à Venise et à Rome fut idyllique.

Elle écrivait à sa mère presque tous les jours.

Quand Blake, Sybil et Charlie rentrèrent à San Francisco, Gwyneth leur raconta tous les détails du mariage.

— C'était magnifique, dit-elle sur un ton nostalgique, les larmes aux yeux.

— J'aurais aimé que nous soyons là.

Sybil avait été triste de manquer la cérémonie.

— Moi aussi.

Bettina lui avait écrit que Louis avait entamé le processus d'adoption pour Lili dès leur retour à Paris. Cela signifiait que sa petite-fille hériterait un jour d'une fortune très importante. Bettina également serait tranquille sur le plan financier jusqu'à la fin de ses jours – sans compter qu'elle hériterait également de ses parents. La jeune femme détestait penser à tout cela, mais c'était réconfortant de savoir que son avenir était assuré. Et le meilleur de tout, c'est qu'elle et Louis étaient follement amoureux !

Pour Gwyneth, le bonheur de sa fille compensait la tristesse de l'éloignement.

— On ne sait jamais comment les choses vont tourner, n'est-ce pas ? lâcha Sybil, tandis qu'elle et Gwyneth se promenaient dans le jardin. Tu crois savoir, mais il y a toujours une petite surprise, voire une grosse, bonne ou mauvaise, qui surgit dans ta vie.

Bettina ne s'attendait certes pas à rencontrer l'amour, ni à passer le reste de ses jours en France. Son foyer était désormais là où vivait Louis. Personne n'aurait pu imaginer un tel bouleversement dans sa vie. D'une certaine façon, c'était rassurant de constater qu'après le chagrin venait le temps du bonheur.

Sybil travaillait dur sur son livre. Elle avait bien progressé et s'efforçait de le terminer pour la fin de l'année. Un jour – il devait être à peu près quinze heures –, elle était en train de plancher sur un chapitre particulièrement difficile quand elle entendit Blake rentrer à la maison. Quelques instants plus tard, elle le rejoignit dans leur chambre. Il était assis sur le lit, la tête entre les mains. L'anxiété la saisit.

— Qu'est-ce qui t'arrive ? Tu es malade ?

— Peut-être.

Le visage pâle, il la fixa du regard. Elle comprit immédiatement que quelque chose n'allait pas. Jamais elle ne l'avait vu dans un tel état.

— Que se passe-t-il ?

Elle s'assit à côté de lui et prit sa main dans la sienne. Il n'avait pas d'autre choix que de se montrer honnête envers elle. Le mensonge n'avait pas sa place dans leur couple.

— L'entreprise est en difficulté. Nous avons pris trop de risques financiers. Nos deux brillants geeks qui ont gagné des milliards avec leurs entreprises précédentes s'y sont mal pris cette fois-ci. Ils se sont endettés lourdement il y a quelques mois, pensant qu'ils parviendraient à couvrir leurs pertes, mais c'est impossible à ce stade. De mon côté, j'ai investi beaucoup d'argent pour essayer de sauver l'entreprise. Plus que je n'aurais dû.

Leur épargne était désormais bloquée dans l'affaire en laquelle il avait cru, et le *Titanic* était sur le point de couler.

» J'en avais parlé à Bert, et j'avoue qu'il m'avait donné de bons conseils. J'aurais dû l'écouter et me retirer, mais au lieu de cela, j'ai investi encore plus d'argent. À présent, si nous ne pouvons pas rembourser nos prêts, nous allons nous retrouver avec des poursuites judiciaires, à la fois au niveau de l'entreprise, mais aussi personnellement.

— Tu veux dire que tu risques d'aller en prison ? demanda-t-elle, horrifiée.

Blake secoua la tête.

— Je ne pense pas. Mais il est possible que nous perdions tout ce que nous avons.

Il avait l'air paniqué.

— Que puis-je faire pour t'aider ?

— Je vais en discuter avec Bert quand il rentrera.

Il avait déjà parlé à son propre gestionnaire de patrimoine, mais il tenait à écouter l'avis de Bert.

» Syb, autant te prévenir, nous risquons d'être très vite à court d'argent.

Elle hocha la tête, essayant de se représenter ce que cela signifierait pour eux et leurs enfants. Ce qu'elle gagnait en tant que commissaire d'expositions et auteure d'articles ne ferait aucune différence. Pas plus que les droits d'auteur de son livre, quand elle l'aurait terminé. Elle avait toujours connu le luxe de ne pas avoir à se soucier de son salaire, Blake gagnant assez d'argent pour toute la famille.

— Aurons-nous besoin de vendre le manoir ? s'enquit-elle sur un ton qu'elle voulut détaché.

Elle détesterait perdre cette maison, ainsi que l'incroyable famille du siècle dernier qui l'habitait avec eux. Leurs vies étaient tissées ensemble comme les fils d'une tapisserie mêlant le passé au présent.

Blake afficha un air grave.

— Je pense que nous avons une décision à prendre, répondit-il en toute honnêteté. C'est une demeure particulière, et il faudra du temps pour trouver le bon acheteur. Nous n'y habitons pas depuis très longtemps. L'appartement de Tribeca se vendrait beaucoup plus vite et bien mieux, mais je sais combien tu y tiens et à quel point tu aimes New York.

Soudain, ils entendirent la porte d'entrée se refermer. C'était Bert. Blake se leva aussitôt, laissant Sybil seule dans leur chambre. Songeuse, elle se tourna vers la fenêtre et contempla le jardin. Qu'allait-il advenir à présent ?

Ce soir-là, les deux hommes passèrent des heures à étudier les chiffres. Le verdict était implacable. Blake devait vendre le loft de New York ou le manoir de San Francisco pour récupérer l'argent nécessaire afin de rembourser ses dettes.

— Je déteste l'idée de vendre, lâcha-t-il. C'est aussi l'argent de Sybil.

— Tu pourras peut-être récupérer une partie de cet argent plus tard, mais là, tu n'as pas le choix... Les hommes avec qui tu es en affaires jouent gros. Trop gros. Leurs hypothèses ne sont pas solides. Pas plus que leurs analyses. Retire-toi de cette affaire dès maintenant, si possible. Tu pourras toujours te lancer dans autre chose plus tard, sans eux. Ce sera mieux pour toi. Ces partenaires sont du genre à te faire prendre trop de risques financiers.

Blake savait que Bert avait raison. Ébloui par les précédents succès des deux geeks, il s'était laissé impressionner. À cause de leur éclatante réussite, il s'était montré stupide et naïf. Et quand son instinct lui avait dicté de faire marche arrière, il ne l'avait pas écouté. Aujourd'hui, il devait payer pour ses erreurs de jugement.

Il remercia Bert pour le temps qu'il lui avait accordé et, le cœur lourd, il monta rejoindre Sybil pour discuter des différentes options qui s'offraient à eux. Elle aussi avait le droit de décider.

Sybil l'attendait. Aussitôt, elle lui annonça qu'elle avait pris une décision importante.

— Moi aussi, dit-il d'un ton sinistre. Tu commences ?

— Je veux que nous vendions l'appartement de Tribeca, déclara-t-elle tout de go. J'adore San Francisco et cette maison, et je sais que toi aussi. Les Butterfield font partie de notre famille maintenant. Et nous gagnerons plus d'argent en cédant le loft.

Il la regarda avec incrédulité. Lui qui pensait qu'elle ne voudrait jamais se séparer du loft de Tribeca.

— Tu es sérieuse ? Tu ne le regretteras pas ?

— Je ne veux pas retourner à New York, répéta-t-elle. Alors, vendons-le, ce loft ! C'est décidé !

Il l'enlaça avec tendresse. Vendre l'appartement de New York était en effet la meilleure solution. La somme qu'ils en obtiendraient lui épargnerait les poursuites judiciaires. Les larmes aux yeux, il remercia Sybil.

Le lendemain matin, ils appelèrent leur agent immobilier à New York et mirent le loft en vente. Le prix demandé était élevé, mais l'appartement le valait bien. Et en effet, cinq semaines plus tard, il partait à un bon prix. Jusque-là, Blake avait réussi à garder ses intentions secrètes au bureau, et Bert l'aidait presque tous les jours. Blake savait que la ruine de son ami était due à un krach national, et non à ses propres erreurs. Grâce à ses conseils, au soutien de Sybil et à la vente de leur appartement new-yorkais, il réussit en deux mois à se sortir d'une situation potentiellement désastreuse et à quitter la start-up. Il avait gâché beaucoup d'argent, mais au moins n'avait-il pas tout perdu. Et ils possédaient toujours le manoir.

Après mûre réflexion, Blake décida qu'il créerait sa propre entreprise. Il allait laisser les choses se calmer pendant un certain temps, puis il se lance-rait dans un projet fondé sur des principes solides en lesquels il croyait fermement. Il ne gagnerait peut-être pas autant qu'avec les geeks, mais il ne perdrait pas autant non plus.

Au plus fort de la crise, Sybil s'était envolée pour New York, avait emballé tous leurs biens et les avait fait expédier à San Francisco. Elle ne s'était pas plainte une seule fois du chaos dans lequel Blake les avait entraînés, et il lui en était profondément reconnaissant. Après cette période pénible et stressante pour eux deux, passer Thanksgiving avec les Butterfield leur mit du baume au cœur. Caroline était venue avec Max, mais Andy n'avait pas pu rentrer d'Édimbourg puisque ce n'était pas un jour férié là-bas.

16

Sybil était dans la dernière ligne droite de son livre. Elle était en train de classer divers documents dans son bureau, quand elle posa les yeux sur la boîte que la banque lui avait donnée, celle qui contenait des photos du clan Butterfield et le livre de Bettina. Elle sourit. Cela faisait près de trois ans maintenant qu'ils avaient acheté le manoir. Elle en savait tellement sur eux aujourd'hui, probablement même plus que Bettina quand elle avait rédigé son recueil. Sybil avait l'avantage de pouvoir ajouter le présent au passé, tandis que Bettina ne pouvait que deviner l'avenir.

Elle jeta un coup d'œil aux photos : certaines montraient Lili quand elle était bébé. Sur d'autres, elle apparaissait avec Bettina, peu après sa naissance. Bettina avait l'air si sérieuse, si malheureuse. Ses responsabilités de mère la rongeaient. Heureusement, elle était désormais mariée à un homme merveilleux dont elle était follement amoureuse, et qui veillait sur Lili et elle. Son bonheur éclatait à travers ses lettres. Elle avait tiré un trait sur sa vie aux États-Unis et elle était persuadée qu'elle ne reviendrait jamais y vivre.

Sybil s'attarda sur des photographies de Magnus et Josiah, de Bert et Gwyneth. Ces derniers avaient l'air si jeunes quand ils s'étaient mariés ! Il y avait aussi un cliché de Bettina à l'époque où elle avait racheté le manoir, après la mort de Louis, en 1950. C'était bizarre de penser qu'il était en fait déjà décédé, sachant qu'ils s'étaient mariés juste trois mois auparavant. Mais en temps réel, Bettina l'avait épousé à l'été 1919. Parfois, Sybil oubliait qu'elle revivait l'histoire avec eux parce que les moments qu'ils passaient ensemble étaient très... vivants. Un siècle séparait les deux familles, mais celles-ci partageaient leur quotidien dans une faille temporelle. C'était si déroutant, parfois !

Une photo de Gwyneth avait été prise après la mort de Bert, en 1930, lorsque Bettina l'avait emmenée vivre avec elle à Paris, après la vente du manoir. Gwyneth avait l'air si ravagée, si perdue sans son mari adoré, que le cœur de Sybil se serra. Gwyneth était morte quelques mois plus tard, en 1932. Après cela, les seuls Butterfield encore en vie étaient Bettina et Lili, et il n'y avait plus de photos. Soudain, une idée frappa Sybil. Dans son récit, Bettina avait écrit que Lili s'était mariée en France après la guerre, avec un certain Raphaël Saint Martin, médecin. Elle avait eu un fils du nom de Samuel, né en 1946. Pour autant que Sybil le sache, celui-ci était le dernier descendant de Gwyneth et Bert. Il n'y avait pas d'autres héritiers, car Bettina avait été leur seule enfant survivante, Lili, la seule enfant de Bettina, et Samuel, l'unique enfant de Lili. Il était le dernier de la lignée Butterfield. Où vivait-il ? S'était-il intéressé au manoir ? En connaissait-il au moins l'existence ? Lili, sa mère, avait vendu la propriété après le décès de Bettina, en 1980. Et lui, qu'était-il devenu ?

Le banquier lui avait expliqué que Lili avait vendu le manoir depuis la France sans même venir le voir, parce qu'elle était en mauvaise santé. Et quand il avait visité le manoir, Michael Stanton avait dit que Lili n'était probablement plus en vie, d'après son ressenti. Elle aurait eu cent un ans aujourd'hui, et, si Samuel était encore en vie, il aurait soixante-treize ans.

Pour la première fois, Sybil se sentit investie d'une mission envers les Butterfield : elle devait tenter de prendre contact avec Samuel. Peut-être ignorait-il tout de ses ancêtres, puisque Lili n'avait aucun lien réel avec la demeure. Dans son livre, Bettina avait toujours admis que sa fille et elle n'avaient jamais été proches. Elle s'en voulait, d'ailleurs. Les racines de Lili étaient en France ; n'ayant aucune connaissance de l'histoire des Butterfield, elle ne pouvait donc la transmettre à son fils.

Oui, c'était bien là sa mission. Sybil voulait trouver Samuel et lui parler du manoir et de la merveilleuse famille qui y avait vécu, qui était aussi la sienne. Ce serait un cadeau qu'elle lui ferait en mémoire de Gwyneth et Bert. Samuel Saint Martin était le dernier maillon de la chaîne. Elle et Blake étaient les gardiens de l'histoire des Butterfield avec leurs victoires et leurs rêves brisés, mais Samuel en était l'héritier légitime. Il avait le droit de la connaître, et aussi celui de les rencontrer, ce que lui permettrait la faille temporelle, s'il le désirait, et avec leur accord. Il pourrait faire la connaissance d'Augusta, son arrière-arrière-grand-mère ; de Magnus, son grand-oncle ; ainsi que de Bert et de Gwyneth, ses arrière-grands-parents.

Sybil serait le pont entre les Butterfield qu'elle connaissait et leur dernier descendant. Il ne lui restait plus qu'à trouver Samuel… et à le convaincre qu'une telle rencontre avec ses aïeuls était possible, et que, non, elle n'était pas folle ! Elle avait le sentiment que lorsque, après la mort de Louis, Bettina avait racheté la maison, elle et sa famille avaient vécu dans la dimension temporelle qui était celle-là même où Sybil les voyait au quotidien. Ainsi les Butterfield avaient-ils pu côtoyer Bettina dans ses dernières années, jusqu'à son décès.

Oui, Samuel méritait de connaître l'histoire de sa famille. Et elle était la seule à pouvoir lui offrir cette incroyable possibilité.

17

Après y avoir réfléchi toute la nuit pour savoir si c'était réellement la bonne chose à faire, Sybil entama ses recherches sur Samuel Saint Martin, à la fois anxieuse et impatiente. Tout ce qu'elle savait de lui, c'est qu'il était le fils de Lili.

Son père Raphaël avait été médecin, et si lui et Lili avaient eu d'autres enfants, Bettina n'en faisait pas mention dans son livre.

Sybil ne parla à personne de ses recherches. Peut-être n'aboutirait-elle à rien. Peut-être Samuel était-il déjà décédé. Et comment savoir si les Butterfield accepteraient de le rencontrer ? Quand Bettina était partie vivre en France, Lili n'était qu'un bébé. Elle n'avait jamais fait partie de leur vie. Alors, faire la connaissance de son fils ? Qui sait si cela les intéresserait ? Ils vivaient dans l'enceinte de la propriété, dans l'univers qu'ils connaissaient, avec les membres de leur famille qu'ils côtoyaient depuis plus d'un siècle. À leurs yeux, Samuel ne faisait peut-être pas partie de la famille. Néanmoins, Sybil était convaincue qu'elle devait lancer ces recherches. Elle avait la curieuse impression d'être guidée dans ce travail.

En moins d'une heure, elle trouva Samuel sur Facebook, ou en tout cas un homonyme. Cela avait été étonnamment facile, et l'âge correspondait. Sur le réseau social, sa page indiquait qu'il était professeur d'histoire à la Sorbonne, qu'il vivait dans le cinquième arrondissement de Paris, sur la rive gauche, non loin de Saint-Germain-des-Prés. Sybil brûlait de curiosité. Était-ce lui ? Était-il le fils de Lili ?

Cet après-midi-là, elle était en train de rédiger un courriel à son attention quand Gwyneth vint la rejoindre dans son bureau.

— Qu'est-ce que tu fais ?

Gwyneth s'ennuyait. Bettina lui manquait et elle n'avait reçu aucune lettre d'elle depuis une semaine. Sa fille s'affairait à organiser sa nouvelle maison, et le couple sortait beaucoup. Bettina lui avait écrit que sa vie de jeune mariée l'épanouissait, qu'elle était ravie d'avoir sa propre demeure.

— Je suis à la recherche de ton arrière-petit-fils.

Gwyneth crut qu'elle plaisantait.

— Très drôle.

— Je suis sérieuse. Je sais que ça n'a aucun sens, mais c'est une de ces choses liées à la faille temporelle que je ne peux pas expliquer.

Gwyneth hocha la tête. Tout ceci, leur rencontre, leur quotidien commun, ce que le clan Butterfield lui-même vivait était si étrange ! Cela la troublait, aussi évitait-elle d'y penser. Où étaient le passé, le présent et le futur ? C'était beaucoup plus facile de tout considérer comme réel, actuel. D'ailleurs, Bert n'aimait pas qu'elle parle de cette faille temporelle dans laquelle ils vivaient ; il lui avait interdit d'en discuter avec quiconque.

— J'ai donc un arrière-petit-fils ? demanda-t-elle, mal à l'aise.

Bert ne voulait pas qu'elle pose des questions sur l'avenir, même si Sybil connaissait les réponses.

— Oui. Le fils de Lili.

Quel mal y avait-il à en informer son amie, songea Sybil, tant qu'elle ne l'avertissait pas des tragédies qui allaient survenir et auxquelles personne ne pourrait rien changer ?

— Tu ne devrais pas travailler sur ton livre ? s'enquit Gwyneth, histoire de changer de sujet.

— Ne m'en parle pas ! Je fais une pause. J'ai presque terminé.

— Est-ce que tu sais où il est ? Mon arrière-petit-fils, je veux dire.

— Peut-être. S'il s'agit bien de lui, il est professeur d'histoire à la Sorbonne. C'est tout ce que je sais. Le reste n'est que suppositions. Il se peut que, si je le trouve, il ne soit pas du tout intéressé par l'histoire de ses ancêtres. Mais je me suis dit que toi, ou Bettina, ou quelqu'un de votre famille, ta mère par exemple, vous aimeriez que je lui parle de vous tous, pour que vous puissiez le rencontrer.

Gwyneth sourit.

— Oui. Je pense que ce serait bien que nous nous rencontrions. Nous sommes encore tous là. Autant qu'il soit au courant de notre existence. » Elle regarda Sybil avec gratitude. « Parfois, reprit-elle, je me dis que si nous sommes là, c'est grâce à toi et Blake. Si vous n'aviez pas acheté la propriété, nous ne serions plus dans notre maison.

C'était l'une de ces rares fois où l'un des résidents du manoir reconnaissait que leur mode de vie, y compris celui des Gregory, était plutôt étrange et défiait l'entendement.

— Je ne crois pas, répondit Sybil en toute franchise. Je suis persuadée qu'avec ou sans nous vous seriez là de toute façon. Vous êtes tous tellement attachés au manoir et à votre vie ensemble que vous ne partirez jamais d'ici. Vous étiez déjà présents quand nous sommes arrivés. Nous vous avons trouvés, c'est tout, mais ce n'est pas nous qui vous avons attirés ici.

Sybil disait vrai. Les Butterfield n'avaient jamais quitté le manoir et ne le quitteraient peut-être jamais. Elle sourit chaleureusement à Gwyneth. Une profonde amitié liait les deux femmes.

— Vous ne vous lassez jamais de nous ? demanda Gwyneth – puisqu'elles avaient ouvert un sujet interdit, autant qu'elle pose toutes les questions qui la taraudaient.

Sybil sourit.

— Jamais, sauf quand Angus joue de la cornemuse.

À cette remarque, elles éclatèrent de rire, puis Sybil se concentra à nouveau sur ses recherches.

» J'essaie de trouver le numéro de téléphone de cet homme. Peut-être que je devrais appeler les renseignements de Paris.

Ce qu'elle fit, pendant que Gwyneth s'émerveillait encore des merveilles de la technologie moderne. Un instant plus tard, quand Sybil se retourna pour lui parler, Gwyneth avait disparu. Elle était allée vérifier que Magnus ne faisait pas de bêtises. Par ailleurs, elle ne voulait pas être présente lors de l'appel.

Ces derniers temps, Magnus était turbulent. Charlie avait plus de devoirs à faire et n'était plus aussi disponible pour jouer avec lui. Sybil se demandait si elle ne perturbait pas ses enfants en les laissant être amis avec des fantômes. Que diraient-ils à leurs propres enfants sur ce sujet si étrange et délicat à la fois ? Qu'est-ce que Bettina avait dit à sa fille ? Lui avait-elle parlé de ce phénomène inhabituel ? Et si oui, Lili l'avait-elle crue, ou avait-elle pensé que sa mère était sénile ? Que ses propos n'étaient que les étranges fantasmes d'une vieille femme vivant dans son passé ? Sybil était quasiment sûre que, si Bettina était revenue au manoir après la mort de Louis, c'était pour retrouver les siens.

Quoi qu'il en soit, aujourd'hui, ni elle ni Blake ni les enfants ne voulaient plus quitter la maison. Les Butterfield avaient enrichi leur vie de tant de façons ! Elle ne pouvait imaginer vivre sans eux. Ils jouaient tous un rôle important dans l'univers des uns et des autres.

Dans son impatience, Sybil voulut téléphoner à Samuel Saint Martin à Paris. Elle se rendit compte à temps qu'il était une heure du matin là-bas. Elle devrait attendre quelques heures, disons jusqu'à minuit.

Elle retourna à ses recherches, mais fut incapable de se concentrer. Elle avait envie d'écrire la suite de l'histoire des Butterfield, de reprendre le livre de Bettina là où celle-ci s'était arrêtée. D'un autre côté, Samuel Saint Martin était professeur d'histoire. Ce serait plutôt à lui de la rédiger, non ? Il pourrait se servir du livre de Bettina comme base. C'est peut-être pour cette raison que Sybil se sentait obligée de le retrouver : pour lui transmettre toutes les informations qu'elle possédait sur sa famille. Car après tout, il devait bien y avoir une raison à ce besoin si fort qu'elle éprouvait d'entrer en contact avec lui. Quelqu'un ou quelque chose la poussait indéniablement vers lui.

Ni elle ni Gwyneth n'évoquèrent Samuel ce soir-là au dîner. Elles discutèrent de leurs projets pour Noël, qui arrivait à grands pas, dans un mois à peine. Tout le monde serait à la maison sauf Bettina. La jeune femme avait écrit qu'elle passerait les vacances en Dordogne avec son mari et ses beaux-parents. Gwyneth confia à Sybil à quel point elle allait leur manquer.

— Tu n'aurais jamais dû la laisser épouser un Français, lâcha Augusta d'un ton réprobateur. Je te l'ai dit ! Elle élèvera Lili comme une petite Française. Cette fillette ne nous connaîtra jamais.

— Tu aimais bien Louis, maman, lui rappela Gwyneth.

— C'est vrai, admit Augusta. Mais Bettina aurait tout de même dû épouser un Américain. Un

282

gentleman de notre milieu, précisa-t-elle, faisant référence au père de Lili et au regrettable épisode marital de Bettina avec le fils du restaurateur.

Ils n'avaient plus eu de nouvelles des Salvatore. L'union de leurs enfants n'avait eu qu'un résultat positif : Lili. Et maintenant que Louis l'avait adoptée, on pouvait oublier complètement les Salvatore.

— La jeune comtesse se joindra-t-elle à nous pour Noël cette année ? demanda Augusta à Sybil.

Elle parlait de Quinne.

— Je ne suis pas sûre.

Andy était très amoureux d'elle, mais ils étaient si jeunes ! Quinne rendrait probablement visite à sa propre famille, même si, en matière de projets, tout le monde semblait très désorganisé chez elle.

Après le dîner, Sybil monta dans sa chambre avec Blake et, dès qu'il se fut endormi, elle se rendit dans son bureau pour appeler Samuel. Il était minuit. Pour lui, ce serait le matin.

Elle avait obtenu son numéro en contactant les renseignements internationaux. Pourvu que ce soit le bon ! Le téléphone sonna longtemps. Enfin, il décrocha. Il avait une voix jeune malgré son âge et, bien sûr, il répondit en français. Aussitôt, elle lui demanda s'il parlait anglais. Son français universitaire était trop rouillé pour qu'elle se lance dans une telle conversation avec lui.

— Oui, répondit-il, perplexe quant à l'identité de son interlocutrice.

Pendant un instant, Sybil se demanda par où commencer, puis elle se lança.

— Je sais que cette conversation va vous surprendre, mais je suis une amie de la famille Butterfield, la famille de votre grand-mère Bettina. Mon mari et moi avons acheté leur maison à San Francisco il y a trois ans, et j'ai en ma possession un livre écrit par votre grand-mère sur votre famille et la maison, ainsi que de nombreuses photos. Je me demandais si vous voudriez les récupérer, ou même si... vous aimeriez visiter la maison.

Voilà, maintenant la balle était dans son camp. Comment allait-il réagir ?

— Eh bien... Je ne sais vraiment rien d'eux. Ma mère est arrivée en France à l'âge d'un an et ne s'est jamais intéressée à la famille de ma grand-mère. Elle était plus proche de la famille de mon grand-père français. Et ma grand-mère américaine est retournée aux États-Unis quand j'avais quatre ans. Je ne l'ai vue qu'en de rares occasions. Ma mère et elle n'étaient pas proches. Mais merci à vous. Vous pouvez m'envoyer un exemplaire du livre si vous le souhaitez ; j'aimerais le lire. Était-ce des gens intéressants, ou simplement de riches Américains ?

La question déplut à Sybil. Les Butterfield méritaient plus de respect que cela ! Mais au moins avait-elle trouvé le bon Samuel Saint Martin...

— Très intéressants ! Et ils avaient tous un sacré tempérament ! Votre arrière-arrière-grand-mère était écossaise. Votre grand-oncle a été un héros pendant la Première Guerre mondiale, et votre arrière-grand-père était un banquier très respecté.

— Il a perdu tout son argent pendant la Grande Dépression, si je me souviens bien. La fortune de ma mère, Lili, vient du côté de son père. D'après ce qu'elle me racontait toujours, la famille de sa mère avait tout perdu. Elle ne possédait plus que ce qui provenait de l'héritage de mon grand-père français, Louis. Et Bettina, donc, n'a pu racheter sa maison familiale qu'avec ce qu'il lui avait laissé. Elle est retournée aux États-Unis après sa mort.

Il parlait de tout cela sur un mode très tranché, très sec. Il ignorait complètement qui étaient ses ancêtres en tant que personnes et ce qu'ils avaient vécu.

» Ma mère disait toujours que Bettina devenait une véritable recluse quand elle retournait là-bas, qu'elle ne vivait qu'avec ses souvenirs. Qu'elle était très triste. Elle n'est jamais revenue en France. Et la santé de ma mère s'est détériorée. Elle n'était plus vraiment en mesure de voyager. Elle ne lui a rendu que de rares visites. Par conséquent, je n'ai jamais vraiment connu ma grand-mère. Je suis beaucoup plus proche de ma famille française. Quand j'étais enfant, mis à part ma grand-mère, tous les membres de ma famille américaine étaient déjà décédés. Chaque année jusqu'à sa mort, elle m'a envoyé un chèque pour Noël et pour mon anniversaire, mais je n'avais aucun autre contact avec elle. Elle a tout légué à ma mère quand elle est morte. Mais ma mère n'est jamais retournée voir la maison, elle n'avait pas de souvenirs là-bas, et elle était déjà très malade, elle souffrait de la maladie de Parkinson, alors elle l'a vendue. Y a-t-il des fantômes dans cette vieille maison ?

Devant cette question posée en manière de boutade, Sybil eut envie de crier : « Oui ! » Elle avait vraiment envie de le faire changer d'avis à l'égard des Butterfield. À l'écouter, on comprenait bien qu'ils avaient moins d'importance pour lui que sa famille française. Décidément, Augusta avait peut-être raison à propos des Français.

— Les Butterfield étaient une famille merveilleuse. Nous adorons la maison. C'est un endroit magnifique empli de leur histoire, dit-elle d'une voix émue.

— Si je me souviens bien, c'est très grand, d'après ce que ma mère m'a raconté... Ma fille aimerait peut-être le voir, annonça-t-il soudain. Elle est étudiante en architecture aux Beaux-Arts, et elle est fascinée par les vieilles demeures.

Il songeait à vendre le château familial qu'il avait encore en Dordogne, tant il était difficile et coûteux à entretenir, mais sa fille, elle, aurait aimé qu'il le garde.

Sybil fut surprise d'apprendre que Samuel avait une fille assez jeune pour être étudiante. Il avait tout de même soixante-treize ans...

— Je me suis marié très tard, c'est une tradition dans la famille, expliqua-t-il, répondant à la question muette de Sybil. J'avais cinquante ans quand j'ai épousé la mère de ma fille. Une femme plus jeune que moi, professeur d'art. Ma fille Laure a vingt-deux ans, elle est formidable. Sa mère et moi sommes divorcés, mais Laure passe beaucoup de temps avec moi, et nous partageons une passion pour l'art et l'histoire. Je suis professeur d'histoire de l'art à la Sorbonne. Mon père, lui, était médecin, et ma mère infirmière pendant la guerre, mais ils ne nous ont pas transmis leur goût pour la médecine. Ce sont l'art et l'histoire qui ont gagné !

À cette dernière remarque, il laissa échapper un nouveau rire. Sybil n'arrivait pas à décider si elle l'appréciait ou non. Il avait l'air un peu pompeux et très *français*, mais il s'était considérablement adouci quand il avait évoqué sa fille.

— Et votre fille, a-t-elle connu Lili ? s'enquit-elle.

— Malheureusement non. Ma mère est morte six ans avant sa naissance, dix ans après sa propre mère.

Sybil apprit ainsi que Lili était morte en 1990. Michael Stanton avait donc raison lorsqu'il disait avoir le sentiment que Lili n'était plus en vie lorsqu'il avait visité le manoir. Elle était morte à soixante-douze ans, ce qui n'était pas très vieux.

— Je pense que le manoir vous plairait beaucoup, dit-elle. Puisque vous vous intéressez à l'art et à l'histoire...

Et il pourrait rencontrer ses ancêtres, s'ils acceptaient, ou au moins voir où ils avaient vécu et en apprendre davantage sur eux. Elle voulait l'encourager à faire le déplacement, mais elle ignorait comment.

— Sûrement, mais San Francisco est bien loin de Paris. » C'était un vol de onze heures, assorti d'un décalage horaire de neuf heures. « Peut-être que ma fille viendra un jour, poursuivit-il. J'ai un programme d'enseignement chargé en ce moment, et je suis sur le point d'entamer la rédaction d'un livre.

À nouveau, Sybil le trouva pompeux.

— Moi, je suis en train d'en finir un, lâcha-t-elle.

Bon, sur ce plan ils étaient à égalité. Mais ce n'était pas là le but de son appel.

— Vous êtes historienne ? demanda-t-il avec curiosité.

Son interlocutrice semblait en savoir beaucoup sur ses parents et grands-parents, les anciens propriétaires de la maison où elle vivait.

— Non, je suis commissaire d'exposition sur le style années 50 du siècle dernier, et j'écris sur le design. Sybil Gregory.

Elle avait décliné son identité, au cas où il voudrait vérifier ses références sur Internet et s'assurer qu'il ne parlait pas à une personne à l'esprit dérangé.

— Vous devriez écrire sur les Butterfield, suggéra-t-il. Ou au moins sur la maison, si elle est encore belle.

— Absolument. Mais à mon avis, c'est vous qui devriez écrire sur eux, étant donné que vous êtes historien. Je ne sais pas pourquoi, mais je pensais que vous seriez intrigué par la propriété et par votre famille.

Elle essayait de piquer son intérêt. Même Gwyneth s'était intéressée à l'existence de son arrière-petit-fils. Samuel était le dernier membre vivant d'une famille merveilleuse. Enfin non, Sybil savait maintenant qu'il avait une fille. Laure était donc l'arrière-arrière-petite-fille de Gwyneth ! C'était incroyable ! Comme il serait formidable de pouvoir les faire se rencontrer, toutes les deux !

— Je ne peux pas imaginer écrire sur une famille que je n'ai jamais vraiment connue, répondit-il. Mais envoyez-moi quand même le livre, j'aimerais le lire. Vous avez éveillé mon intérêt. Vous êtes une bonne ambassadrice des Butterfield, à titre posthume.

Sybil sourit. Pas aussi posthume qu'il le pensait, mais il lui était impossible d'aborder ce sujet, et certainement pas au téléphone. Il lui aurait raccroché au nez, et elle n'aurait pu lui en vouloir.

— On sent très fortement leur présence dans la maison. C'était un endroit très important pour eux, déclara-t-elle néanmoins.

— C'est ce que ma mère disait toujours. Elle me racontait qu'à mesure que ma grand-mère vieillissait, surtout après la mort de son mari, elle était plus attachée à son passé, aux Butterfield et au manoir, qu'à ses proches, comme ma mère, Lili. Mais je crois qu'elles étaient très différentes de caractère. Ma mère était très française, tandis que ma grand-mère, bien qu'elle ait passé sa vie en France, restait très attachée à tout ce qui était américain. Cela peut créer des conflits parfois, culturellement parlant. Ma propre fille aime l'idée d'avoir des ancêtres américains, elle trouve cela exotique.

Sybil resta songeuse un instant. Ainsi, Lili se considérait comme française, alors qu'elle était entièrement américaine de sang. Elle n'était française que par adoption paternelle. Était-ce pour imposer cette nouvelle identité de façon catégorique ? pour dissiper l'idée que la famille de son père biologique l'avait rejetée à sa naissance, ce que Bettina avait dû lui dire, à un moment donné ?

Sybil et Samuel bavardèrent encore quelques minutes. Elle commençait à l'apprécier, finalement : il ne se montrait pas avare de son temps et l'écoutait volontiers parler de ses ancêtres et de leurs manies.

— Je n'ai qu'un exemplaire très ancien du livre de votre grand-mère, dit Sybil. Je vous en ferai une copie et je vous l'enverrai.

— Pourriez-vous me le scanner ? Ce serait plus simple.

— Bien sûr. Je n'y avais pas pensé. Je ne crois pas qu'il y ait d'autres exemplaires de ce livre. Bettina l'a écrit pour la famille et, s'il y en avait d'autres, ils ont dû se perdre. La banque m'a donné celui-ci, avec les plans et beaucoup de vieilles photos quand nous avons acheté la maison.

— Je ne peux pas vous promettre que je le lirai prochainement, avoua-t-il en toute honnêteté. Je prends ma retraite à la fin de ce semestre et j'ai beaucoup de choses à terminer d'ici là. J'aurai plus de temps après le premier de l'An.

Il paraissait mélancolique en disant cela. Une longue carrière universitaire était sur le point de prendre fin. À l'évidence, il avait du mal à se faire à cette idée. Comment allait-il occuper son temps désormais, si ce n'est avec le livre qu'il avait mentionné auparavant ? Aux yeux de Sybil, les Butterfield étaient un sujet beaucoup plus intéressant.

Elle le remercia pour le temps qu'il lui avait accordé. Ils avaient discuté plus d'une demi-heure. Et il ne lui avait pas raccroché au nez, comme elle le craignait. Mais elle ne lui avait pas parlé de la dimension paranormale du manoir, car personne ne pouvait comprendre... Il fallait vivre soi-même cette expérience étrange pour y croire.

Une heure plus tard, Sybil avait scanné le livre pour Samuel. Elle venait juste d'appuyer sur le bouton d'envoi quand Gwyneth surgit de nulle part. Elle le faisait parfois : c'était plus rapide que de monter deux étages, et Sybil la taquinait souvent à ce sujet. Magnus également aimait surgir ainsi dans la chambre de Charlie. Augusta était plus classique à cet égard ; elle montait l'escalier en s'appuyant sur le bras d'Angus et en s'aidant de sa canne ; les deux vieux chiens trottaient derrière eux, haletant lourdement.

— Tu lui as téléphoné ?

À son apparition, Sybil avait sursauté. Gwyneth était vêtue d'une jolie robe de velours bleu foncé. Ses ourlets avaient récemment raccourci et montraient ses chevilles. C'était une belle femme.

— Tu m'as fait peur ! la réprimanda gentiment Sybil.

— Désolée ! Alors ?

— Appelé qui ?

— Mon arrière-petit-fils, à Paris.

Sybil lui sourit, tandis que Gwyneth s'installait confortablement dans un siège.

— Oui, je lui ai parlé. Au départ, je l'ai trouvé un peu distant, mais finalement nous avons bien bavardé. Tu as aussi une arrière-arrière-petite-fille de vingt-deux ans, qui étudie l'architecture. Et elle adore les vieilles maisons !

— Je me demande à quoi elle ressemble. Mais dis-m'en plus sur Samuel.

— Il va bientôt prendre sa retraite de professeur d'histoire de l'art. Il adore sa fille et semble très fier d'elle. Il s'est marié à cinquante ans, et il est divorcé.

Gwyneth l'écoutait avec attention. Sybil avait pris soin de bien ranger le livre de Bettina. Elle n'en avait pas parlé à Gwyneth et ne le ferait jamais, car le recueil révélait trop d'événements douloureux liés à leur avenir. Mieux valait qu'elle les ignore.

— J'aimerais qu'ils viennent nous rendre visite, dit Gwyneth avec nostalgie. J'adorerais les rencontrer...

— J'aimerais aussi. Je ne sais pas s'ils ont l'argent ou le temps. On verra bien. Je pourrais lui envoyer une photo de toi. Ou une d'Augusta. Ou un enregistrement d'Angus jouant de la cornemuse, plaisanta-t-elle.

Elles éclatèrent de rire.

— Tu n'es qu'une vilaine, répondit Gwyneth, amusée.

Elles bavardèrent quelques minutes, puis Gwyneth s'en alla, empruntant classiquement la porte cette fois-ci, tandis que Sybil se remettait à travailler sur le dernier chapitre de son livre. Elle était trop excitée par la tournure des derniers événements pour aller se coucher. Elle avait semé les graines pour que Samuel ait envie d'en apprendre plus sur ses ancêtres, et même, avec un peu de chance, pour qu'il souhaite venir voir le manoir. Aurait-elle des nouvelles de lui, bientôt ?

Comme chaque année, les semaines qui précédèrent Noël furent bien remplies. Ils installèrent le sapin de Noël géant dans la salle de bal, ce qui était un sacré exploit. Il fallait le faire entrer par une fenêtre, et il effleurait le plafond, qui était pourtant haut de plus de cinq mètres. Équipés de grandes échelles, ils s'attelèrent tous à sa décoration. Évidemment, il y eut de nombreuses discussions pour déterminer l'emplacement de chaque ornement.

C'était leur troisième Noël ensemble. Andy et Caroline rentraient à la maison dès le début des vacances ; Max et Quinne les rejoindraient juste après Noël et seraient avec eux pour le Nouvel An. Bert et Gwyneth avaient donné leur bénédiction pour leur visite. Ils les aimaient bien, et Augusta appréciait beaucoup Quinne. Leur présence compenserait un peu l'absence de Bettina et Lili. Ce serait le premier Noël des Butterfield sans elles, et Sybil savait que Gwyneth était triste.

Le 22 décembre au soir, Sybil reçut un coup de fil de Samuel Saint Martin.

— Je suis désolé de vous appeler si tard, s'excusa-t-il.

Il était huit heures du matin à Paris, mais onze heures du soir à San Francisco.

— Pas de problème. Je suis en train d'emballer les cadeaux de Noël. Mes enfants rentrent à la maison demain.

— Quel âge ont-ils ?

— Mon fils Andrew a vingt ans, Caroline, dix-neuf, et mon petit Charlie, neuf ans.

L'aîné de Sybil avait presque le même âge que Laure, la fille de Samuel, mais celui-ci, qui s'était marié tard et était devenu père encore plus tard, avait trente et un ans de plus que Sybil.

» Andrew est à l'université d'Édimbourg et Caroline étudie à UCLA, poursuivit-elle. Avez-vous lu le livre de Bettina ?

Elle ne s'attendait pas à avoir de ses nouvelles si tôt.

— Oui, et ma fille aussi. C'est la raison de mon appel. Elle est obsédée par cette histoire, aussi bien par les Butterfield que par le manoir. Et je dois admettre que cela me hante aussi, si vous me permettez l'expression. Nous avons toutes sortes de vieilles légendes sur les fantômes dans le château de ma famille en Dordogne. Laure est captivée par tout ça. Elle est convaincue qu'il doit y en avoir dans votre manoir aussi. » Sybil sourit. Il n'avait aucune idée de ce qui l'attendait vraiment avec les Butterfield... « Elle passe Noël avec

294

sa mère en Normandie. Mais elle aimerait que nous vous rendions visite après. Peut-être vers le Nouvel An. Est-ce que ce serait possible pour vous ? demanda-t-il sur un ton d'excuse. Nous ne voulons pas vous déranger. Nous irions bien sûr à l'hôtel...

— Vous ne nous dérangerez pas du tout !

Sybil réfléchit un instant. Jusqu'où voulait-elle s'impliquer dans cette histoire ? En un éclair, elle sut. Elle assurerait la liaison entre leurs deux dimensions. Elle devait à Gwyneth et à sa famille, à eux tous, de faciliter cette rencontre du mieux qu'elle pouvait.

— Inutile d'aller à l'hôtel. Venez vous installer chez nous. Il y a beaucoup de chambres, comme vous pouvez vous en douter.

— Votre mari et vos enfants n'y verront pas d'inconvénient ? Après tout, nous sommes des inconnus pour vous, dit-il d'un ton empreint de politesse.

— Sur le plan généalogique, vous êtes des Butterfield. Et tous les Butterfield sont les bienvenus ici. Nous serons ravis de vous avoir à la maison.

Elle savait que Gwyneth serait enchantée, elle aussi.

— Vous êtes très aimable.

C'est une chose qu'il avait toujours appréciée chez les Américains. Ils étaient très hospitaliers, même envers les inconnus, du moment qu'ils avaient quelque chose en commun. Dans leur cas, le lien était mince, mais Sybil avait été charmante avec lui dès leurs premiers échanges. Et il avait trouvé le livre de Bettina fascinant. Il y avait découvert l'histoire de ses ancêtres, leurs vies et les défis auxquels ils avaient été confrontés. Ils avaient traversé maintes épreuves, comme la Grande Guerre, l'épidémie de grippe espagnole, le krach de 1929, et la Grande Dépression, qui les avait ruinés.

Laure, sa fille, était encore plus enthousiaste que lui. Elle aimait l'idée d'être liée aux Butterfield. Et malgré sa réticence initiale, lui aussi. Il tenait également à rencontrer Sybil. Le fait qu'elle avait souhaité le contacter comme ça, gratuitement, pour lui faire connaître l'histoire de ses ancêtres, l'avait ému. Il avait fait des recherches sur elle sur Internet et avait été impressionné par ses références professionnelles, en tant qu'écrivain et commissaire d'exposition.

— À quelle date aimeriez-vous venir ? demanda-t-elle.

— Peut-être pourrions-nous arriver vers le 28 ou le 29 ? Nous ne resterons pas plus de quelques jours.

Cela lui convenait aussi. Et cela ne dérangerait probablement ni Blake ni les enfants. Quinne et Max venaient de toute façon. Plus on était de fous, mieux c'était. Elle avait hâte d'annoncer tout cela à Gwyneth. Pourvu que les autres membres du clan Butterfield soient prêts à les accueillir aussi !

— C'est parfait. Prévenez-moi de l'heure d'arrivée de votre vol et nous viendrons vous chercher à l'aéroport, proposa-t-elle chaleureusement.

— C'est inutile. Je louerai une voiture ; nous en aurons besoin pour visiter la ville, et nous ne voulons pas être un fardeau pour vous.

— Bon, très bien. J'ai hâte de vous rencontrer, vous et Laure ! Passez un joyeux Noël en attendant.

— Vous aussi, ainsi que votre famille. Et merci encore de nous offrir l'occasion d'accomplir ce pèlerinage, dit-il en riant.

Sybil était heureuse. Grâce à la démarche qu'elle avait entreprise, les derniers des Butterfield allaient venir rencontrer leur famille. Qui, ou qu'est-ce qui l'avait incitée à entrer en contact avec Samuel Saint Martin ? Était-ce Bettina elle-même ? Une force extérieure ? Elle l'ignorait et, en fait, cela n'avait pas d'importance. Quelle qu'en soit la raison, ses recherches avaient porté leurs fruits. Après la fin de sa conversation avec Samuel, elle resta un moment assise dans son bureau. Sa visite et celle de Laure étaient le plus beau des cadeaux de Noël pour eux tous. Et après cela, elle ferait en sorte qu'il écrive l'histoire des Butterfield.

18

Quand Sybil annonça à Blake que Samuel Saint Martin et sa fille venaient leur rendre visite, il fut pris d'un doute. Comment cela était-il possible ? Il ne pouvait s'agir d'une coïncidence. Après qu'il lui eut posé maintes questions, Sybil avoua l'avoir contacté. Blake n'apprécia pas du tout qu'elle ait pris cette initiative.

— Tu n'es pas censée te mêler de ces choses-là, lui rappela-t-il. Je croyais que nous étions d'accord sur le sujet ! Il s'agit de leur vie et de leur destin ! Nous ne sommes que des observateurs ici, en vertu d'un phénomène étrange qu'aucun d'entre nous ne comprend.

— Je n'essaie pas de changer quoi que ce soit, ni de les avertir d'un quelconque événement !

Effectivement, ils étaient tous les deux convenus qu'ils n'en feraient rien. Quels que soient l'événement, la date ou le siècle qu'ils partageaient avec les Butterfield, ils se comportaient comme s'ils étaient en temps réel. Ils ne se mêlaient pas de leurs affaires et, bien qu'ils le connaissent, ils n'évoquaient jamais l'avenir. Ils savaient que Josiah serait tué à la guerre et que Bettina quitterait San Francisco pour vivre définitivement à Paris, mais, le destin étant le destin, ils s'étaient abstenus de toute intervention.

— Si la rencontre avec leur arrière-petit-enfant était écrite dans le grand livre de la Vie, elle aurait eu lieu sans ton aide, insista Blake. Cela peut très bien les perturber. Bert ignore complètement qu'il y aura un krach et la Grande Dépression. Il pense qu'ils sont en sécurité pour toujours. S'il apprenait qu'ils vont tout perdre, cela lui briserait le cœur. Et si le fait de savoir précipitait sa mort ?

Sybil, qui n'avait pas envisagé ces éventuelles conséquences, paniqua soudain.

— Je peux prévenir Samuel pour qu'il respecte les mêmes règles que nous concernant l'avenir. Et qui sait, ils ne se verront peut-être pas ? Il est possible que le clan ne veuille pas inclure d'autres personnes au cercle. Dans ce cas, ils n'apparaîtront pas.

— Je ne pense pas qu'ils aient le choix, répliqua Blake. Ils n'ont pas décidé de nous rencontrer. C'est arrivé comme ça.

— Apparemment, c'est arrivé parce que nous étions ouverts à cela. Peut-être que Samuel et sa fille ne le seront pas. Nous ne pouvons rien prédire.

— Tu joues avec le feu, Sybil, dit-il sévèrement.

Ses propos la troublèrent et elle éprouva une vive culpabilité, surtout au sujet de Bert, du krach boursier et de ses terribles conséquences. En fait, ce dramatique épisode de l'Histoire, qui approchait lentement de la période dans laquelle les Butterfield vivaient en ce moment, avait tué Bert et Gwyneth en très peu de temps.

— Je ne veux pas leur faire de mal ! Je les aime, dit Sybil avec émotion. Je tiens simplement à les aider à boucler la boucle et à connaître les enfants de leurs enfants, tout comme ils nous connaissent, nous et nos enfants. Je veux qu'ils voient que tout s'est bien terminé, malgré les moments difficiles qu'ils ont vécus. Que leur histoire a une fin heureuse. Qu'elle s'est poursuivie au-delà du décès de Bert, de celui de Gwyneth, et de la perte de tous leurs biens. Tu ne crois pas qu'ils devraient le savoir ?

— Réfléchis, Syb. Ils sont retournés à un moment agréable de leur vie. Ils sont confiants en l'avenir. Ils n'ont aucune idée des drames qui les attendent.

— Oui, mais Josiah a quand même été tué à la guerre, et Magnus était mort avant que nous fassions leur connaissance. Nous ne pouvons pas les protéger des tristes épisodes qui devaient fatalement arriver.

— Nous avions établi des règles les concernant. À mon avis, tu prends un risque énorme et je n'aime pas ça. Et si leur arrière-petit-fils est un abruti et les ridiculise, ou nous expose, d'une façon ou d'une autre, et transforme nos vies en enfer ? S'il fait d'eux des bêtes de cirque ? Des monstres ? Cela pourrait arriver. L'incroyable famille Butterfield, une émission de téléréalité avec oncle Angus en costume de fantôme jouant de la cornemuse !

300

Sybil ne put s'empêcher de rire à cette suggestion.

— Je ne pense pas que Samuel soit un crétin, et ce que j'espère, c'est qu'il écrira un livre sur eux. Ils étaient importants à l'époque, socialement parlant. Ils méritent qu'un ouvrage relate l'histoire de leur famille.

— Pourquoi tu ne l'écris pas, toi ? suggéra Blake.

Il savait que Sybil le ferait avec amour et bienveillance.

— Samuel est un très bon historien. Bien meilleur que moi.

Elle avait lu des traductions de ses écrits, qui étaient excellents, et parfaitement exacts sur le plan historique. Tous avaient reçu des critiques dithyrambiques. Non, Samuel Saint Martin n'exploiterait pas les aspects émotionnels des tragédies des Butterfield : il mêlerait les faits historiques importants de l'époque à leur histoire personnelle. Ils avaient vécu à un moment clé de l'histoire américaine, alors que tout avait radicalement changé sur les plans économique, social, industriel et scientifique. Elle était certaine que Samuel rendrait justice à tout cela et à ses ancêtres.

— Tu as peut-être raison, concéda Blake, mais je suis inquiet. Je ne veux pas que ça tourne mal pour eux. Or, il y a bel et bien un risque. Je me fiche de lui ou de sa fille, mais je tiens à cette famille. Le privilège qui nous a été accordé de les connaître, de les voir et de vivre avec eux dans leur temps et le nôtre est un incroyable cadeau d'une source inconnue. Ne gâchons pas tout cela. Ne leur faisons pas de mal.

— Bien sûr que non ! Je le jure, promit-elle.

Le soir au dîner, elle rapporta à voix basse leur conversation à Gwyneth, lui expliquant que Blake n'était pas favorable à la rencontre avec Samuel.

— Je suis sûre que Bert ne le serait pas non plus, mais je ne lui en parlerai pas. J'espère que notre rencontre avec eux se passera aussi naturellement qu'avec vous.

Sybil sourit au souvenir de leur premier dîner ensemble. Quelle émotion ! Gwyneth sourit aussi.

— Est-ce que tu vas annuler leur venue ? demanda-t-elle soudain, l'air consterné.

Sybil secoua la tête.

— Blake sera furieux contre moi si quelque chose tourne mal. Mais je crois que c'est important. Et si vous n'êtes pas censés les rencontrer, cela n'arrivera pas. Ce ne sont pas des choses que l'on peut forcer.

Après tout, Alicia, leur domestique, ne les avait jamais vus, pas plus que leurs invités. Personne ne pénétrait dans leur dimension commune, si ce n'était pas là son destin. Et depuis trois ans, à de rares exceptions, seuls les Butterfield et les Gregory s'étaient retrouvés ensemble dans cette faille temporelle. C'était rassurant de le savoir. D'une certaine façon, ils étaient protégés. Le lien qu'ils partageaient les reliait étroitement les uns aux autres et leur procurait une sécurité. C'était tout à fait ce que Michael Stanton avait expliqué.

Les autres ne pouvaient tout simplement pas les voir, c'était ainsi.

Ce curieux phénomène était extrêmement sélectif. Et Sybil considérait comme un privilège que sa famille ait été choisie. L'arrière-petit-fils de Bert et Gwyneth et sa fille seraient-ils inclus dans leur cercle magique ? Comment savoir ? Il était tout à fait possible que cela ne soit pas le cas. Alors, ils visiteraient le manoir, découvriraient l'histoire de leur famille, mais cela n'irait pas plus loin. Ils ne les verraient pas. Les deux femmes trouvaient cela rassurant.

Lors de ce dîner, personne ne remarqua qu'elles chuchotaient autant entre elles, car Andy et Caroline étaient rentrés au cours de l'après-midi. Du coup, les bavardages fusaient. Le frère et la sœur étaient assaillis de questions sur leurs universités, leurs amis et leurs amours.

— Quand la comtesse aux cheveux bleus nous rejoint-elle ? demanda Augusta.

— Dans trois jours, grand-mère Campbell, répondit Andy.

C'était ainsi que les enfants Gregory l'appelaient désormais, et Augusta appréciait. Elle aimait beaucoup Andy et Caroline, et éprouvait une affection particulière pour Charlie, qu'elle considérait comme un joyeux lutin.

— Elle devra renoncer à cette couleur de cheveux quand elle héritera du titre. Vous êtes déjà fiancés ?

— On est trop jeunes, grand-mère ! s'esclaffa-t-il.

Sybil sourit. Ses enfants avaient enfin des grands-parents.

— Balivernes ! rétorqua Augusta. Quel âge as-tu maintenant ? Vingt ans ? Tu devrais être marié d'ici l'année prochaine. Et ton amie finira vieille fille si elle ne fait pas attention. Je me suis fiancée deux semaines après mon entrée dans le monde, et je me suis mariée à dix-huit ans. Vous, les jeunes, vous êtes trop lents de nos jours ! Vous finirez tous par devenir des vieilles filles et des vieillards célibataires capricieux !

Cette lourde allusion à Angus fit rire la tablée.

— J'aime bien cette jeune comtesse, poursuivit Augusta. Tu devrais vraiment te fiancer, Andy. Et ta sœur aussi !

Caroline désirait surtout terminer ses études et obtenir son diplôme. Mais les mœurs étaient différentes en 1919. L'année se terminait. Dans neuf jours exactement, on serait en 1920.

Leur Noël fut aussi joyeux que les précédents. Les deux familles échangèrent des cadeaux, jouèrent aux charades ; chacun sortit ses plus beaux atours pour le réveillon. On dansa dans l'immense salle de bal et l'on passa des moments mémorables.

Deux jours plus tard, Quinne arriva d'Écosse. Ses cheveux étaient d'un bleu plus vif, avec une mèche rose fuchsia au milieu. Elle arborait de nouveaux tatouages, et ses jupes paraissaient encore plus courtes, si cela était possible. Tout le monde était ravi de la voir. La jeune femme venait de passer Noël à Castle Creagh avec ses parents et ses frères et sœurs, et s'y était beaucoup ennuyée.

Elle leur raconta que même le fantôme dans la tour de la chapelle ne s'était pas donné la peine de se montrer et qu'il était probablement mort d'ennui.

Sybil annonça à ses enfants, et seulement à eux, qu'ils attendaient des invités de Paris. Elle comptait sur ses aînés pour faire visiter la ville à Laure, pendant qu'elle et Blake resteraient avec Samuel. Andy et Caro acquiescèrent. Ils prendraient Laure sous leur aile. Les Butterfield n'étaient pas prévenus : Sybil et Gwyneth avaient décidé de voir comment les choses se dérouleraient le moment venu. Blake désapprouvait toujours leur plan.

Le jour où Samuel et Laure arrivèrent, le soleil brillait sur San Francisco, comme c'était souvent le cas en décembre. Il avait neigé à Paris avant leur départ, aussi apprécièrent-ils cet agréable changement. Sybil les attendait, postée derrière une fenêtre, anxieuse, quand Samuel arrêta le break blanc qu'il avait loué devant la grille. Elle descendit dans la cour pour lui ouvrir. Quand il sortit de voiture, elle découvrit un homme plus grand qu'elle ne l'avait imaginé et paraissant dix ans plus jeune que son âge. Il était vêtu d'un coupe-vent – sous lequel on devinait une veste en tweed et un pull à col roulé –, d'un jean et de chaussures de randonnée. Ses cheveux poivre et sel étaient légèrement décoiffés par le voyage. Il ne ressemblait pas à un professeur, songea-t-elle. Il sourit dès qu'il la vit, tandis qu'une jolie jeune fille quittait le siège passager. De petite taille, ses longs cheveux blonds et ses grands yeux bleus lui donnaient un air délicat. Sans qu'elle comprenne pourquoi, Sybil lui trouva sur-le-champ un air familier. Ils se saluèrent en se serrant la main, puis les deux Français qui semblaient fatigués par le vol prirent leurs sacs de voyage et la suivirent dans la maison.

— Vous êtes si aimable de nous recevoir ici, dit Samuel chaleureusement.

Tandis que Laure contemplait avec intérêt le long hall d'entrée, Sybil vit soudain Angus s'avancer vers eux, son bouledogue anglais à ses côtés. Il sourit en voyant Sybil et jeta un coup d'œil à ses invités. Il portait une veste en velours et des pantoufles assorties, et il fumait la nouvelle pipe qu'elle lui avait offerte à Noël.

— Désolé, ma chère, je ne trouve pas ma cornemuse. L'avez-vous vue quelque part ?

Il paraissait confus. Elle se précipita vers lui et, avec douceur, le dirigea vers une porte qui menait à l'escalier de service. Avant qu'ils l'atteignent, toutefois, Phillips surgit, en uniforme, portant la cornemuse. Sybil fut décontenancée par son apparition. Elle ne l'avait jamais vu durant la journée, seulement le soir, quand il servait le dîner.

— Je l'ai trouvé, monsieur, dit-il à Angus, ignorant Sybil.

— Excellent ! Allons-y !

Angus fit alors un signe de la main à Sybil et à ses invités et suivit Phillips en passant à travers la porte. Encore étonnée d'avoir croisé les deux hommes dans le hall, Sybil se tourna vers Samuel et Laure pour observer leur réaction. Les avaient-ils vus ? À l'évidence oui, comme l'indiquait le sourire affiché par Samuel. Elle avait donc la réponse à sa question : les Butterfield avaient décidé de se montrer, ou tout du moins Angus. C'était un début.

— Désolé, c'est parfois un peu chaotique ici, dit-elle en s'efforçant d'adopter un ton nonchalant.

D'habitude, Angus n'errait jamais dans la maison, et encore moins durant la journée avec son chien.

— Votre père ? demanda Samuel, l'air amusé.

— En fait, non. Pas vraiment.

Elle n'ajouta rien, esquivant sa question. Se dirigeant vers le grand escalier, ils passèrent devant le portrait d'Angus, mais ni Samuel ni Laure ne le remarquèrent. Sybil s'arrêta un instant.

— Avez-vous faim ? Voulez-vous manger quelque chose ?

— Merci, mais non. Nous avons pris un repas pendant le vol. Vos employés s'habillent très chic, commenta-t-il, faisant référence à la queue-de-pie et au nœud papillon de Phillips.

Sybil se contenta de hocher la tête. Ils montèrent l'escalier, croisèrent Alicia et José, lesquels, vêtus de jeans et tee-shirt, descendaient avec leurs ustensiles de ménage en main. Cela rendait l'uniforme de Phillips encore plus incongru. Néanmoins, Samuel et Laure ne firent aucune remarque, se contentant d'admirer les lieux.

Elle les conduisit dans deux spacieuses chambres d'invités au troisième étage, s'assura qu'il ne leur manquait rien, puis leur expliqua où se trouvait son bureau pour qu'ils puissent l'y rejoindre quand ils le souhaiteraient.

— C'est une belle maison, la complimenta Samuel, tandis que Laure lui souriait timidement.

— Merci.

Sybil avait été si troublée par l'apparition inattendue d'Angus et de Phillips que son cœur battait la chamade.

Elle les quitta et se rendit à son bureau. À peine était-elle entrée dans la pièce que Gwyneth se matérialisa devant elle, vêtue d'une belle robe.

— Ils sont là ? demanda-t-elle, un large sourire aux lèvres.

— Oui, chuchota Sybil. Mais j'en suis encore toute retournée : Angus s'est montré dans le hall d'entrée dès leur arrivée.

— Vraiment ? lâcha Gwyneth. Il n'est pas censé faire ça.

— Je sais.

Gwyneth elle-même venait de surgir de nulle part. Qu'avaient-ils donc aujourd'hui ?

— Ils l'ont vu ?

— Oui. Samuel m'a demandé si c'était mon père.

— Qu'est-ce que tu as répondu ?

Gwyneth affichait un air amusé, contrairement à elle.

— J'ai dit que non. Rupert était avec lui. Il cherchait sa cornemuse. Phillips est apparu lui aussi.

— J'espère qu'il n'a pas trouvé ce fichu instrument !

— Si, Phillips l'avait en main.

— Oh mon Dieu !

Elle poussa un léger soupir, puis, faisant allusion à son arrière-petit-fils, elle demanda :

— À quoi ressemble-t-il ?

— Il est très beau. Il a l'air plutôt jeune pour son âge, et il est assez distingué malgré ses vêtements décontractés.

Soudain, quelque chose la frappa. En fait, c'était une évidence...

» À dire vrai, il ressemble beaucoup à Bert.

— Ah ! Comme c'est intéressant !

Gwyneth avait l'air ravi.

— Et je viens juste de comprendre que sa fille ressemble à Lucy. Elle a les mêmes traits délicats, de grands yeux bleus et des cheveux blonds.

Gwyneth était enchantée. Elle la quitta pour aller vérifier que Magnus ne faisait pas de bêtises, puis elle prit le thé avec Lucy et Augusta. Sybil répondit à quelques courriels. Un peu plus tard, on frappa doucement à sa porte. C'était Samuel. Laure dormait, lui annonça-t-il.

— Ça vous dérange si je jette un coup d'œil à la maison ?

Elle lui proposa de l'accompagner. Tandis qu'ils avançaient dans le long couloir, elle lui expliqua que cet étage était dédié aux chambres d'enfants ou d'amis. Dans les premières années après la construction du manoir, c'était en fait l'étage de la nursery, mais cela avait changé bien avant que Blake et elle achètent la propriété. Le dernier étage était autrefois celui des domestiques, mais n'était plus occupé aujourd'hui. Samuel tenait un appareil photo à la main et s'intéressait à chaque détail.

Ils descendirent au premier, et elle entendit Magnus et Charlie jouer à des jeux vidéo dans la chambre de son fils. Elle préféra donc poursuivre la visite au rez-de-chaussée.

— Je vous présenterai mon benjamin plus tard. Je crois qu'il est avec un ami.

— Vous avez bien du monde chez vous !

— Seulement quand mes deux aînés sont à la maison. Le reste du temps, c'est très calme.

Au rez-de-chaussée, elle lui montra les salons et la salle de bal. Samuel contempla les sculptures, les rideaux exquis, les hauts plafonds, les meubles et les chandeliers. Il avait l'air très impressionné et resta silencieux un moment. Son émotion était perceptible.

— C'est beaucoup plus grand que je l'imaginais, finit-il par dire. Et je ne m'attendais pas à être troublé à ce point. Je n'ai jamais connu ces gens. Je connaissais à peine ma grand-mère, et même de ma mère, je n'étais pas très proche. Il n'y a aucune raison pour que la maison de mes arrière-grands-parents éveille des sentiments en moi, et pourtant c'est le cas. » Il garda le silence quelques instants, puis reprit : « On peut presque sentir leur présence, comme s'ils n'avaient jamais quitté les lieux. Vous avez tout magnifiquement préservé, Sybil. C'est une maison chaleureuse, dans laquelle on se sent bien. À vrai dire, je me sens comme transporté à l'époque de sa construction.

Ils passèrent devant la salle à manger, et Sybil vit Phillips qui dressait la table, avec l'argenterie et le service de verres en cristal. Samuel le voyait-il aussi ? Probablement pas, puisqu'il ne fit aucun commentaire. Alors qu'ils regagnaient le salon principal, décoré de l'immense tapis d'Aubusson et des meubles anciens que Sybil et Blake avaient récupérés trois ans plus tôt, Laure les rejoignit. Elle avait encore l'air un peu somnolente, mais elle était ravissante avec son pull blanc et son jean rentré dans ses bottes. Les deux femmes échangèrent un sourire.

Samuel fit remarquer à sa fille divers détails architecturaux, typiques du début du XXe siècle. Ils admiraient les moulures avec attention, quand Sybil vit Charlie et Magnus courir dans l'escalier puis se diriger vers la cuisine. Et juste à ce moment-là, elle entendit Andy, Quinne et Caroline entrer. Tous trois vinrent les retrouver dans le salon. Sybil fit les présentations, puis les jeunes invitèrent Laure à se joindre à eux, ce qu'elle accepta avec plaisir. Quelques instants plus tard, le petit groupe s'éloigna.

— Votre fille est charmante, déclara Sybil.

Samuel apprécia le compliment et lui sourit.

— Elle est très impressionnée par le manoir. Je ne l'ai jamais vue aussi silencieuse. J'avoue que je suis épaté, moi aussi. Pourtant, nous avons de très belles demeures et de splendides châteaux en France. Mais ce manoir a une âme, et on s'y sent tout à fait comme chez soi. Vous devez aimer vivre ici.

— Oui, nous sommes tombés amoureux de cette maison, avoua-t-elle.

Ils s'installèrent dans la bibliothèque et discutèrent du travail de Samuel et de sa retraite. Comme cela allait lui paraître étrange de ne plus se rendre quotidiennement à la Sorbonne, après tant d'années passées à enseigner ! Blake rentra un peu plus tard et fit connaissance avec Samuel, ravi. Tous trois bavardèrent encore un long moment, puis Samuel sortit admirer le jardin.

— Comment ça se passe ? demanda Blake une fois que Samuel eut quitté la pièce. Il me semble très sympathique.

— Sa fille et lui sont charmants. Mais je dois te l'avouer : il y a une activité folle dans la maison aujourd'hui ! Angus errait dans le hall d'entrée à la recherche de sa cornemuse. Phillips est venu le chercher. Les garçons jouaient dans la chambre de Charlie, puis ils ont dévalé l'escalier au pas de course, en criant. Samuel et Laure doivent penser que c'est une maison de fous ! Et je ne sais pas quoi faire pour le dîner. On dîne au restaurant, on mange dans la cuisine, on leur dit de s'habiller pour le dîner sans savoir si nos amis se montreront ?

— Est-ce une sorte de test, ou d'expérience ? s'enquit Blake, un peu confus.

— Je ne sais pas. En tout cas, s'ils se montrent, Samuel saura qui vit ici. Je sais que Gwyneth brûle d'envie de le rencontrer. En ce qui concerne les autres, je n'ai aucune idée de ce qu'ils veulent. Peut-être qu'Angus est apparu aujourd'hui pour se faire une idée. C'est la première fois que je le vois dans la journée.

— Je pense que nous devrions nous comporter comme d'habitude, suggéra Blake, soudain enthousiaste à l'idée d'une éventuelle rencontre entre ces Français et leurs ancêtres. Nous verrons bien. Peut-être qu'ils sont prêts, tous, à faire connaissance. De toute façon, si Samuel les voit et que cela ne lui plaît pas, que pourra-t-il faire ? Appeler la police et dire qu'il a vu une bande de fantômes en train de dîner ? Agissons normalement, c'est tout.

Après s'être opposé à la visite de Samuel et de sa fille, Blake était maintenant prêt à oublier toute prudence.

— Hum. Tu as peut-être raison...

C'était au tour de Sybil d'être nerveuse. Elle ne voulait rien expliquer à Samuel, au cas où ses ancêtres n'apparaîtraient pas. Par contre, s'ils se montraient, il risquait d'en être fort troublé. C'était une sorte de test, en effet, comme l'avait dit Blake. Les Butterfield désiraient-ils le rencontrer ou pas ? Étaient-ils prêts à accepter la branche familiale française ? Considéreraient-ils le fils et la petite-fille de Lili comme leurs descendants ? Comme des Butterfield ? Ou allaient-ils les ignorer et refuser de se montrer ?

Lorsqu'ils quittèrent le salon, Sybil demanda à Blake s'il avait remarqué la ressemblance entre Samuel et Bert.

— C'est drôle que tu m'en parles ! Oui, je l'ai remarquée, mais je me suis dit que tu allais me trouver trop romantique. Les Butterfield ont des gènes puissants.

— Et sa fille ressemble à Lucy, ajouta-t-elle en entrant dans la cuisine.

Leurs aînés étaient installés autour de la table et grignotaient un en-cas. Charlie était avec eux, mais pas Magnus. Max, le petit ami de Caroline, arriva un instant plus tard. Ils formaient un groupe joyeux et animé. Suivant le bruit de leurs conversations, Samuel les rejoignit également.

— Nous ferez-vous le plaisir de vous joindre à nous ce soir, pour le repas ? lui demanda Sybil.

Il accepta avec enthousiasme.

» J'aurais dû vous prévenir : nous avons pris l'habitude de nous habiller pour dîner, mais rien ne vous y oblige, bien sûr.

— Je peux te prêter une robe, Laure, si tu veux, proposa Caroline.

Laure la remercia aussitôt.

— Quand vous dites que vous vous « habillez pour dîner », qu'entendez-vous par là exactement ? voulut savoir Samuel. Cravate et veste ?

— En fait, nous nous conformons aux vieilles traditions en cours au manoir à l'époque : nous portons smoking et robes du soir, expliqua Blake, embarrassé.

Même lui trouvait cela ridicule. On aurait cru qu'il les invitait à un bal costumé. Pourtant, c'était devenu une habitude pour eux de se vêtir avec cette élégance. Certains soirs, il portait une queue-de-pie, mais il n'en avoua rien.

— C'est incroyable ! lâcha Samuel, surpris. Quelle bonne idée ! Maintenant que j'ai vu la maison, je comprends tout à fait, mais j'avoue que si vous m'aviez annoncé cela au téléphone, je vous aurais pris pour des fous.

Samuel arpenta à nouveau le rez-de-chaussée, prit d'autres photos. Sybil le rejoignit et lui fit remarquer certains détails architecturaux.

» J'aimerais bien voir les photos dont vous m'avez parlé, demanda Samuel au bout d'un moment.

Sybil l'emmena à son bureau et sortit les clichés de leur boîte, lui expliquant qui était qui. Samuel était fasciné. Il en découvrit une de Bettina, qui tenait sa mère Lili dans ses bras alors qu'elle n'avait que quelques mois. Il remarqua également la ressemblance entre Laure et Lucy.

» Vous me l'avez déjà dit, mais j'ai oublié. Qu'est-il arrivé à cette jeune fille ? s'enquit-il.

— Elle souffrait d'une mauvaise santé ; elle est morte d'une pneumonie juste après le krach de 1929. Elle n'avait que vingt ans. Ce décès et les revirements subis par la famille à cause de la crise boursière ont anéanti son père. Il a eu une crise cardiaque et il est mort environ six mois plus tard. Après ce triste épisode, la maison a été mise en vente. Et votre arrière-grand-mère Gwyneth est partie vivre en Europe avec votre grand-mère Bettina. Votre mère devait avoir environ douze ans.

— Je crois qu'elle m'a dit quelque chose à ce sujet, lâcha-t-il en fouillant dans sa mémoire. Oui, elle me racontait que sa grand-mère Gwyneth avait eu le cœur brisé par le décès de son mari et que cela avait causé sa mort. C'est terriblement romantique ! Je ne crois pas que cela arriverait encore de nos jours. Si j'étais mort pendant notre divorce, ma femme aurait fêté cela !

Il rit d'un air triste et Sybil lui sourit, comme pour le consoler.

» Nous avons divorcé il y a des années, quand Laure avait cinq ans. Notre relation n'a pas duré très longtemps. Maintenant, nous nous entendons bien, mais cela nous a pris du temps.

— Elle s'est remariée ?

— Non, mais elle a deux enfants avec l'homme avec qui elle vit, et elle est très heureuse. Je crois que je l'ai vaccinée contre le mariage, plaisanta-t-il.

Sybil trouva cette remarque très française. Samuel lui avait confié ne s'être jamais remarié non plus et n'en avoir aucune envie. Quel dommage. Il avait l'air d'être un homme bien. Alors qui sait ? Peut-être qu'un jour il rencontrerait la personne qui le ferait changer d'avis.

Alors que Sybil s'apprêtait à regagner sa chambre afin de s'habiller pour le dîner, Samuel lui avoua n'avoir pas de smoking.

— Ne vous en faites pas, ça n'a pas d'importance, le rassura-t-elle.

— J'ai une cravate et une chemise bleue, mais je n'ai même pas apporté de chemise blanche.

Et elle ne pouvait pas lui prêter une de celles de Blake, qui était plus grand et plus baraqué.

Une heure plus tard, ils se retrouvèrent sur le palier du premier étage. Samuel était finalement très chic dans sa veste en tweed, sa chemise bleu pâle et sa cravate Hermès bleu marine, un jean noir et des souliers astiqués. Sybil portait une de ses tenues de soirée les moins habillées, une longue jupe en velours noir avec un pull en cachemire de même couleur. Samuel la complimenta sur son élégance.

Ils descendirent l'escalier tous ensemble et se dirigèrent vers la salle à manger. Blake et Sybil échangèrent un regard perplexe, puis constatèrent que la table était dressée. L'argenterie et le cristal brillaient à la lueur des bougies. Droit comme un I, Phillips patientait dans un coin. Les Butterfield étaient là, comme s'ils savaient parfaitement que des invités étaient attendus. Quand leur petit groupe entra, Augusta les examina tous des pieds à la tête. On aurait dit un colonel inspectant ses troupes.

— Que diable avez-vous aux pieds, comtesse ? demanda-t-elle à Quinne, qui éclata de rire.

La jeune fille portait des Doc Martens en velours rose fuchsia avec des bas résille assortis, une mini-jupe en velours noir et un pull en angora rose vif.

» Tu les as volés à un soldat ? poursuivit-elle, repassant au tutoiement.

Quinne se mit à glousser. À Noël, sa propre grand-mère n'avait pas apprécié ses vêtements non plus, mais Augusta était plus drôle. Cette dernière examina ensuite Charlie et fit un commentaire sur sa coiffure : avait-il perdu ou vendu sa brosse à cheveux ? Enfin, elle vit Samuel et haussa un sourcil.

— Ah ! Et voici une de ces fascinantes tenues modernes. Blake en porte aussi de temps en temps. Comment peut-on s'habiller ainsi ?

Samuel, qui croyait à une plaisanterie, s'inclina devant elle et lui fit un baisemain.

— Bonsoir, madame.

— Ah, cela explique tout, lâcha Augusta. Vous êtes français ! Naturellement. Ils portaient des culottes courtes en satin et des manteaux en brocart. Que peut-on attendre d'eux maintenant ?

— À la cour, les Britanniques en portaient aussi, mère, lui rappela Gwyneth.

Sybil s'empressa de faire les présentations dans les règles.

— C'est Samuel Saint Martin, le fils de Lili, madame Campbell. Le petit-fils de Bettina.

Il y eut une longue pause. Samuel avait l'air stupéfait, et Augusta encore plus.

— Ce qui fait de lui... mon arrière-arrière-petit-fils, dit-elle, impressionnée.

À ce moment de leur existence, en 1919, Lili n'était encore pour elle qu'une enfant. C'était donc là une nouvelle stupéfiante.

— Et voici sa fille, Laure.

La jeune femme portait une élégante robe noire empruntée à Caroline, et ses propres escarpins à talons aiguilles.

Augusta les fixait tous les deux, essayant de comprendre ce qui se passait.

— Je les ai croisés dans le hall d'entrée tout à l'heure, lorsqu'ils sont arrivés, intervint fièrement Angus.

— Qu'est-ce que tu faisais là-bas ? lui demanda sa sœur.

Il ne quittait jamais sa chambre le jour et n'était pas censé le faire.

— J'avais perdu ma cornemuse... Jolie fille, ajouta-t-il en désignant Laure.

Comme Augusta lui lançait un regard incendiaire, tout le monde éclata de rire, ce qui brisa la tension.

— Mon frère a des manières épouvantables à l'égard des femmes, expliqua-t-elle à Samuel. Vous êtes français, alors ? Pourtant, Lili est américaine. Elle est née ici.

Elle essayait d'assimiler toutes ces nouvelles informations, mais semblait avoir quelques difficultés. Gwyneth, qui se trouvait de l'autre côté de la table, vint à son secours :

— Elle a pris la nationalité française, mère. Louis, le mari de Bettina, l'a adoptée en France. Tu te souviens ?

— Oh oui... bien sûr que oui... C'était gentil de sa part, puisque l'autre a disparu, lâcha-t-elle, faisant allusion à Tony Salvatore.

— Il est mort à la guerre, mère, la corrigea Gwyneth.

Sybil conduisit Samuel à la place voisine de la sienne. Phillips avait disposé le bon nombre de couverts. Ce qu'il faisait toujours, comme si quelqu'un le prévenait. Gwyneth l'avait-elle averti ?

Samuel, cependant, était fort déconcerté. Sybil le présenta à Gwyneth et Bert, ses arrière-grands-parents, lesquels avaient l'air bien vivants, en bonne santé et affichaient des mines enthousiastes malgré la triste fin de vie qu'ils avaient connue... De leur côté, Caroline et Andy expliquaient à Laure qui étaient les convives et leurs relations avec elle. Sa ressemblance avec Lucy était frappante – d'autant que celle-ci était assise non loin – tout comme celle entre Samuel et Bert.

— Je ne suis pas sûr de bien comprendre ce qui se passe, chuchota Samuel à l'oreille de Sybil, alors que tout le monde les observait, lui et sa fille.

Les membres du clan familial s'étaient manifestement sentis suffisamment à l'aise pour se montrer et les accepter à leur table. Après tout, ils étaient des leurs. Quels que soient aujourd'hui leur nom et leur nationalité, c'étaient des Butterfield.

— Eh bien, nous ne comprenons pas vraiment non plus, répondit Sybil.

— Vous avez engagé des acteurs pour jouer les membres de la famille ?

Sinon, comment tout cela était-il possible ? Le plus remarquable était qu'ils ressemblaient exactement aux photos que Sybil lui avait montrées durant l'après-midi. En entendant sa question, Blake se sentit presque désolé pour lui : Samuel essayait de donner une rationalité à un phénomène qui n'avait aucun sens. Il avait vécu cela lui aussi, à leur arrivée.

— Non, ce ne sont pas des acteurs, expliqua Sybil. Toute la famille est bel et bien là. Dans cette

maison. Ils ne sont jamais partis après… – elle
prit un instant pour choisir ses mots avec soin,
consciente que les autres pouvaient l'entendre – …
après qu'ils sont entrés dans une autre dimension.
Ils sont tous revenus. Sauf votre mère, qui n'a
jamais vraiment eu de lien avec la maison ; elle
était trop jeune quand elle est partie.

Samuel la fixa, les yeux écarquillés.

— Êtes-vous en train de me dire que mes
ancêtres vivent encore dans la maison, *cent ans
plus tard* ?

Sybil acquiesça d'un signe de tête. Samuel
regarda alors les Butterfield un par un. Ce devait
être une blague ! Pourtant, aussi fou que cela puisse
être, au fond de lui, il savait que Sybil disait vrai.

— C'est incroyable. Ce n'est pas possible. Vous
le saviez quand vous avez acheté la maison ?

— Non, nous n'en avions aucune idée.

— Ils sont apparus un par un ?

— Non. Très vite après notre arrivée, un soir,
nous avons entendu des bruits et, quand nous
sommes entrés dans la salle à manger, ils étaient
tous là, exactement comme maintenant.

— C'était assez étrange au début, intervint
Augusta, qui avait suivi la conversation. Mais nous
nous y sommes habitués. Les Gregory sont des gens
très gentils que nous aimons grandement. Nous ne
pourrions plus vivre sans eux maintenant », ajouta-
t-elle chaleureusement. Sybil et Blake furent à la
fois impressionnés et émus par ses propos. « Et
toi, mon cher garçon, poursuivit-elle, il s'avère que
tu es de notre famille. Il nous fallait évidemment

dîner avec toi. Pour rien au monde, nous n'aurions voulu rater cette rencontre. J'espère que toi et ta fille, vous resterez ici avec nous.

Samuel et Laure, cependant, restaient muets, sous le choc. C'était vraiment comme entrer dans une autre dimension. Comment était-ce possible ? Étaient-ils désormais piégés dans cette distorsion du temps ? Sybil décela une lueur de panique dans leurs yeux.

— Vous pouvez aller et venir comme vous voulez entre les deux époques, s'empressa-t-elle de dire. C'est ce que nous faisons, Blake, moi et les enfants. Pour nous, c'est un honneur d'être inclus dans la vie des Butterfield.

Seul Magnus, qui aurait à jamais l'âge auquel il était décédé, était déçu que Charlie grandisse et pas lui, mais ils jouaient encore ensemble.

— Est-ce que les autres vous voient ? demanda Samuel à ses ancêtres.

Ils secouèrent collégialement la tête.

— Seuls les Gregory nous voient, et deux amis de leurs enfants, Max et Quinne, expliqua Bert.

Samuel but plusieurs verres de vin pour tenter d'assimiler cette nouvelle stupéfiante.

— Je suis désolée, lâcha Sybil, je ne pouvais pas vous le dire au téléphone, sinon vous auriez pensé que j'étais folle ou ivre.

Samuel hocha la tête.

» Mais je tenais à ce que vous voyiez le manoir et rencontriez vos ancêtres. J'ignorais s'ils accepteraient de se montrer ou non. Néanmoins, j'ai pensé que ça valait le coup d'essayer...

— Il est certain que le voyage en valait la peine, acquiesça Samuel. Tout ceci est si... important... excitant... émouvant ! Quelle expérience extraordinaire ! Merci de nous la faire partager. Vraiment.

Il regrettait que sa mère ne soit pas revenue vivre au manoir après sa mort, mais il comprenait pourquoi. Elle avait toujours été si catégorique sur le fait qu'elle n'avait aucun lien avec la maison de San Francisco, qu'elle ne s'y intéressait pas, qu'elle n'était pas américaine, mais française. Elle n'avait de liens affectifs qu'avec les Lambertin, la famille de son père adoptif.

Quel privilège pour Laure et lui d'être là ! Il se sentait soudain apparenté aux Butterfield par un lien dont il n'avait pas connaissance quelques heures plus tôt. Et sa fille semblait éprouver les mêmes sentiments... Une question le taraudait néanmoins. Il s'adressa alors à Sybil, leur guide dans cet univers extraordinaire.

— En quelle année sommes-nous ? Je n'ai pas réussi à comprendre.

— Nous sommes en 1919 pour eux, exactement cent ans avant nous, jour pour jour.

Ce qui expliquait les vêtements qu'ils portaient et les événements dont ils discutaient. Finalement, c'était comme s'interroger sur le décalage horaire par rapport à un autre pays où vous aviez l'intention de voyager. Si ce n'est que la différence se mesurait en dizaines d'années – cent exactement –, et non en heures. Et si pour eux on était en 1919, il comprenait maintenant pourquoi Bettina, sa grand-mère, n'était pas là : elle résidait alors en France.

À la fin de la soirée, Angus proposa de jouer de la cornemuse pour célébrer leur rencontre, mais tout le monde déclina son offre. Après avoir redit à leurs descendants à quel point leur visite les avait enchantés, les Butterfield se retirèrent pour la nuit, aussi mystérieusement et instantanément qu'ils le faisaient toujours. Samuel, Sybil et Blake s'installèrent dans la cuisine. Ils discutèrent un long moment tout en sirotant un excellent vin.

— Une question m'intrigue beaucoup, dit Samuel. J'ai lu le livre de ma grand-mère, dont vous avez eu la gentillesse de me faire une copie, Sybil. Que faites-vous de ce que vous savez et qu'eux ignorent ? S'ils sont en 1919, ils ne savent pas ce qui arrivera en 1929, ni après. Vous les avez prévenus ?

Sybil secoua la tête.

— Blake et moi en avons beaucoup parlé. On peut penser que ce n'est pas juste de ne pas leur dire, mais nous considérons que ce serait un tort. Nous ne pouvons pas modifier leur destin. La guerre, le krach boursier, les accidents, les morts. Tout cela s'est produit il y a cent ans, nous ne pouvons pas réécrire l'histoire. Il serait donc cruel de les prévenir : cela ne servirait qu'à les rendre malheureux. Finalement, nous avons peu de pouvoir – si ce n'est celui de consoler nos amis quand arrivent des événements malheureux –, tandis qu'eux, bizarrement, nous apprennent beaucoup par leurs chemins de vie.

Samuel n'avait pas envisagé les choses sous cet angle... mais Sybil avait raison. D'une certaine façon, cette curieuse relation était une bénédiction pour eux tous.

— Et même quand ils meurent, ils reviennent, expliqua-t-elle. Ils sont si étroitement liés les uns aux autres et à cette maison qu'ils ne disparaissent jamais longtemps. Josiah a mis environ quatre mois à revenir. Et quand Augusta est morte de la grippe espagnole, elle n'a mis qu'un mois à réapparaître. Elle possède une âme très forte.

Ils rirent tous les trois à cette dernière remarque. Peu après, Samuel monta se coucher, encore tout étourdi par l'incroyable soirée qu'il venait de passer. Le lendemain, il se réveilla à midi, avec un terrible mal de tête. Il descendit au rez-de-chaussée et trouva Sybil dans la cuisine.

— Est-ce que j'ai rêvé hier soir ? lui demanda-t-il. À quel point étais-je ivre ?

— Non, vous n'avez pas rêvé, Samuel. Le dîner a été bien arrosé, mais vous n'étiez pas ivre.

Elle sourit. Elle aussi avait une légère migraine, mais Samuel avait bu bien plus de vin qu'elle.

» Laure est sortie avec les enfants, au fait. Et ce soir, nous dînerons dehors.

Blake et elle voulaient leur faire découvrir San Francisco. De plus, elle soupçonnait les Butterfield d'être épuisés par le dîner de la veille. Ils avaient dû déployer beaucoup d'énergie pour apparaître en présence de nouvelles personnes toute une soirée. Gwyneth était passée la voir dans la matinée, et elles étaient convenues de sauter le repas du soir. Le lendemain, la soirée du réveillon du Nouvel An, où le champagne serait roi, promettait d'être longue.

Sybil prépara une tasse de café bien fort et des œufs brouillés, et Samuel se sentit mieux après avoir mangé. Dans l'après-midi, Blake suggéra qu'ils aillent faire un tour en voiture.

— J'ai l'impression d'être dans un autre monde, ou plus exactement pris entre deux mondes, leur dit Samuel durant le trajet.

Blake hocha la tête.

— Vous l'êtes, dans une certaine mesure. Votre ancien monde est toujours là, mais l'autre monde dont ils font partie vous est également ouvert.

Samuel réfléchit un instant à sa remarque tout en admirant le Golden Gate Bridge.

— C'est une sacrée expérience. Merci de m'avoir trouvé et de m'avoir incité à venir.

Il ne savait pas vraiment dans quel monde ou dans quelle dimension il évoluait, mais il se sentait étrangement en paix.

19

Tous se surpassèrent pour faire en sorte que la Saint-Sylvestre se déroule à merveille. Samuel loua une queue-de-pie. Caroline prêta une magnifique robe à Laure. Le dîner fut somptueux, composé d'huîtres, de caviar, de homard et de faisan farci. Une savoureuse omelette norvégienne conclut le repas, largement arrosé d'un excellent champagne, qu'ils continuèrent à déguster dans la salle de bal comme ils le faisaient lors de chaque réveillon depuis trois ans. Samuel essayait encore de s'habituer à la situation et demandait constamment des explications à Sybil. De son côté, elle l'encourageait à écrire un livre, fondé sur celui de Bettina, mais qui irait plus loin et décrirait plus en profondeur les membres de la famille, leur histoire et celle des personnes ayant fait partie de leur cercle.

La maison était le lien qui les reliait tous.

À minuit, tout le monde s'embrassa. Samuel invita Augusta pour la première valse et gagna son cœur pour toujours. La matriarche répétait sans cesse à tout le monde qu'il était son arrière-arrière-petit-fils français, faisant sonner l'adjectif

« français » comme un compliment... C'était une première de sa part.

Chacun était d'excellente humeur. Il n'y avait pas de guerre, tout le monde était en bonne santé, Blake n'encourait plus aucun risque sur le plan professionnel, et il avait tourné la page de la start-up. Quant à Sybil, elle avait enfin terminé son livre, ce qui était un motif de célébration en soi.

Samuel apprécia grandement cette soirée. Dans quelques jours, Laure et lui rentreraient en France, et déjà il éprouvait une pointe de nostalgie à l'idée de quitter les Butterfield. Mais il devait donner ses derniers cours à la Sorbonne, faire passer un ultime examen à ses étudiants, puis il quitterait l'université et les collègues qu'il avait appréciés pendant de si longues années.

— Pourquoi ne pas revenir ici quand vous serez libéré ? suggéra Sybil.

— Je ne sais pas. Peut-être...

Augusta, cependant, lui faisait signe de venir s'asseoir à ses côtés. Il l'écouta égrener divers souvenirs. Sybil l'écoutait aussi. Son récit était fascinant. Malgré son grand âge, elle avait gardé l'esprit clair, contrairement à son frère. Alors, éprouvant finalement l'attraction inexorable que Sybil avait espérée, il lui dit :

— Je vais le faire. Je reviendrai en février pour commencer.

— Pour commencer quoi ? s'enquit Sybil.

— Le livre que vous voulez que j'écrive, annonça-t-il avec un grand sourire. C'est bien pour cette raison que vous m'avez fait venir, n'est-ce pas ?

— Non, pas seulement, mais c'est un bonus merveilleux, c'est vrai. Vous faites partie de tout ça, pour toujours.

— Vous en faites partie aussi, votre famille et vous, Sybil. Sinon, ils ne vous auraient pas permis de les voir.

— Nous avons été adoptés. Vous, vous êtes du même sang, précisa-t-elle.

Il lui sourit d'un air complice et observa les danseurs. Sybil s'éloigna pour aller annoncer la bonne nouvelle à Gwyneth : Samuel allait écrire le livre sur leur famille et le manoir. Il rejoignit les deux femmes un instant plus tard.

— Pourrais-je vous aider ? demanda Gwyneth avec timidité.

Elle était ravie qu'il ait pris cette décision, et elle savait que Bert le serait aussi.

— Bien sûr. Et vous, Sybil, accepteriez-vous de me seconder pour les recherches ?

— J'en serais ravie.

Ce livre sur les Butterfield serait beaucoup plus amusant à rédiger que son énorme tome sur le design. Samuel mettrait son cœur et son âme dans la rédaction de l'ouvrage, et toutes deux l'aideraient. Ils travailleraient ensemble quasiment main dans la main. Ils formaient une communauté, une famille, et s'apportaient mutuellement force, amour et consolation. Voilà pourquoi ils avaient été réunis, elle en était convaincue.

Rien ne pouvait détourner le cours du temps. Les guerres et les drames du passé ne pouvaient être empêchés, quand bien même l'on connaissait la date de leur survenue. Ce qui comptait, c'était l'amour qui liait leurs deux familles. C'était le plus grand cadeau qui puisse exister. Et tant pis s'ils vivaient à un siècle d'intervalle, tant pis si personne ne comprenait le phénomène... L'important, c'était qu'ils vivaient tous ensemble au manoir Butterfield. L'avenir serait toujours incertain, le passé, lui, était ce qu'il devait être. Dans un sens, c'était parfait.

Blake vint retrouver Sybil quelques instants plus tard. Côte à côte, ils regardèrent Bert lever sa coupe de champagne et leur souhaiter à tous une excellente nouvelle année, pleine de santé, de prospérité et de joie.

— À 1920 ! s'exclamèrent les aînés de la famille.

— J'espère que ce sera une année merveilleuse pour nous tous, dit Sybil avec émotion.

— Si je me souviens bien, oui, répliqua Augusta en sirotant son champagne, un sourire mystérieux aux lèvres.

Ils dansèrent jusqu'au petit matin. Deux nouvelles années, distantes de cent ans, commençaient simultanément.

Vous avez aimé ce livre ?
Vous souhaitez en savoir plus sur Danielle STEEL ?
Devenez, gratuitement et sans engagement, membre du
CLUB DES AMIS DE DANIELLE STEEL
et recevez une photo en couleurs.

Retrouvez Danielle Steel sur le site :
www.danielle-steel.fr

La liste de tous les romans de Danielle Steel publiés aux Presses de la Cité se trouve au début de cet ouvrage. Si un ou plusieurs titres vous manquent, commandez-les à votre libraire. Au cas où celui-ci ne pourrait obtenir le ou les livres que vous désirez, si vous résidez en France métropolitaine, écrivez-nous à l'adresse suivante, à partir du 1er janvier 2020 :

Éditions Presses de la Cité,
92, avenue de France,
75013, Paris.

MARQUIS

Québec, Canada